国家社会科学基金重大委托项目《巴蜀全书》（10@ZH005）系列成果之一
四川省重大文化工程《巴蜀全书》（川宣2012.110号）系列成果之一
教育部人文社会科学重点研究基地四川师范大学巴蜀文化研究中心重点资助项目
四川省哲学社会科学重点研究基地四川思想家研究中心重点资助项目

四川思想家与《文心雕龙》

王万洪　孙　太　赵娟茹　许劲松　著

科学出版社

北　京

内 容 简 介

成书于南朝齐梁之际的《文心雕龙》，是我国文学批评理论的巅峰之作。本书主要运用历史文献学与文学地理学研究方法，根据民间传说、历史文献、当代研究与考古实证，选取与巴蜀文化关系密切的伏羲、五帝世系部分人物、大禹等上古传说中的著名部落首领、政治家、思想家，以及汉代至魏晋时期的著名作家与思想家司马相如、王褒、扬雄、李尤、陈寿，与入蜀名家诸葛亮、张载为研究对象，论述他们对《文心雕龙》成书所产生的巨大影响。

本书适合文论与文化研究者、《文心雕龙》研究者、巴蜀文化研究者与爱好者阅读。

图书在版编目（CIP）数据

四川思想家与《文心雕龙》/ 王万洪等著. —北京：科学出版社，2018.5

ISBN 978-7-03-057521-0

Ⅰ. ①四… Ⅱ. ①王… Ⅲ. ①文学理论-中国-南朝时代 ②《文心雕龙》-研究 Ⅳ. ①I206.2

中国版本图书馆 CIP 数据核字（2018）第 100490 号

责任编辑：郭勇斌 周 爽 王 贝 / 责任校对：李 影

责任印制：张 伟 / 封面设计：刘云天

科学出版社出版

北京东黄城根北街 16 号

邮政编码：100717

http://www.sciencep.com

北京中石油彩色印刷有限责任公司 印刷

科学出版社发行 各地新华书店经销

*

2018 年 5 月第 一 版 开本：720×1000 1/16

2018 年 5 月第一次印刷 印张：13

字数：234 000

定价：68.00 元

（如有印刷质量问题，我社负责调换）

序　言

我与王万洪、孙太、赵娟茹三位学友合作完成的研究课题《四川思想家与〈文心雕龙〉》即将在科学出版社出版，他们嘱我作序。有几句话，写在下面，与大家共勉。

一

首先，我认为本书的选题很好，在《文心雕龙》研究史上具有创新意义。因为从“四川”这一特定的地域角度出发，选取历史上的著名思想家、文学家为对象，来研究他们对《文心雕龙》成书的影响，这样的研究具有历史地理学、文学地理学的影子，尽管在《文心雕龙》成书时没有“四川”这一说法，但本书的研究是有新意的。

通观《文心雕龙》全书，以超越时代的远大世界观和宇宙意识，将天地、自然、万物均视作“郁然有采”的形文与声文，将人类的写作视为模仿自然得来的情文。而刘勰论述写作的人文起点，是上古神话传说中的始祖伏羲。于是，伏羲成为人类历史上第一个通过仰观俯察的方式，创立人文（八卦）的始祖。其后的黄帝、尧、舜、大禹、伯益、后稷、文王、周公、孔子，顺次而出，各自为人文的发展立下了不朽功勋。上述人物有一个共同的特点：他们都不是今天文学、审美意义上的作家，而是建立了不朽功勋的帝王、政治家和杰出的思想家，刘勰以这样的标准来选择进入《原道》篇的卓越人文创造者，如孔子，也被称为“素王”。所有帝王、政治家、思想家进行人文创造的起点和依据，都是同一个东西——《易》。传说伏羲始画八卦，文王推演之，孔子定其书——这样看来，《文心雕龙》主张一切的人文均原始于《易》；伏羲以其开天辟地的伟大创举，成为中华民族的人文始祖；孔子以其删述六经的伟大创作，成为人文领域的真正素王。而本书采用伏羲为巴人祖先的说法，也就是说，将本书的研究对象，将巴蜀文化名人对《文心雕龙》成书的影响，在《史记》等历史文献有明确记载的禹夏时代、五帝时代基础上，上推到了伏羲时代。

而与巴蜀文化密切相关的伏羲，五帝世系人物，大禹，夏代文学名家，汉司马相如、王褒、扬雄、李尤，三国诸葛亮，西晋陈寿等，居于《文心雕龙》最重要的素材来源之列，是全书论述文学起源、文学审美、文学范式、创作纲领与经典作家、优秀作品、创作技法、文学史论、文学批评的核心对象。

二

其次，本书实践了当代《文心雕龙》研究的新方法，是一次大胆的尝试。

据我所知，在当代，怎样投入《文心雕龙》的创新研究，是一个严峻的问题。

说严峻，是因为这本享誉世界的名著，已经有了数百部研究著作、上万篇专题论文、数亿字研究文字，全世界取得的成果之多，几乎已将该书版本、校勘、注释、今译、范畴研究与理论研究做到了“山重水复疑无路”的地步，后人要想再从《文心雕龙》研究中沿袭前人之路，实在是难以走通了。

所以，必须进行研究思路、研究方法的更新和转变。

据武汉大学李建中教授介绍说，2007 年的中国《文心雕龙》学会年会上，他与陶礼天教授曾进行过深入长谈，从那以后，他开始专注于从关键词角度切入研究，陶礼天教授专注于从文学地理学角度展开研究——这两个角度，是目前“龙学”研究界最新的视野，取得了转变思路、拓展空间、创新方法的成就。[①]

我认为《文心雕龙》的研究，必须，也必然从历史文献、古籍文献中去探究其根本渊源，这一说法，有以下依据。第一，持续数十年的源出儒家、道家、玄学、佛学群说或三家合一诸说，早已产生了数百篇专题论文、数十部相关著作，从主导思想异同、哲学思想渊源角度深入研究之，目前仍在继续，且成果越来越多。第二，美学、文学、范畴研究，无一不探究根源，阐释新意。第三，版本、校勘、注释、今译研究，无不刨根究底，探本溯源。因此，李建中教授提出的关键词视野研究思路，正是上述研究现状的更往上溯源、探本、证史的研究，是从诸子思想、历史文献文本本身，再向上探究根源、深究文明之美本源的研究。简单一句话，是寻根。从这个角度出发，将于经、史、子、集四部文献中深入浅出，非有数十年工夫不可，而一旦打通，则一定会成为一个文化学者，一个思想家，一个汇通各家各派的深渊式学者。

相比较而言，陶礼天教授主张的“文学地理学视野”，则带有思路创新、阵地转移的意味。《文心雕龙》书中确实包含极为丰富的文学地理学因素，除了《神

① 据王万洪师弟告诉我说：2017 年 8 月 6 日下午，中国《文心雕龙》学会第十四次年会在内蒙古师范大学举行闭幕式，李建中教授在专题发言中做了《龙学研究四通》的学术报告，其中提到本段文字所述的内容。

思》《体性》《养气》等抽象性、普适度极高的专题，其余各篇，是文学史上少有的文学地理学素材宝库。陶教授以独到的眼光，开启了这方面的研究之门。

简单地说，李教授的主张能够多出成果，但是难度大；陶教授的主张能够出新的成果，因为视野新。

三

本书现在做的，是从地域文化视野角度切入的研究，这与陶教授提倡的文学地理学批评视野非常近似，具有一定程度的内容交叉。这根源于国家民族复兴、文化自信的国策，是地域文化研究兴盛发展的历史机遇造成的。而最直接的动因，则是四川大学古籍整理研究所舒大刚教授主持的国家社会科学基金重大委托项目、四川省重大文化工程《巴蜀全书》获得立项，本书的四位作者都是巴蜀文化研究的参与者，可以直接在前人艰苦论证的基础上，从巴蜀地域文化角度展开本课题的研究。也就是说，前人栽树，后人乘凉。

从政治家、思想家的角度来说，大禹位居首批四川历史名人之首，修身立德、治水立功、《尚书》立言，是《左传》推崇的“三不朽”评论标准最杰出的代表人物。大禹是四川的、中国的，更是全世界的伟大政治家、思想家，《文心雕龙》从《原道》篇开始，从不同角度入手，在书中很多篇章论述大禹事迹、美德与夏代文学，特别是音乐文学滥觞的论述，以四川、以大禹为起点。这是四川名人为写作学巨著《文心雕龙》的成书做出巨大贡献的第一人。

从文学而兼具思想性的角度看来看：汉代巴蜀著名辞赋大家司马相如、王褒、扬雄，是《文心雕龙》论述到的巴蜀名人中的重中之重。从司马相如开创汉大赋体裁以来，巴蜀辞赋作家在这一领域深耕细作，居于整个汉代辞赋创作、艺术理论、历史影响的巅峰位置：司马相如开创了汉大赋体裁，创造了后代人竞相模拟的狩猎、园林、山川、君臣内容，他被称为赋圣、辞宗。王褒独开生面，《四子讲德论》以纵横家的气魄畅谈国是，是难得的长篇政论赋；他创作的《洞箫赋》被誉为“历代音乐赋之祖”，对后代同类题材影响巨大，实现了汉赋从长篇铺叙到抒情描写的手法转变。扬雄博及群书、博通经纶，是伟大的文学家、思想家、史学家、语言学家、文字学家，他以雄厚的学术修养和高妙的才华为基础，不仅模拟司马相如写作四大赋，而且独创京都大赋题材，写出的《蜀都赋》被誉为“历代京都大赋之祖”，影响千年。巴蜀汉代三大辞赋名家，不仅是巴蜀文学、巴蜀文学家的典范，也是整个汉代文学、中国文学的杰出代表，他们以奇思纵意的才华、卓越独特的艺术想象、独具个性的语言传达、恢弘博大的篇章构思、题材多变的描写内容，开启了中国文学在汉代以辞赋成为独特断代标志的创作现象。

我认为：他们，是伟大的！研究他们，是幸福的！

四

本书涉及巴蜀文化、历史文献、儒学文献、音乐文献、辞赋作品及其相关版本、文字、查证等工作，没有相关的基础，难以完成。幸运的是，我们勉强做到了。我们几位作者平时在四川大学学习，联系紧密，在友谊与学术方面交流颇多。孙太师兄与我一起求学于四川大学，是好朋友，他主持了国家社会科学基金项目，游学欧洲，博闻强识，对古代文论、巴蜀文化、《文心雕龙》的研究有许多创新意见；赵娟茹也是四川大学文学与新闻学院培养的博士研究生，在自己的研究领域中已经取得了较多创新成果，而且具有学习、思考、研究《文心雕龙》的扎实功底；王万洪师弟是我硕士研究生时导师李凯教授带出来的第一个博士生，硕士阶段即痴迷于《文心雕龙》研究，后来在四川大学作统招博士后，接触到《巴蜀全书》编纂项目，开启了地域文化、历史文献研究之路。作为师兄，我为他的《文心雕龙》研究和新近的巴蜀书法研究感到高兴。

世人皆知，四川大学的历史文献学居于全国第一，文学与新闻学院的《文心雕龙》研究享有世界声誉。但因为《文心雕龙》博大精深，体大虑周，难以研究，更难创新研究，这一点我们是知道的。四川大学自杨明照先生仙逝之后，已经逐渐退出了全国“龙学”研究的重镇位置，我们四位作者作为四川大学培养出来的学生，愿意继往开来，做一点事情，将四川大学的“龙学”研究继续下去。

限于学力和眼界，本书在文献征引、观点确立、论证过程中难免存在若干不足，有的论述还需斟酌确定，我们诚恳地请求读者朋友不吝指教，多多提出批评意见，这将促使我们的成长，谢谢你们！

是为序。

许劲松①

2018年3月25日

于四川音乐学院

① 许劲松博士，1976年出生，四川中江人，四川音乐学院教师，中国比较文学学会、中国古代文学理论学会会员。致力于西方文论、《文心雕龙》与传统文化研究。在四川大学读博期间，师从曹顺庆教授，在《文心雕龙》注释、今译、理论阐释方法论等领域有一定造诣。

目　　录

绪　论

一、《文心雕龙》的文学地理学因素

《文心雕龙》涉及文学创作问题的各个方面，这部名著的文学地理学因素主要包括以下方面的内容。

第一是全书征引的著名作家的地理籍贯。尽管《文心雕龙》在写作时并不是从地理籍贯的角度对作家进行分类的，但该书所论述的主要作家的地理籍贯大多是可以确定的，比如，孔子是山东曲阜人，周公是岐山周原人，陆机、陆云兄弟是江东大族子弟，王褒、扬雄是西汉蜀郡人士，这些作家的籍贯不存在争议。其他一些是有所争议的类型，比如，《原道》篇论述了多位上古杰出部落联盟首领、政治家、思想家。根据古籍文献的记载，本篇中伏羲的籍贯就有四川说、甘肃说、山东说等，大禹的籍贯也有四川说、青海说、陕西说、河南说乃至东北说等。考证这些名人的地理籍贯，不仅是考古学、历史学、地理学研究的内容，现在，也是文学研究、《文心雕龙》研究的内容。

第二是以空间为横向坐标的文化区域。当代学者将中国的主要文化区域划分为中原文化、齐鲁文化、关陇文化、江汉文化、巴蜀文化等八大块，在《文心雕龙》中，我们会发现，该书对当代文学地理学界提出的秦陇、三晋、齐鲁、巴蜀、荆楚、吴越、燕赵、闽粤八大文学区系皆有涉及，其中，位于黄河、长江流域的前六大文学区系为主要文学区系。当然，在《文心雕龙》成书的时代，并没有今天八大块的说法和划分，但刘勰身处南北朝对立、国家分裂、划江而治的特殊时期，是一个历史见证者。《文心雕龙》中论述三皇、五帝、夏、商、周、春秋、战国、前汉、后汉、晋室南迁及江左、皇齐文学的时候，带有鲜明的区域分野的意味，特别是《诗经》十五国风与《楚辞》，不仅有内容、写法、风格等方面的差异，仅从命名上看，其地域区别就尤为明显——《物色》篇就指出：屈原《楚辞》创作的成功，很大程度上是得到了外在的“江山之助”!

第三是全书有关写作方面的历史地理内容。美国文学理论家艾布拉姆斯认为：文学具有四大要素，分别是世界、作者、作品与读者，这四大要素之间是相互渗透、相互依存、相互促进的。[①]这一理论在世界文学研究中都广有影响。但是，将四要素论与《文心雕龙》的写作理论体系放在一起比较的时候，在向上的理论高度和向下的操作性方面，它们就显得比较薄弱而且笼统了。《文心雕龙》的论述涉及与写作有关的各个方面的问题，这些问题不仅包含了“世界”这一因素，而且在作者选择、作品断代与读者批评方面，与文学地理学的关系都很密切。

（1）写作动力论。在《序志》篇中，刘勰自述创作《文心雕龙》这本书的目的是树德建言，立论不朽。在萌发了写作本书流传后世的想法时，刘勰记述了两个梦：“予生七龄，乃梦彩云若锦，则攀而采之。齿在逾立，则尝夜梦执丹漆之礼器，随仲尼而南行。旦而寤，乃怡然而喜：大哉！圣人之难见哉，乃小子之垂梦欤！”[②]一为彩云高飞的美丽之梦，表明了作者内心崇高的理想和憧憬以文名世的精神品格[③]，这与南朝崇尚文学、为文华丽的时代风气息息相关。二为梦见孔子，“执丹漆之礼器，随仲尼而南行”，举着周代大红的礼器，代表的是本书以儒家雅正的礼乐制度规范为指导思想的选择。刘勰原籍山东，祖辈在战乱中迁徙江东镇江，他在梦中跟随孔子从北向南，实际上是自己从黄河流域的齐鲁大地来到长江南岸的吴越之地的写照。向孔子取法，这是他将孔子当作自己的精神导师、决心传播雅丽的文风、写作《文心雕龙》这本书的根本动力。其内在动因，具有鲜明的南北地理地域因素。

（2）文学起源论。文学起源于自然，与天地并生，与日月、山川、草木、云霞、林籁、泉石、龙凤、虎豹等自然事物同时存在，而且采集其精华，在天、地、人三才共同作用下，在从西部地区的伏羲、大禹、周公到东部地区的孔子等古代杰出人才的共同努力下，经历了从自然物色的形文、声文到人类社会的人文等不同形态与不同阶段的漫长发展，不仅功能多样，“为德也大矣”，而且天然地具有美的本质属性，这是《文心雕龙》全书尚丽尚美的理论渊源。在刘勰看来，一切文章都具有美的属性、美的创造、美的风格。事见《原道》《情采》等篇。《原道》歌颂道，“夏后氏兴，业峻鸿绩，九序惟歌，勋德弥缛”，蜀人大禹治水，功在千秋，褒赞大禹，九序惟歌。《情采》评论说：“为情者要约而写真，为文者淫丽而烦滥。”这实际上是对蜀人扬雄“诗人之赋丽以则，辞人之赋丽以淫”审美批评

① M.H.艾布拉姆斯：《镜与灯：浪漫主义文论及批评传统》，郦稚牛、张照进、童庆生译，王宁校，北京：北京大学出版社，1989年，第5-6页。

② 黄叔琳注，李详补注，杨明照校注拾遗：《增订文心雕龙校注》，北京：中华书局，2000年，第610页。

③ 文学的美丽精神品格，是王岳川先生“书法的美丽精神”说之化用，也是笔者对《文心雕龙》全书尚丽尚美精神的总结性归纳。特作说明。

的转化运用，于是，扬雄成为《文心雕龙》中探究历代诗、文创作、审美评论来源的主要理论家。

（3）文学史论。从伏羲时代到南朝齐梁，众多的时代、作家、作品构成了精彩的文学史，其中的“江左”等历史阶段，本就是文学地理的代表性词汇，而刘勰的祖父辈即是从齐鲁地区南渡来到镇江生活的北人。在贯通数千年的文学历史发展过程中，将全中国地域空间范围内的文学发展历史进行梳理与归纳，这是《文心雕龙》的独创。事见《原道》《通变》《才略》《时序》等篇。特别是《时序》，可称第一篇中国文学史，其中的“九代文学”，概述数千年，包含从上古陶唐到齐梁年间的历史时期，稍微考察一下从伏羲到“皇齐”的都城或部落联盟所处的核心地域空间，就可以发现：今河南、河北、山西、山东所在的黄河中下游地区，是历代文学发展的主要区域；长江中下游地区，则是“近代文学”不断转移、变化的新的区域；而巴蜀地区则有名家大禹、司马相如、扬雄居于其间，是先秦、汉代著名的作家代表和评论对象。

（4）写作对象论。在《文心雕龙》中，一切用文字记录下来的东西都是广义的文学写作，其对象当然也包括天地自然等一切内容，《物色》篇以“春秋代序，阴阳惨舒；物色之动，心亦摇焉”的外物感染论为中心观点，将引发写作情思、灵感、激情的因素归于“天高气清”“霰雪无垠”“清风与明月同夜，白日与春林共朝”，于是“《诗》人感物，联类不穷。流连万象之际，沉吟视听之区。写气图貌，既随物以宛转；属采附声，亦与心而徘徊”，继而“《离骚》代兴，触类而长；物貌难尽，故重沓舒状”，发展到汉代，“长卿之徒，诡势瓌声；模山范水，字必鱼贯”，从先秦北方《诗经》到南方《楚辞》，再到汉代辞赋大作，著名的诗赋文学，莫不是描写自然景物的产物。而自“近代以来，文贵形似：窥情风景之上，钻貌草木之中”，则走向了片面、浮浅的景物描写之途。对于地理、山川、景物的描写，贯通了整个文学发展的历史，是全部文学体裁重要的取材对象，其成败得失与当代发展，正是《文心雕龙》得以建构批评理论的重要内容之一：必须归正商周，取法丽则，摆落丽淫。这其中，以“长卿之徒”蜀人司马相如为代表的辞赋创作作品，为主要的批评对象；蜀人扬雄在《法言》中提出的“丽淫丽则”审美论，被刘勰直接拿过来演化为“诗人丽则而约言，辞人丽淫而繁句”，成为诗赋对比、文学批评的核心标准。巴蜀文学家在作品创作与理论创造方面，为《文心雕龙》写作对象论的建构做出了重要的贡献。

（5）枢纽论。以《宗经》为核心，褒扬经典“六义”，批评“楚艳汉侈”，原道征圣，尊经抑纬，提倡骚体之新变，得出合观诗骚的雅丽文学创作纲领[①]，这是褒美“郑伯入陈”“宋置折俎”的区域国别文学、融合《诗经》《楚辞》的南北文风、化合以诗骚为代表的古今各类文体、创造全新理论的总结性成果。《正纬》篇论述纬书之起源，其与经典共同“原道”而来，而“河出图，洛出书，圣人则之”，河洛之地，就成了上古文学发展的核心起源地。发展到北方儒家经典之后的楚辞体裁，特别是屈原的一系列作品，在内容上“论山水，则循声而得貌；言节侯，则披文而见时”，它们作为后代辞赋作家的模仿对象，“吟讽者衔其山川，童蒙者拾其香草”，不仅有地理区域与国别差异，而且是具体写作内容的操作性体现。事见《征圣》《宗经》《辨骚》等篇。巴蜀文学家、思想家扬雄在《宗经》篇中作为提出理论批评建构的人物出场，“扬子比雕玉以作器，谓五经之含文也”，其关于“五经美文”“丽淫丽则”的论述，成为《文心雕龙》证明儒家经典有文采之美的直接来源，“丽淫丽则”不仅是经典具有“六义”之“六则文丽而不淫”的照搬，而且广泛地运用于《诠赋》《情采》《夸饰》《物色》等篇，成为《文心雕龙》主张的核心审美批评主张之一。巴蜀著名文学家司马相如、王褒、扬雄联袂在《辨骚》篇中出现，不仅“马、扬沿波而得奇”，是学习屈原楚辞的成功代表作家之一，而且“若能凭轼以倚雅颂，悬辔以驭楚篇，酌奇而不失其真，玩华而不坠其实，则顾盼可以驱辞力，欬唾可以穷文致，亦不复乞灵于长卿，假宠于子渊矣”[②]，蜀人司马相如和王褒，成为刘勰笔下选拔出来的、历代文学仅有的两位著名的代表作家，是古今文学的标杆式人物！

（6）文体论。《文心雕龙》专列文体论二十篇，讨论三十余大类八十余小类的古今文体及其历史演变、成败得失与创作要求，处处体现文学地理学的各类因素。事见《明诗》到《书记》诸篇。《明诗》篇中提及的建安文学、江左篇制、宋初文咏，均为地理区域极为鲜明的时代文学代表，诸如此类的论述，二十篇文体论之中有很多的例证。如《乐府》，该篇开头就说道：“乐府者，声依永，律和声也。钧天九奏，既其上帝；葛天八阕，爰乃皇时。自咸英以降，亦无得而论矣。至于涂山歌于候人，始为南音；有娀谣乎飞燕，始为北声；夏甲叹于东阳，东音以发；殷整思于西河，西音以兴：音声推移，亦不一概矣。”[③]乐府，简单地说，即官方音乐文学，主要是和乐的诗歌，黄帝“钧天九奏”，据传地点在今河南省

① 创作纲领一说，由王运熙先生提出，是指《文心雕龙》序言中论述的“文之枢纽”，即写作的核心指导思想与创作原则规范。笔者在此基础上进一步明确指出折衷诗骚的雅丽文学纲领，并论证了雅丽文学思想的成立。本书中所有关于雅丽文学思想的内容，可以参见王万洪：《〈文心雕龙〉雅丽思想研究》，成都：四川师范大学，2012年。

② 黄叔琳注，李详补注，杨明照校注拾遗：《增订文心雕龙校注》，第51页。

③ 黄叔琳注，李详补注，杨明照校注拾遗：《增订文心雕龙校注》，第82页。

平顶山市郏县钧天台，宋代蜀人“三苏”父子坟墓对面，这是天地之正中，暗示河南是中原之腹地，上古文明之核心。大禹的妻子涂山氏女娇，唱出了候人之歌，始为南音；有娀氏的两个女儿唱出了飞燕之谣，始为北声；夏代的孔甲发出了东阳之叹，东音以发；殷整甲讴歌了西河之思，西音以兴。以上以东、南、西、北为地理空间，以夏代音乐文学为时间背景的原始先民歌谣，虽然是传说中的东西，但包含最为鲜明的文学地理学因素。继续深入思考，即可发现涂山氏女娇、有娀氏之女、孔甲之歌、西河之思，与位于中原腹地的夏代音乐文学有关：女娇为大禹之妻，而大禹为古蜀人，夏朝是大禹之子夏启建立起来的，夏启为古巴人，往上推论，刘勰在本篇所举之夏代音乐文学例证，暗中还与古巴蜀文学区系有着直接的关系。在《乐府》篇中，还多次出现《韶》《夏》雅乐与郑、卫俗乐的对比论述，刘勰本着尚雅贬俗的态度，对郑、卫之声多次批评指责，甚至建安曹氏父子文学之作，也被视为不雅之作。这是在历代乐府音乐文学发展历史上的审美批评运用，雅丽思想在此极为鲜明地表达了出来。在之后十八篇的文体论中，文学地理学因素层出不穷，如以下随处可见的典型论述。

《诠赋》：原夫登高之旨，盖睹物兴情。[①]

《颂赞》：夫化偃一国谓之风，风正四方谓之雅。[②]

《铭箴》：始皇勒岳，政暴而文泽，亦有疏通之美焉。若班固《燕然》之勒，张昶《华阴》之碣，序亦盛矣。[③]

《诔碑》：碑者，埤也。上古帝王，纪号封禅，树石埤岳，故曰碑也。周穆纪迹于弇山之石，亦古碑之意也。[④]

《哀吊》：贾谊浮湘，发愤吊屈。[⑤]

《杂文》：犹骋郑卫之声，曲终而奏雅。[⑥]

《谐隐》：楚庄齐威，性好隐语。[⑦]

《史传》：后汉纪传，发源东观。[⑧]

---

① 黄叔琳注，李详补注，杨明照校注拾遗：《增订文心雕龙校注》，第 97 页。
② 黄叔琳注，李详补注，杨明照校注拾遗：《增订文心雕龙校注》，第 108 页。
③ 黄叔琳注，李详补注，杨明照校注拾遗：《增订文心雕龙校注》，第 139 页。
④ 黄叔琳注，李详补注，杨明照校注拾遗：《增订文心雕龙校注》，第 155 页。
⑤ 黄叔琳注，李详补注，杨明照校注拾遗：《增订文心雕龙校注》，第 168 页。
⑥ 黄叔琳注，李详补注，杨明照校注拾遗：《增订文心雕龙校注》，第 181 页。
⑦ 黄叔琳注，李详补注，杨明照校注拾遗：《增订文心雕龙校注》，第 195 页。
⑧ 黄叔琳注，李详补注，杨明照校注拾遗：《增订文心雕龙校注》，第 206 页。

《诸子》：七国力政，俊乂蜂起。[①]

《论说》：汉定秦楚，辨士弭节。[②]

《诏策》：皇帝御宇，其言也神。[③]

《檄移》：相如之《难蜀老》，文晓而喻博，有移檄之骨焉。[④]

《封禅》：夫正位北辰，向明南面，所以运天枢、毓黎献者，何尝不经道纬德，以勒皇迹者哉？[⑤]

《奏启》：李斯之奏骊山，事略而意迳。[⑥]

《议对》：洪水之难，尧咨四岳。[⑦]

《书记》：医历星筮，则有方、术、占、试。[⑧]

以上所举之例证，不仅对文学功能、文学体裁、具体作品、审美批评、创作技法方面有所论述，还包括了宇宙意识、区域国别、山川河流、自然方位的直接说明。二十篇文体论跨越了从上古到《文心雕龙》成书的数千年时间，将各体文学较著名的代表作家、代表作品、创作要求、成败得失、审美批评熔于一炉，其中，文学地理学因素是重要的内容。而巴蜀文学区系诞生的大禹、司马相如、王褒、扬雄、诸葛亮、李尤、陈寿等杰出作家，不仅位居《明诗》《乐府》《诠赋》《铭箴》《哀吊》《杂文》《史传》《诸子》《诏策》《封禅》《檄移》《书记》等篇章之中，而且司马相如与扬雄还是各体文学发展、作品成就、批评审美、理论建构最重要的大家，从《明诗》到《书记》，他们创作的诗、赋与博通众体的各类散文，莫不成就最高，扬雄还时有提出著名理论观点，在《诠赋》《杂文》《书记》等篇章中，成为基本的创作规范。

（7）写作技法论。集中于《镕裁》到《总术》共十三篇，综合论述了有关写作的诸多技法，以裁剪、声律、章句、对偶、比兴、夸饰、用字、语病、引用、对比等为主，鲜明地体现了《文心雕龙》作为写作学著作的性质归属问题。这些技法，有许多是与地理区域密切相关的，不仅时时可见“昔谢艾、王济，西河文士”等区域分类极为清晰的文句，而且有许多长句与宏论，带有极为鲜明的历史地理内容，任举数例证明之。

---

① 黄叔琳注，李详补注，杨明照校注拾遗：《增订文心雕龙校注》，第229页。
② 黄叔琳注，李详补注，杨明照校注拾遗：《增订文心雕龙校注》，第247页。
③ 黄叔琳注，李详补注，杨明照校注拾遗：《增订文心雕龙校注》，第264页。
④ 黄叔琳注，李详补注，杨明照校注拾遗：《增订文心雕龙校注》，第282页。
⑤ 黄叔琳注，李详补注，杨明照校注拾遗：《增订文心雕龙校注》，第295页。
⑥ 黄叔琳注，李详补注，杨明照校注拾遗：《增订文心雕龙校注》，第317页。
⑦ 黄叔琳注，李详补注，杨明照校注拾遗：《增订文心雕龙校注》，第332页。
⑧ 黄叔琳注，李详补注，杨明照校注拾遗：《增订文心雕龙校注》，第347页。

《声律》:《诗》人综韵，率多清切;《楚辞》辞楚，故讹韵实繁。及张华论韵，谓士衡多楚,《文赋》亦称知楚不易：可谓衔灵均之声馀，失黄钟之正响也。①

《章句》: 二言肇于黄世,《竹弹》之谣是也；三言兴于虞时,《元首》之诗是也；四言广于夏年,《洛汭之歌》是也；五言见于周代,《行露》之章是也。六言、七言，杂出《诗》、《骚》；两体之篇，成于西汉。②

《章句》:《诗》人以“兮”字入于句限,《楚辞》用之，字出句外。寻“兮”字承句，乃语助馀声。舜咏《南风》，用之久矣，而魏武弗好，岂不以无益文义耶！③

《丽辞》: 造化赋形，支体必双；神理为用，事不孤立。夫心生文辞，运裁百虑；高下相须，自然成对。④

《比兴》: 楚襄信谗，而三闾忠烈，依《诗》制《骚》，讽兼“比”、“兴”。⑤

《比兴》: 至于扬、班之伦，曹、刘以下，图状山川，影写云物，莫不织综“比”义，以敷其华。⑥

《夸饰》: 夫“形而上者谓之道，形而下者谓之器”。神道难摹，精言不能追其极；形器易写，壮辞可得喻其真；才非短长，理自难易耳。故自天地以降，豫入声貌，文辞所被，夸饰恒存。⑦

《练字》: 夫文象列而结绳移，鸟迹明而书契作，斯乃言语之体貌，而文章之宅宇也。⑧

《隐秀》: 隐之为体，义生文外；秘响旁通，伏采潜发：譬爻象之变互体，川渎之韫珠玉也。故互体变爻，而化成四象；珠玉潜水，而澜表方圆。⑨

① 黄叔琳注，李详补注，杨明照校注拾遗:《增订文心雕龙校注》，第 432 页。
② 黄叔琳注，李详补注，杨明照校注拾遗:《增订文心雕龙校注》，第 441 页。
③ 黄叔琳注，李详补注，杨明照校注拾遗:《增订文心雕龙校注》，第 441 页。
④ 黄叔琳注，李详补注，杨明照校注拾遗:《增订文心雕龙校注》，第 447 页。
⑤ 黄叔琳注，李详补注，杨明照校注拾遗:《增订文心雕龙校注》，第 456 页。
⑥ 黄叔琳注，李详补注，杨明照校注拾遗:《增订文心雕龙校注》，第 457 页。
⑦ 黄叔琳注，李详补注，杨明照校注拾遗:《增订文心雕龙校注》，第 465 页。
⑧ 黄叔琳注，李详补注，杨明照校注拾遗:《增订文心雕龙校注》，第 484 页。
⑨ 黄叔琳注，李详补注，杨明照校注拾遗:《增订文心雕龙校注》，第 495 页。

以上例证之中，既有写作技法规律论和技法渊源论，如《丽辞》《夸饰》《练字》《隐秀》技法之来源于天地自然、本质属性与坤象品格等；也有区域国别文学论，如《诗》、《诗》人、楚国、《楚辞》、《洛汭之歌》、《南风》之歌等；还有文学发展脉络之论与写作技法的传承，如“依《诗》制《骚》”“织综比义”之说；更有写作对象的取材，如“图状山川，影写云物”等内容的描述。所以，写作技法论部分不只谈技法，这一部分的十九篇专文，实际上是包含有关写作各方面问题的综合论述，是继二十篇文体论之后，最为集中的写作专论，且其中带有众多特色鲜明、内容丰富的文学地理学内容。以司马相如、王褒、扬雄为代表的巴蜀文学家及其作品，在各类写作技法论中，均作为扛鼎之对象出现，除热门技法声律、章句、丽辞、比兴、夸饰、指瑕等之外，特别在冷门技法如练字等专题之中，他们作为汉代最著名的文字学大师，是历史上编纂字书、运用奇字、创作辞赋最成功的杰出人物。

（8）以上涉及全书序论一篇、枢纽论五篇、文体论二十篇、写作技法论十三篇、文学史论一篇、写作对象论一篇，占到了全书五十篇之中的四十篇以上，剩下的风格论、作家论诸篇，仍然包含着非常鲜明的文学地理学因素。比如，《定势》论文体风格说：“势者，乘利而为制也。如机发矢直，涧曲湍回，自然之趣也。圆者规体，其势也自转；方者矩形，其势也自安：文章体势，如斯而已。”[①]这是《孙子兵法》论述“兵势”对《文心雕龙》产生的直接影响，以行军作战之阵势，比喻文章写作之笔势，方圆兼备，体现的是“文源于道”的“自然之趣”。《才略》篇总结全篇讨论的七十多位著名作家时说道：“观夫后汉才林，可参西京；晋世文苑，足俪邺都。然而魏时话言，必以元封为称首；宋来美谈，亦以建安为口实。何也？岂非崇文之盛世，招才之嘉会哉？嗟夫，此古人所以贵乎时也！”[②]其中的后汉、西京、晋世、邺都、魏时、元封、宋来、建安，是对数百年文学历史时空交织的高度概括，其地域、朝代的变化和更迭，也是文学历史承前启后、通变发展的内在规律。该篇在详细论述两汉四百余年文学发展史之后，给出了四个最伟大的作家：“自卿、渊已前，多役才而不课学；向、雄以后，颇引书以助文：此取与之大际，其分不可乱者也。”司马相如、王褒、刘向、扬雄，是刘勰笔下的汉四家，其中巴蜀文学家占据了三个席位，鲜明地体现了从“役才而不课学”到“引书以助文”的变化：由天赋纵横到熏染经典。这是汉代文学发展史真实的写照。没有巴蜀三杰作为范例，刘勰难以得出这样的结论，因为其他文学作

① 黄叔琳注，李详补注，杨明照校注拾遗：《增订文心雕龙校注》，第406页。
② 黄叔琳注，李详补注，杨明照校注拾遗：《增订文心雕龙校注》，第576页。

家的水平与他们相比还有一定的差距。

上面简单讨论的若干方面，实际上只是《文心雕龙》论述较多、体现较为鲜明的地理区域内容，还有许多涉及写作问题的细小方面，限于叙述局限，不再全部展开。

二、区域文化视野下的《文心雕龙》国内外研究现状

综上所述，《文心雕龙》理论体系的构成要素主要是：第一，时间上纵论从古至今的写作历史；第二，空间上总论历代不同的文学地理区域版图；第三，内容上涉及写作的各个方面；第四，指导思想上以儒家思想为宗，并能集百家之长，为我所用；第五，创作、审美与批评上以雅丽文学思想为核心。关注地理区域，关注空间与历史，将是《文心雕龙》研究的新思路。

在《文心雕龙》的研究历史上，从区域文化分野角度入手展开研究，是一种全新的视野。在时间上，运用文学地理学等新兴学科研究《文心雕龙》，其发端与展开还只是近二十来年的事情，在成果上，整体看并不多。在国外，目前还没有学者明确地从这一角度研究《文心雕龙》。《文心雕龙》已被翻译成多国语言，在亚洲的日本、韩国，欧洲的意大利、法国、俄罗斯、英国，美洲的美国、加拿大等国家均有发行，也有部分研究该书的成果在不同国家传播并产生影响，但以上情况主要涉及书的语种翻译与版本流传，大体上属于传播学的范围，除了日本、美国、意大利和俄罗斯，尚未有深入的、有影响的“龙学”理论研究成果出现；海外“龙学”以日本为代表，在《文心雕龙》理论研究、版本研究、传播研究等方面取得了较多深入的、创造性的成果。在中国，台湾、香港、澳门在区域文化视野下的“龙学”研究也尚未展开；运用文学地理学这一创新方法的研究成果集中于中国大陆，主要实践者有汪春泓、乔守春、陶礼天、冯淑然、刘金凤等，代表学者是陶礼天教授。成果类型有以下几类。

第一，是由微观问题引出的宏观研究。汪春泓先生《梦随仲尼而南行——论刘勰的“北人意识”》[①]认为：南朝经学沦丧，儒道式微，刘勰主张对北方中原儒学的复兴，是为了救弊当下文学创作的讹滥，刘勰有明显褒赞北方经学的用意。对此，乔守春先生持有同样的看法，认为刘勰具有强烈的“北人意识”[②]。而陶

---

① 中国《文心雕龙》学会编：《〈文心雕龙〉研究》（第一辑），北京：北京大学出版社，1995 年，第 205 页。

② 乔守春：《刘勰二梦析论》，《北京青年政治学院学报》2008 年第 2 期。该文指出：《文心雕龙·序志》篇“七龄”之梦和“齿在逾立”之梦的插入，有着广泛的“托梦示意”时代背景，寄寓了作者具有写作《文心雕龙》的技术和以儒家思想为写作引擎的主观目的；客观上，除了能推算出他的生年，不独可以窥得刘勰具有强烈的“北人意识”。

礼天先生则与之相反，认为“刘勰在这个‘随仲尼而南行’的梦中，主要表现的是其时政治上的‘褒南贬北’的倾向”①。笔者认为：不论刘勰是“褒南贬北”还是“褒北贬南”，其以儒家思想为主导、以经学为主导的指导思想是确定的，这就为《征圣》篇“圣文雅丽”说的提出梳理清楚了思路，在前代研究者的基础上距离探究儒家经典雅丽文风的审美属性更近了一步。事实上，这几篇文章的基本理论依据都是《隋书·文学传·序》“江左宫商发越，贵乎轻绮；河朔词义贞刚，重于气质”②的南北地域风格论，共同主张质实、雅正的文风。同时，这几篇文章没有重视的问题是：刘勰为什么要以美轮美奂的云彩为依托来写出自己对孔子的崇拜之情？除了乔文所谓“自命不凡”“展示文才”之外，这其实与《文心雕龙》“郁然有采”的自然物色之美是暗合一致的。《原道》以为：“云霞雕色，有逾画工之妙；草木贲华，无待锦匠之奇。夫岂外饰，盖自然耳。”③天上的云彩美丽多姿，是大自然赋予它们的天然之色。又说：“形立则章成”，“无识之物，郁然有采”④。这些本于自然的“形文”，具有美轮美奂的文采。因此，刘勰说自己两次做梦，一次在多彩的云霞之巅，一次是朱红的礼器在手，梦到孔子，随行而南，绝不只是“北人意识”那么简单。“北人意识”尚雅正，尊经典；云霞多姿则有重文采、尚美丽的意思在内。孔子不仅是儒家的伟大圣人，更是一位“删述经典”的伟大作家，所以，经他删述而成的五经圣文才会“衔华佩实”，以“雅丽”著称。

从《文心雕龙》的雅丽之美生发开来，雅丽审美论的另一种主要意见是南北地域差异说。国平先生《浅谈南北地缘美学对唐代诗歌的影响》一文讨论到南北美学的地域差异，认为北方美学的风格是豪迈雄壮，质朴淳厚；南方美学则秀丽婉美，浪漫热烈。从地域特征、文化差异、政治格局、战乱影响、移民影响等角度论述了“雅”与“丽”的地域差异，最后因为魏晋时期北人之南迁而渐趋统一。这是南朝雅丽文学思想起源的一种新解。

第二，是对“江山之助”这一文学地理批评现象的研究。冯淑然《江山之助：〈文心雕龙〉的地理环境论》一文指出：刘勰在《物色》中使用了“江山之助”一词，第一次提出了文学批评中的地理环境论。这一理论的出现绝不是偶然现象，而是有着时代的、理论的和实践的前提和条件，对后世的文学理论和文学创作影响很大。陶礼天《刘勰“江山之助”论与文学地理学——〈楚辞〉景观美学研究》则不致力于对“江山之助”内涵的全面诠释，而是由此理论命题发端，探讨文学

① 陶礼天：《文化传统与〈文心雕龙〉之性质略论》，《学术前沿》2008年第1期。
② 魏征等：《隋书》（影印本），北京：中华书局，1997年，第1730页。
③ 黄叔琳注，李详补注，杨明照校注拾遗：《增订文心雕龙校注》，第1页。
④ 黄叔琳注，李详补注，杨明照校注拾遗：《增订文心雕龙校注》，第1页。

与地理关系诸论题中的一种——即通过对《楚辞》独特的景观描写的分析，从审美主体与作品境界的构成层面，来讨论文学与地理的关系。这是目前直接运用文学地理学研究方法于《文心雕龙》研究中的成果。

第三，是由地理环境引出的文学传播研究。刘金凤《〈文心雕龙〉中体现的文学传播现象——以〈诗经〉、楚辞、汉赋的传播关系为例》一文指出：《诗经》到楚辞的传播与移民因素相关，导致中原文化向地域文化的过渡；楚辞到汉赋则是上行下效的文化传播，完成了地方文化向中央文化的回归。从《诗经》、楚辞至汉赋的传播，潜在地构成了文化的动态传播系统。而地理环境传播过程始终占据重要的地位，发挥着关键的作用。这与熊良智《楚辞传播与作家文学的诞生》所持的学术观点具有部分一致性。

第四，明确提出了《文心雕龙》研究中的文学地理学批评主张。陶礼天教授是全国较早主张文学地理学研究方法的学者，其1997年在华文出版社出版了文学地理学著作《北“风”与南“骚”》，1998年在《北大中文研究》创刊号上发表了《文学与地理——中国文学地理学略说》[①]。而在《文心雕龙》学会第十三次昆明年会与第十四次呼和浩特年会上，陶先生相继主张运用文学地理学研究方法对《文心雕龙》进行研究。在《〈文心雕龙〉文学地理批评思想研究（上篇）》中，陶教授指出：

> 本文是第一次明确提出《文心雕龙》文学地理批评思想的研究，这就首先需要简要论述如下两个问题：第一，从文学地理学看问题，先秦至六朝时期的文学地理批评发展情况如何？第二，依照对文学地理学的建构与阐释，《文心雕龙》的文学地理批评思想包括哪些，是否符合其实际？[②]

在这篇可以明确称为《文心雕龙》文学地理学研究理论主张的论文中，陶教授详细回答了引文中提到的两个问题，其论据贯通《文心雕龙》全书，并举证若干材料。

第五，从区域文化视野开启了《文心雕龙》创新研究。虽然名称与明确的“文学地理学”这一称谓不同，但是切入视角比较近似的研究，是从区域文化分野的

---

① 按：该文为陶礼天教授《北“风”与南“骚”》一书的第一章内容。

② 陶礼天：《〈文心雕龙〉文学地理批评思想研究（上篇）》，《中国〈文心雕龙〉学会第十四次年会论文集》，呼和浩特，2017年8月。

角度进行的《文心雕龙》构成要素研究。2012 年 12 月，王万洪在首届“巴蜀文化与湖湘文化高层论坛”提交了《汉代巴蜀文学三杰与〈文心雕龙〉》的长篇论文，指出：《文心雕龙》是我国古代文学理论的巅峰之作，汉代巴蜀文学家司马相如、王褒、扬雄以其杰出的文学创作、学术成就和文艺理论成就对《文心雕龙》做出了重要的贡献，这些贡献贯通全书，在序论、枢纽论、文体论、技法论、批评论中都有所体现。巴蜀三杰作为《文心雕龙》阐释文学思想、作家作品、创作得失、理论批评的经典代表，具有重要的地位。[①]这是从区域文化分野角度研究《文心雕龙》的第一篇论文。其后，该文入选了朱汉民教授主编的《湖湘文化与巴蜀文化》与《四川大学古籍整理研究所建所三十年纪念文集》。[②]随着巴蜀文化这一广阔的文化地理视野的纳入，王万洪还从《文心雕龙》书中大力征引巴蜀名人扬雄的文学作品、文学思想、审美得失等角度入手，专文论述了扬雄对《文心雕龙》成书的影响；还推而论之，对《文心雕龙》奉为圣人的孔子及其思想对该书成书的影响进行了初步探究[③]，但尚未在该探究中明确齐鲁文化的地理区域概念。

综上，作为世界性显学的《文心雕龙》研究，基于文学地理学这一全新研究视野的研究，目前处于刚刚起步的阶段，有限地集中于国内的几位学者，学术群体尚不壮大，其展开空间还很大。所取得的成果，主要是数量极少的单篇论文的局部讨论或旁敲侧击，还没有出现对《文心雕龙》全书进行文学地理学因素分析得出的整体、综合研究的成果，也没有出现探讨这一研究方法的方法论价值、学科建设价值、文学批评发展价值、文学创作健康发展的价值等方面的成果。

从历史地理学区域文化分野角度展开对《文心雕龙》内容的研究，是一个全新的视野，为巴蜀文化做出巨大贡献的历代大家，对《文心雕龙》全书的内容构成有着重大的影响。

三、本书的研究价值

将本书议题及研究内容置于《文心雕龙》文本构成要素与当前“龙学”研究现状之中来看，其主要价值在于以下几点。

---

① 参见《第一届巴蜀文化与湖湘文化高层论坛论文集》，长沙，2012 年 12 月。

② 朱汉民主编：《湖湘文化与巴蜀文化》，长沙：湖南大学出版社，2013 年；四川大学古籍整理研究所、四川大学宋代文化研究中心编：《四川大学古籍整理研究所建所三十年纪念文集》，成都：四川大学出版社，2013 年。

③ 参见：《扬雄对〈文心雕龙〉成书的影响》，《蜀学》第九辑；《孔子思想对〈文心雕龙〉的影响初探》，《儒藏论坛》第七辑。

第一，本书是区域文化研究方法论在“龙学”研究中的第一次专题研究运用[①]，具有拓展《文心雕龙》研究思路、创新研究方法、推动研究向前发展的意义。书中的“巴蜀历史文化名人”，是一个多民族融合而成的集体创造的称谓，不仅是一个地理概念、一个文学概念，还是一个历史概念，研究中运用的主要是历史地理学方法。本书不仅从文学作家角度论述汉代司马相如、王褒、扬雄等，而且从写作学角度揭示了上古时期出自巴蜀文化区的伏羲、五帝世系杰出代表、大禹，以及夏启与夏代文学等在《文心雕龙》中所处的重要位置、所起到的重大贡献。这是“龙学”研究第一次从区域文化角度展开的专题研究。

第二，为区域文化研究方法全面运用于“龙学”研究打下基础，打开局面。笔者未来研究的重点是：从不同的区域文化分野入手，将《文心雕龙》论述到的各个区域文化之特点、重大历史事件、著名文学家、思想家、著名作品、文学理论按时间先后顺序、分家分类的方式梳理出来，将其对《文心雕龙》成书的贡献一一揭示出来，这是一个长远目标，也是下一步要展开的主要方向。比如，齐鲁文化区产生的孔子、孟子，是先秦儒家的主要代表人物，特别是孔子，是刘勰敬仰的精神导师，是《文心雕龙》全书以儒家思想为宗的核心人物，是全书作家作品高举的第一旗帜——孔子的生平、言行、抱负、意志品质、删述经典的壮举与树德立言的不朽精神追求，是《文心雕龙》得以写成的第一内在动力！这些都是后话。本书将首先集中探讨巴蜀文化区名家名作，基于此展开写作尝试。

第三，突出表明在以儒家思想为主导的《文心雕龙》中，巴蜀地区作家、作品具有重要的地位，以此为基础，证明巴蜀文学在当代文学理论版图中不应该处于缺失的状态，而应该处于在场的状态。当代文学主体理论体系的建构将巴蜀文学区系置于中国文学史的五次运动主流之外，这是与文学史不相符合的，表明了巴蜀文学至今不被重视的现实。巴蜀文学区系不仅在历史上涌现出一系列名垂青史的著名作家，如司马相如、王褒、扬雄、陈子昂、李白、三苏、杨慎、张问陶、李调元、巴金、郭沫若等，而且，他们作品的分量，在文学史上居于全国一流的水准，有的甚至还具有世界性的影响力。特别是在巴蜀文学纳入汉文学体系之后的汉代、唐宋时期与现当代，巴蜀文学区系不仅与秦陇、中原等各个文学区系在地理上紧密相关，而且是创作、传播的主流区系，是任何文学史、文学批评著作不可能绕开的重要内容。

---

① 中国《文心雕龙》学会秘书长陶礼天教授多年来积极主张从文学地理学角度研究《文心雕龙》，并发表了部分论文成果。在2017年8月初的中国《文心雕龙》学会第十四次年会上，笔者于大会茶歇期间向陶先生汇报了本书的构思，陶先生明确表态支持笔者从区域文化分野角度展开的研究构思。本书是该研究视野下产生的第一个研究成果。

第四，具体论述巴蜀历代多民族著名作家、作品对《文心雕龙》构成要素做出的贡献。以汉代儒家地位上升和儒家经典著作为基点，以《文心雕龙》全书内证为依据，纳入传说中的伏羲、五帝相关人物、大禹与汉代司马相如、王褒、扬雄，客观公正地分章论述他们对《文心雕龙》构成要素做出的贡献。研究指出：上述巴蜀文化区系奉献给中国文化、中国文学的名人与名作，每每出现于《文心雕龙》论述“文之枢纽”“论文叙笔”“剖情析采，笼圈条贯”的重要位置，作为《文心雕龙》全书阐释文学起源、文学思想、作家作品、创作得失、写作技法、审美批评的经典代表，其政治功德、文学创作或文艺思想，是刘勰创作该书的重要取材对象。

第五，为深入研究四川历史文化名人出力。四川省推出了首批十大四川历史名人，他们是大禹、李冰、落下闳、扬雄、诸葛亮、武则天、李白、杜甫、苏轼、杨慎，其中，对《文心雕龙》的成书有直接影响的就包括大禹、扬雄、诸葛亮三人。本书从历史文化角度切入，在文论巨典《文心雕龙》的内证上，探究巴蜀名人的影响于成书的贡献，不仅是《文心雕龙》研究角度的新尝试，也是对四川历史文化名人研究的新尝试。

第六，继承四川作为“龙学”研究重镇数百年传承下来的既朴实严谨又创新研究的优良学风，特别是杨明照先生开创的《文心雕龙》研究方法与研究特色，严谨实证，推陈出新，为当代四川“龙学”研究的发展出力，这是选题的鲜明特点。“龙学”作为显学，其研究起点是明代新都杨升庵状元用五色彩笔批点的《文心雕龙》，这是公认的第一部“龙学”研究著作，开启了明清两代以批点、评论形式开展“龙学”研究的先河，对曹学佺、纪昀、黄叔琳、章太炎等后代名家有很大影响。杨升庵先生之后，四川《文心雕龙》研究在20世纪结出了累累硕果，其中，四川大学的研究成果尤为突出。首先是感悟批点形式的成果双璧，刘咸炘先生早年著《文心雕龙阐释》，庞石帚先生晚岁著《文心雕龙杂记》，特别是刘咸炘先生之《文心雕龙阐释》，汇通古今，结合中西，许多见解发人深思。其次为举世公认的校注双璧：王利器先生校笺的《文心雕龙校证》，此书一出，被誉为“龙学始有可读之书”；杨明照先生推出《文心雕龙校注》，在海内外产生了巨大影响。此后数十年，杨先生继续耕耘，相继推出《文心雕龙校注拾遗》《文心雕龙校注拾遗补正》《增订文心雕龙校注》等巨著，并发表了数十篇《文心雕龙》研究论文，结集为两本论文集出版，杨先生的成果享有较高的世界声誉，他本人被誉为“龙学泰斗”，并多年担任中国《文心雕龙》学会主要领导人。以上名家名作，奠定了四川作为“龙学”研究重镇的特殊地位。但进入21世纪之后，随着杨明照先生的仙逝，研究人才开始青黄不接，成果数量大幅度减少，影响力也明显下降。笔者立志复兴四川在“龙学”研究史上的重镇地位，渐次更新研究方法和写作思路。本书采用区域文化研究的新方法，就是这一宏观思辨状态的产物。

四、相关说明

在展开研究之前，需要对以下几点作出说明。

第一，《文心雕龙》以儒家思想为宗，不仅是在国家政治、文化制度方面，宗法汉代独尊儒术，将儒家著作视作经典，尊崇从孔子开始建立的儒家哲学学派，还将复古商周，特别是周代礼乐制度作为该书的一大思想倾向，由此建立了“商周丽而雅”的历代文风核心准则，“圣文雅丽，衔华佩实”的儒家经典文风，并以之为贯通全书创作、审美、批评的主导文学思想。在上述核心内容引导下，刘勰在《原道》等篇章中以或称经、或理政、或仁德、或著述的各种理由，将从伏羲开始，历经大禹，直到孔子的著名的“圣人”型政治家、思想家纳入到儒家思想体系之中，在文学源头上、发展脉络中、全书内容里坚定地保持这一特色。那么，本书主要论述的是在儒家思想体系中伏羲、五帝世系相关人物、大禹等上古名人与汉代巴蜀文学三杰司马相如、王褒、扬雄的建树。大禹等是《尚书》《大戴礼记》等儒家经典重点论述的儒家杰出代表，他们在这一体系中，是德政、仁政、为民、亲民的理想榜样。汉代名家司马相如虽然在创作中以辞赋虚构为主，在生活上不够严谨，在个性上放诞不羁，具有道家、神仙家特点，但是，他在整体的文学创作上、内在的思想皈依上，在开通西南夷的政治成就与忠言进谏汉武帝等方面，都体现了一个儒家思想主导下的文学家壮怀进取、为政扬名的特点，他与儒家思想并不冲突。这一点，在李凯教授等的若干论文中已经清晰辨明。[①]王褒、扬雄等，毫无疑问是正宗的儒家学者与文学家；特别是扬雄，他是汉代辞赋、小学、哲学、文艺美学领域的大家，有“汉代孔子”“西道孔子”之称；尽管扬雄在学术思想上折衷儒道，作《太玄》《法言》，但他主要是援道入儒，开创新路，后被魏晋玄学哲学体系尊为宗师。以上巴蜀名家名作，是《文心雕龙》儒家思想体系指导下的写作构成要素中的重要内容，这是需要说明的第一点。

第二，巴蜀文化区是一个相对宽泛的地理空间。四川大学林向教授指出：“陇南的西汉水流域、陕南的汉水流域、汉中盆地、江汉平原西部、湘鄂五溪流域、

① 李凯教授《司马相如与儒学》（《四川师范大学学报（社会科学版）》2008 年第 3 期）、《司马相如文艺思想与儒家文艺思想大相径庭吗?》（《重庆师范大学学报（哲学社会科学版）》2012 年第 1 期）等论文。

云贵高原北部等地，都是巴蜀文化的分布范围。”[①]也就是说，在没有今天的行政省区划分的情况下，古代巴蜀文学区系的地理范围即古巴蜀文化的区域范围，大于今天的四川省、重庆市的地理范围。本书中，有时候要用到“四川”这一称呼，该词最早出现于宋代对川峡四路的命名与简称。北宋时期，今四川盆地一带设西川路和峡西路，合称“川峡二路”，后来又把二路合并为川峡路。北宋真宗咸平年间将川峡路分为益州路（后改为成都府路）、梓州路、利州路和夔州路四路，合称“川峡四路”，南宋时又总称“四川路”，这是“四川”一名用于行政区划代称的开始，四川由此得名。元至元十八年（1281）正式建置“四川等处行中书省”，简称“四川行省”，再简称为“四川省”，这是“四川”省得名之始。从此“四川”一名沿用下来。其后，四川省的地理管辖范围时有部分细小变化。1997 年 3 月，第八届全国人民代表大会第五次会议通过《关于批准设立重庆直辖市的决定》，原四川省重庆市、涪陵市、万县市、黔江地区组建重庆直辖市，至此川渝分治，形成今四川省行政区域。所以，巴、蜀之范围，大于今天四川、重庆之范围；巴蜀文学区系之范围，可以等同于巴蜀文化区之范围。

第三，巴蜀文化区是一个多民族杂居的地区，本书的研究将适度注意到这一特点。除蜀人、巴人等主要部族之外，还有很多民族聚居于此，其中彝族、藏族、羌族等历史久远的民族，是这片土地上至今人数众多的民族。仅以今四川居民为例：其主体是由古代多民族融合而成的汉族，另外还有多个少数民族，其中居民人数 5000 人以上的有彝族、藏族、羌族、回族、蒙古族、傈僳族、满族、纳西族、白族、布依族、傣族、苗族、土家族。四川有中国第二大藏族聚居区、最大的彝族聚居区和唯一的羌族聚居区。彝族是境内人数最多的少数民族，主要聚居在大小凉山与安宁河流域；藏族居住在甘孜藏族自治州、阿坝藏族羌族自治州和凉山彝族自治州的木里县等高原地区；羌族是中国历史最悠久的民族之一，主要居住在岷江上游的茂县、汶川、北川等地。藏族、羌族、彝族聚居的地域，岷江、大渡河、雅砻江、金沙江奔腾而来，是古蜀人沿横断山脉进入蜀地、未到成都平原之前逐水而居的核心区域，是嫘祖氏族、黄帝联姻、玄嚣降居、昌意降居、颛顼诞生、大禹诞生的地方[②]，其中的主导民族，是羌族。[③]加上传说中生于阆中的

① 林向：《“巴蜀文化”辨正》，《华中师范大学学报（人文社会科学版）》2006 年第 4 期，第 92 页。

②《史记·五帝本纪》记载：“黄帝居轩辕之丘，而娶於西陵之女，是为嫘祖。嫘祖为黄帝正妃，生二子，其后皆有天下：其一曰玄嚣，是为青阳，青阳降居江水；其二曰昌意，降居若水。昌意娶蜀山氏女，曰昌仆，生高阳，高阳有圣德焉。黄帝崩，葬桥山。其孙昌意之子高阳立，是为帝颛顼也。”黄帝到颛顼帝的谱系，清楚完整，而大禹为北川人，故有此说。

③ 2017 年 6、7 月，笔者先后电话采访四川大学历史文化学院彭邦本教授和古籍整理研究所刘琳教授，得到这一指导意见。中国西部地区生活的众多民族中，最先是以羌族为主导力量和领袖力量的，黄帝、五帝世系、大禹皆羌人，或从羌人发展而来。在古蜀，羌人是蜀地各部中最大的一支。

巴人始祖伏羲，先祖入蜀的汉代司马相如和扬雄，以上名人构成了本书研究的主要对象。书中的“巴蜀历史文化名人”，是多民族融合而成的集体创造的称谓，是一个地理、文学、历史的概念。

第四，本书不仅可以与《文心雕龙》在时间、空间、名家、名作等方面对应起来，其论述内容还是《文心雕龙》各类写作构成要素的重要取材对象。比如，《原道》论上古文学的起源与发展，即从伏羲开始，历经大禹，并以伏羲法河图而创八卦、大禹得洛书而立《洪范》为人文之源和政令之先；《宗经》论“六义”，评楚汉，以扬雄文艺美学思想为要；《辨骚》论“枢纽”，以长卿（司马相如）、子渊（王褒）为著名的代表作家；《才略》论九代之文，以司马相如、王褒、刘向、扬雄为汉代四百多年文学史的断代高标，巴蜀文学家四占其三；文体论二十篇，司马相如、王褒、扬雄及其博通众体的各类创作成果，是刘勰征引、评论的主要对象，他们的文艺、美学理论是建立《文心雕龙》文体论、审美论、批评论的重要基础；在全书下篇的思维论、风格论、风骨论、通变论中，司马相如、扬雄是刘勰建构上述重要范畴、描述各类写作原理的重要对象；在《情采》《物色》《比兴》《夸饰》等诗骚对举、批评辞赋的重要篇章中，司马相如、扬雄、王褒及其创作得失是刘勰重要的征引来源与批评对象；在其余各类写作论中，如声律、章句、对偶、用典、练字、指瑕等，都以他们的作品与主张为重要内容；在《时序》论史、《才略》论才、《程器》论德、《知音》批评中，也以他们为主要的取材对象。巴蜀三杰从枢纽论到批评论贯通全书，一直到《程器》篇才结束，除去他们的杰出成就，《文心雕龙》中找不出其他与他们具有同等分量的文学大家和批评对象。而伏羲、大禹等上古传说中的巴蜀人物，也在书中时时出现，是枢纽论、文学史论、技法论、审美论、批评论中征引、评论的重要对象。

第五，关于黄帝世系，即五帝世系与巴蜀文学区系的关系。如果说上古伏羲、大禹不是今四川人有着明确的历史文献依据——尽管文献也记载有其他地区的说法——那么，将五帝世系与巴蜀文学区系联系起来，看起来好像不太合适。但实际上，不仅有《史记》《大戴礼记》等若干正史与儒家经典的记载表明五帝世系与巴蜀密不可分，且当代最新的考古发现也为此提供了真实的实证。根据成都平原最新的考古发现，学术界对黄帝世系在蜀地的影响有了更深入、更准确的认识，这一认识与五帝世系在时间上基本一致。《华阳国志·蜀志》所说的“蜀之为国，肇于人皇”，是指人皇（黄帝）兄弟九人分掌九州，各立城邑。其中一人建立了蜀国。今成都平原腹地考古发现的宝墩古城，是人皇兄弟之一在公元前2550年建立的蜀国都城，其废弃年代在公元前2300年。这两个起讫年代的碳14

检测数据，和三皇五帝年表给出的人皇在位年、黄帝在位年完全吻合。三皇五帝年表的年代数据是用天文学方法回推计算独立得到的。人皇属于良渚文化时期，四川考古发现的新石器时代晚期良渚文化玉琮应该就是三皇时代古蜀国的遗物。三皇时代古蜀国灭亡后，黄帝部落的一支进入成都平原，另建了一个新的古蜀国，世代传承，屡有废立兴灭。

以前，我们只能通过简略的文献记载与传说了解古蜀文明和历史，如有关蚕虫纵目、鱼凫神化、杜宇化鹃、开明复活等传说，虽然早已为人所熟知，却没有实物证据以证明。“蚕丛及鱼凫，开国何茫然。尔来四万八千岁，不与秦塞通人烟”，唐代伟大的浪漫主义诗人李白这样描述古蜀国的历史，古蜀的全部一直就是虚无缥缈的传说。但是，随着近百年来成都平原若干重大考古发现的实证与相关研究成果证明，以上历史传说是真实的。1929 年，四川广汉三星堆的农民燕道诚无意中发现了大量的玉璋、玉璧等，经过相关专家鉴定和初步发掘证明，三星堆就是古蜀文明的中心区域，由此开始了几代考古人的寻梦之路。广汉三星堆（1986）、新津宝墩龙马古城（1996）、都江堰芒城（1996）、郫县（今郫都区）古城（1996）、温江鱼凫城（1996）、温江金沙遗址（2001）等连续重大的考古发现，初步勾勒出了古蜀文明大致的轮廓，揭示了它深邃而令人怦然心动的历史文化内涵。地下实物的出土，与众多的神话传说、文献记载相符合或大体一致，在这三重证据合力证明之下，古蜀文明开始揭开神秘的面纱，逐渐清晰地呈现在大众眼前。目前，考古工作者经过不懈努力，基本把握了古蜀文明发展演进的脉络：以成都平原史前城址群（距今 4500—3700 年的 8 座古城遗址）为代表的宝墩文化（下限 2700—1800 年 B.C.）至以三星堆遗址为代表的三星堆文化（下限 1800—1200 年 B.C.）至以成都金沙遗址为代表的十二桥文化（下限 1200—500 年 B.C.）至以成都商业街船棺、独木棺墓葬为代表的战国青铜文化（下限 500—316 年 B.C.）至秦灭巴蜀，辉煌壮美的古蜀文明最后融入汉文化圈，成为中华文明的重要组成部分。

由此可见，古蜀文明实则早于或至少不晚于以黄帝世系为代表的中原文明，二者同步平行发展的可能性是有的。如果不是这样，就不会存在黄帝父子两代人都主动与蜀部落通婚，更不会选择蜀地出生、成长的后裔颛顼继承帝位[①]。

---

① 颛顼帝为黄帝嫡孙。据《史记》《帝王世纪》等文献记载：其父昌意是黄帝与西陵氏女嫘祖（今四川省盐亭县人）联姻所生的次子，昌意降居若水（今四川雅砻江），娶蜀山氏女昌仆为妻，生颛顼。颛顼帝生而聪敏，十岁时即辅佐大伯父玄嚣（黄帝与嫘祖长子，降居江水，今四川岷江）。玄嚣即少昊，在颛顼二十岁时，将帝位传给他。

古巴蜀文明历史悠久、成就辉煌，历史传承中断的标志，是公元前316年秦灭巴蜀之战，巴蜀沦为秦国附庸，文字、文化、历史彻底中断。自此以后，中原文化、北方文化全面覆盖了巴蜀文化，巴蜀文化在文化层面沦为边缘附庸，而不再能够呈现她原本壮丽、先进的面貌。先秦巴蜀文学同样如此，族群没有了，历史中断了，文学便消失了。

第六，关于本书研究对象的选取。本书对巴蜀文化区中诞生的上古圣人的选取，主要是《文心雕龙》中直接谈到的伏羲、五帝世系相关人物、大禹，有明确文献记载他们诞生于今四川、重庆区域范围之内；汉代以后，则从文学成就与历史影响方面综合考量，选取司马相如、王褒、扬雄、李尤、诸葛亮、陈寿等名家来论述。本书共五章，大禹、司马相如、王褒、扬雄分章专论，五帝世系相关人物独立一节，东汉李尤以下各家仅分一节讨论。对“不韦迁蜀，世传吕览”等尚不明确的作家作品，暂不讨论之。本书将深入揭示出他们对《文心雕龙》成书所产生的巨大影响，这是本节研究的主要对象与主要内容。

第一章　四川思想家与《文心雕龙》概论

以公元前316年秦灭巴蜀为分界线，作为华夏文明的源头和摇篮之一的巴蜀文化开始走向沉寂状态，直到西汉司马相如的出现，才重新将其推向一个高端发展的状态。在这个漫长的U形历史发展脉络中，先秦时期人文始祖伏羲、黄帝长子玄嚣、次子昌意、大禹、夏启与汉代司马相如、王褒、扬雄等是其中杰出的各类代表人物。《文心雕龙》论述自伏羲到成书时代的文学写作的各个方面的问题，选取了上述名人中的伏羲、大禹、司马相如、王褒、扬雄为对象。从作家地位、作品成就、艺术高度、历史影响等方面综合来看，《文心雕龙》论述到的巴蜀文学历代著名大家之中，当以"汉三杰"为核心代表。本章主要集中于概略性地阐述从伏羲到扬雄的历代著名巴蜀名人对《文心雕龙》成书做出的杰出贡献。

第一节　巴、蜀与巴蜀文化

一、巴

巴，是一个象形字，大小篆均像蛇形，其本义指一种传说中的大蛇，简称巴蛇，《说文解字》曰："巴，虫也，或曰食象蛇。"故有"巴蛇吞象"的传说。[①]

小篆巴字

① 有人认为，甲骨文中"巴"像一个大手长臂之人。显然，这是善攀爬者的体型特征。也就是说，巴是攀爬者。巴人生活的区域，多是丛林崖壁，攀爬是基本技能，由此进化出大手长臂。自篆文以后，巴字结构演化，逐渐面目全非。

勾践建都琅玡，历两百多年，江北地区被称作巴越。彼时江东金属工业（烹鼎金石）发达，丹（朱砂）原料来自江淮。所以《说文解字》认为："丹，巴越之赤石也。"由于江北地区相对贫困，江北到上海的人被称为乡巴佬，上海人口中的"巴"含有蔑视的意味。

其后指古巴族，兴起于今湖北省西部，后逐渐迁徙到今重庆市和四川东北部。在巴人建都之后，巴又成为古国名，在今重庆全境、四川东部、陕西南部、湖北西部、贵州北部、湖南西北部一带。武王伐纣时，巴师勇锐，立下大功，周朝分封在该地区的诸侯国叫巴国。公元前316年，趁巴、蜀攻伐之际，秦惠文王派遣司马错与张仪率兵灭巴后，改置巴、蜀、汉中三郡，巴国灭亡。

因此，巴、巴人、巴族等相关词汇，都有广义、狭义之分。从部族角度看，狭义的巴人指最早的巴氏族部落的名称；随着巴族的支系繁衍，势力强大，融合和兼并其他氏族部落建成了巴国，国内各族也因此而被称为巴人，这时它已属于广义，成为整个巴族群的称谓了。

对巴人的祖先，有相关记载的古籍文献当推《山海经》与《路史》。《山海经·海内经》曰："西南有巴国，大皞生咸鸟，咸鸟生乘厘，乘厘生后照，后照是始为巴人。"[①]郭璞等注解认为：太皞即伏羲。与《山海经》的记载类似，《路史·后纪·太昊纪》曰："伏羲生咸鸟，咸鸟生乘厘，是司水土，生后照，后照生顾相，夅（按：即"降"字）处于巴，是生巴人。"[②]注曰："郭氏云巴人始祖。"指的是郭璞认为伏羲是巴人的始祖。稍有不同的是，《路史》将《山海经》中的"大皞"改成了"伏羲"，并又在"后照"之后加进一"顾相"，认为"顾相是生巴人"。其中的顾相，有一种说法是指"务相"，这就使得巴人的起源问题变得相对复杂起来。[③]

除了《山海经》与《路史》记载的太皞伏羲氏为巴人先祖之外，还有一种关于巴人先祖是黄帝的说法。《华阳国志·巴志》云：

① 袁珂校注：《山海经校注》，上海：上海古籍出版社，1980年，第453页。

② 罗泌撰，永瑢、纪昀等编纂：《文渊阁四库全书·史部·路史》，上海：上海古籍出版社，2003年，第7页。

③ 巴人是一个内涵和外延都同样十分复杂的概念。关于巴人的来源问题，学术界一直存在相当的大争论。从有确切记年史料判定年代出发，只能以武丁时期甲骨文中的"巴方"，作为巴人有文字以来的历史的上限。而且，目前真正有史料记载其活动的巴人始祖，只有《世本》所载的巴氏之子务相，即《路史》说的"后照生顾相，降处于巴，是生巴人"。有关务相与另外四姓结盟、被推为君长之事，《后汉书·南蛮西南夷列传》引《世本》的叙述较为清晰，但其故事情节的真实性无法一一考证。由于就目前所见的史料，巴、樊、目覃、郑、相等五姓的活动轨迹大多只能追述到殷代，加之甲骨文有"巴方"的记载，故我们说务相活动的年代在殷商时期，巴人的形成和得名亦在同一时代。通过以上考证，巴人传说中的始祖，最早可追溯至太昊；太昊之后，其部族有分化、繁衍，其中一支以凤鸟为图腾的部族，与殷人和巴人的先祖均有关系；巴人首领后照出于乘厘，乘厘就是"常仪"，仍属于传说时代的人物；而后照虽为巴人始祖，但有确切史料记载的却是其后的务相；务相在位的年代，如用甲骨文中的"巴方"作参照，约为商代中前期，故可以说巴人部族的形成在商代。

《洛书》曰：人皇始出，继地皇之后，兄弟九人分理九州，为九囿，人皇居中州，制八辅。华阳之壤，梁岷之域，是其一囿，囿中之国则巴、蜀矣。其分野：舆鬼、东井。其君上世未闻。五帝以来，黄帝、高阳之支庶世为侯伯。①

《华阳国志》明确记载巴国与蜀国在“华阳之壤，梁岷之域”，也就是古梁州界域之内，其中的巴人为“黄帝、高阳之支庶”，高阳即颛顼，黄帝嫡孙，继承黄帝帝位的伟人，那么，巴人就是五帝以来一直居住在巴地的古老民族。于此可知，黄帝在以中原地区为政治中心的同时，其统治范围也在向西南蜀地、巴地辐射，这就使的巴蜀少数民族的历史文化传统，全部纳入到以五帝世系为中心的中原文化传统中去。在中原中心说之下，我们可以反推出这样的结果：巴蜀地区，在五帝时代就与中原腹地有着非常密切的联系了。

向下发展，在大禹治水、大禹称王、大禹生夏启等重大的历史事件中，巴人与蜀人一起出现，联系紧密。

及禹治水，命州巴、蜀，以属梁州。禹娶于涂山，辛壬癸甲而去，生子启，呱呱啼，不及视，三过其门而不入室，务在救时——今江州涂山是也，帝禹之庙铭存焉。会诸侯于会稽，执玉帛者万国，巴、蜀往焉。②

文中记载之江州，即今重庆，涂山的地理位置大约在今奉节县一代。也就是说，与早先的黄帝联姻蜀山氏大体相当，不管是出于政治目的还是治水所需，大禹联姻江州涂山氏，治水成功，生子夏启，最后会盟诸侯于会稽，在大禹建功、取得令名与最终称王的整个历史过程中，巴、蜀都是他依托的主要对象之一。

夏商之后，周武王集合各个部落，组成联军，攻打商纣王，巴、蜀共同出兵，帮助武王伐纣，而且立下大功。

周武王伐纣，实得巴、蜀之师，著乎《尚书》。巴师勇锐，歌舞以凌殷人，前徒倒戈。故世称之曰“武王伐纣，前歌后舞”也。武王既克殷，以其宗姬封于巴，爵之以子，——古者远国虽大，爵不过子，故吴、

① 常璩撰，刘琳校注：《华阳国志新校注》，成都：四川大学出版社，2015年，第5页。
② 常璩撰，刘琳校注：《华阳国志新校注》，第5-6页。

楚及巴皆曰子。[①]

武王伐纣得到巴、蜀之师的帮助，特别是巴师，不仅勇锐——这是三千年来历史与军事的共识——而且气势旺盛，以“巴渝舞”临阵表演，使得武王联军大振军威，以凌殷人，为取得最终胜利立下了大功。后来，武王封宗室于巴地，以“公侯爵子男”五级分封制中的“子”授以爵位，这已经是远国之中较高的爵位了。

公元前316年，秦将司马错与张仪伐巴蜀，巴王被擒，拘禁于今四川阆中，其后，张仪等统军督造了张仪城，巴国灭亡。巴国残部往南退守今贵州南部、云南南部十万大山之中，继续称巴王，但已不复往日盛况。至此，巴地成为秦国攻灭北方诸国的战略大后方，以及兵源、粮源、财源的根据地；后来成为南下攻灭楚国的前进基地，其后秦人顺长江而下，终灭楚国。

二、蜀

蜀，是一个会意字，从罒，从勹（音 bāo），从虫。“罒”即网，“勹”指包裹，“虫”指活物，三个部件联合起来表示网包活物，因此，“蜀”字之本义是指用带孔眼的网罩包裹住活动的物体。在《说文解字》中，蜀字指“葵中蚕也。从虫，上目象蜀头形，中象其身蜎蜎”。葵，《尔雅·释文》引作桑。诗曰：“蜎蜎者蠋，蒸在桑野。”《毛传》曰：“蜎蜎，蠋皃。蠋，桑虫也。”《毛传》言虫，许慎《说文》言蚕者，因蜀似蚕也。

小篆蜀字

除了指蚕，蜀字还有多个义项。比如，可以指鸡，《韵会》：“鸡大者谓之蜀鸡。”也可以指野兽，《山海经》：“杻阳之山有兽焉，其状如马，其文如虎，名曰鹿蜀。佩其皮尾，宜子孙。”还可以指高峻独拔的大山，《尔雅·释山》：“独者，蜀。”《疏》曰：“山之孤独者名蜀。”其后，因独拔之高山众多，拥有这类高山的

① 常璩撰，刘琳校注：《华阳国志新校注》，第6页。

地带称为蜀地，生活在蜀地的部落称为蜀人或蜀族，《史记》等称之为蜀山氏。《尔雅·释山》所说的这一义项，是古代蜀山氏部落得名的本源，也表明了蜀地群山独拔、山势险峻的特点，间接表明了生活在此地的蜀人艰苦卓绝、不畏艰险、战天斗地的勇敢精神。

其后，因蜀山氏部落、氏族发展而建立古蜀国。当代考古发现，古蜀的文明起源距今6000年以上，早于中原文明的起源。秦灭蜀国后，置蜀郡，即西汉益州地。后来，蜀又成为三国时蜀汉的简称，时公元221—263年，为刘备所建，疆域包括今四川、重庆和云南、贵州北部及陕西汉中一带。除刘氏集团蜀汉国之外，历史上还有汉代、晋代、五代时期建立的不同命运的地方割据势力，均称蜀国，国运多不长久。往后，蜀成为四川省的代称。

在历史记载中，曾有蜀族为黄帝后世的传说，《世本》说："蜀之先，肇始于人皇之际。无姓。相承云，黄帝后。"①黄帝部落源起于西北黄土高原，属于"迁徙往来无常处"的游牧、游居部落，属于氐羌族人。其后有一支南下，定居在岷江流域。对此，除了司马迁《五帝本纪》中有明确记载之外，《史记·三代世表·正义》引《谱记》曰："蜀之先肇始于人皇之际。黄帝与子昌意娶蜀山氏女，生帝喾，立，封其支庶于蜀，历虞、夏、商。周衰，先称王者蚕丛。国破，子孙居姚、巂等处"②《谱记》记载与司马迁记载相冲突的是：昌意娶蜀山氏女，生颛顼，而不是帝喾，帝喾是颛顼之族子，即侄儿。类似于此的记载，在古代的其他典籍中还有很多，比如，《山海经·海内经》："黄帝妻累祖生昌意。昌意降处若水。"《竹书纪年》："昌意降居若水。"《世本·居篇》："若水允姓国，昌意降居为侯。"同书《姓氏篇》："婼，姬姓之国，黄帝之子昌意降居若水为诸侯，此其后也。"这些文献记载中的若水，指的是四川西部的雅砻江、金沙江。凡此等等，均表明蜀人为黄帝部落之后，或是与黄帝部落中的一支融合而成。

笔者以为，古蜀人早在黄帝与其子昌意同蜀人联姻之时就已经独立存在，并早已发展为一个强大的部落或部落联盟了，否则，黄帝不可能联姻于此，并立西陵氏女嫘祖为正妃，更不可能将帝位传给在蜀地若水出生的嫡孙颛顼。所以，蜀人不应该是黄帝部落之后，而是黄帝团结、结盟的强大部落，是帮助黄帝参与中原争霸、确立中原部落联盟首领位置的重要统战对象和辅助力量，早于黄帝部落（至少不晚于黄帝部落）而存在。其后，一直与黄帝世系（如颛顼、帝喾及其子孙等）团结发展。

---

① 宋衷注，秦嘉谟等辑：《世本八种》，北京：国家图书馆出版社，2008年，第333页。

② 司马迁：《史记》（影印本），北京：中华书局，1998年，第507页。

对蜀人与黄帝世系的历史融合关系，晋人常璩《华阳国志·蜀志》的记载最为细致，曰：

> 蜀之为国，肇于人皇，与巴同囿。至黄帝，为其子昌意娶蜀山氏之女，生子高阳，是为帝颛顼；封其支庶于蜀，世为侯伯。历夏、商、周，武王伐纣，蜀与焉。其地东接于巴，南接于越，北与秦分，西奄峨嶓。地称天府，原曰华阳。故其精灵则井络垂耀，江汉遵流。《河图括地象》曰："岷山之地，上为井络，帝以会昌，神以建福。"《夏书》曰："岷山导江，东别为沱。"泉源深盛，为四渎之首，缀拗为九江。其宝则有璧玉、金、银、珠、碧、铜、铁、铅、锡、赭、垩、锦、绣、罽、氂、犀、象、毡、毦，丹黄、空青、桑、漆、麻、纻之饶，滇、獠、賨、僰僮仆六百之富。其卦值坤，故多班采文章；其辰值未，故尚滋味；德在少昊，故好辛香；星应舆鬼，故君子精敏，小人鬼黠；与秦同分，故多悍勇。在《诗》，文王之化，被乎江汉之域；秦豳同咏，故有夏声也。其山林泽渔，园囿瓜果，四节代熟，靡不有焉。[①]

"蜀之为国，肇于人皇，与巴同囿。"蜀人是人皇的后代，与巴同处于一个地方，即"华阳之壤，梁岷之域"的古梁州。"至黄帝，为其子昌意娶蜀山氏之女，生子高阳，是为帝颛顼；封其支庶于蜀，世为侯伯。"《华阳国志》明确记载帝颛顼高阳氏为蜀人。可以说，在三皇伏羲氏、五帝高阳氏世系中，巴蜀占有重要地位，上古巴蜀文明与中华文明关系极为密切。本篇还记载说，《夏书》曰："岷山导江，东别为沱。"岷江"泉源深盛，为四渎之首，缀拗为九江"。此乃古人对岷江为"江源"的最早认识，岷江长期以来被认为是长江的上源，这一认识直到明朝中期才被纠正过来。

回到前文。在记述了蜀地久远的历史、富饶的物产、杰出的人才之后，《华阳国志》于《蜀志》篇尾总结道：

> 蜀之为邦：天文，井络辉其上；地理，岷嶓镇其域；五岳，则华山表其阳；四渎，则汶江出其徼。故上圣则大禹生其乡，媾姻则黄帝婚其族，大贤彭祖育其山，列仙王乔升其冈。而宝鼎辉光于中流，离龙仁虎跃乎渊陵。开辟及汉，国富民殷，府腐谷帛，家蕴畜积。《雅》《颂》之

① 常璩撰，刘琳校注：《华阳国志校注》，成都：巴蜀书社，1984年，第175-176页。

> 声，充塞天衢，《中和》之咏，侔乎二《南》。蕃衍三州，土广万里，方之九区，于斯为盛。固乾坤之灵囿，先王之所经纬也。①

“地理，岷嶓镇其域；五岳，则华山表其阳”的古蜀国，是梁州地界上的大国，其疆域中有岷山、嶓冢山，北面有华山，这样，今甘南、陕南，均在梁州之内，为蜀国之界。“故上圣则大禹生其乡，媾姻则黄帝婚其族，大贤彭祖育其山，列仙王乔升其冈。”五帝之首的黄帝，看到蜀人实力雄厚，于是与西陵之女媾姻，生子降居于蜀，其后，颛顼帝继承黄帝帝位；五帝之后，“大禹生其乡”，为西羌岷山人，家在岷江上游的北川县；大禹在继承大舜帝位之后，其子夏启立国，于是，中国历史正式进入奴隶制国家阶段。这是对古代中华帝王世系的明确记载。

常璩（约 291—361），字道将，蜀郡江原（今四川崇州市）人，东晋史学家，出生于西晋末年，距今约一千七百年，他的记载也许并不完善，但他比我们能够看到的历史文献材料要更近、更多、更真实。本段记载表明：巴蜀大地自古以来人杰地灵，“上圣则大禹生其乡，媾姻则黄帝婚其族”；作为“江源”的岷山与岷江地区，不仅是古巴蜀文明，也是中国古代文明的重要发祥地之一。

三、巴蜀文化

巴与蜀，在地理空间上东西并列，并称为巴蜀，由此产生了巴蜀文化。巴蜀文化这一区域文化名称首见于二十世纪四十年代。巴蜀是一种特定的称谓，在战国以前，巴与蜀是分称的，泾渭分明。巴的古义为吞食大象的巨蟒，中心区域为重庆、川东及鄂西地区，涵盖陕南、汉中、黔中和湘西等地；蜀的古义为葵中之蚕，主要地理位置涵盖四川盆地中西部平原地区、甘南、云南北部等地。由是观之，巴蜀的核心区域即为如今的四川省和重庆市。巴文化以重庆为中心，巴人在夷城（今湖北长阳土家族自治县境内）建立了巴国第一个首都，后活动于重庆全境、湖北西部、四川东部、陕西南部及贵州北部地区。蜀则由三个古族融合而成，后成为西周封国，相传“蜀与夏同源”，而“禹兴于西羌”，于是我们可以推论大禹实际上是古蜀人，蜀地包括今川西、陕南、甘南、滇北一带。巴、蜀交融已是战国之后。商至西周时，蜀人与黄河流域民族已有文化交流。巴蜀出土商代后期陶器如深腹豆形器、高柄豆、小平底钵等，均具地方特色，但铜镞、铜戈、铜矛却为黄河流域常见器形；出土的西周至春秋的玉石礼器与中原所出者一致。

---

① 常璩撰，刘琳校注：《华阳国志校注》，第 330 页。

秦灭巴蜀之前，巴蜀大地是相对独立，经济、文化十分发达的地方。不必说伟人大禹，也不必说以三星堆遗址、金沙遗址为代表的古蜀辉煌文明，仅以商业贸易为例：历史上，早就有关于今天“南方丝绸之路”的明文记载。《汉书》记载张骞通西域，在今阿富汗等国看到经身毒国（古印度）流传过去的蜀地丝绸、邛杖等商品，于是还朝向汉武帝说起此事，指出从蜀郡西出，经今云南、缅甸等地到印度、阿富汗，存在一条商品贸易通道。其说曰：

> 骞曰：“臣在大夏时，见邛竹杖、蜀布，问安得此，大夏国人曰：‘吾贾人往市之身毒国。身毒国在大夏东南可数千里。其俗土著，与大夏同，而卑湿暑热，其民乘象以战。其国临大水焉。’以骞度之，大夏去汉万二千里，居西南。今身毒又居大夏东南数千里，有蜀物，此其去蜀不远矣。今使大夏，从羌中，险，羌人恶之；少北，则为匈奴所得；从蜀，宜径，又无寇。”天子既闻大宛及大夏、安息之属皆大国，多奇物，土著，颇与中国同俗，而兵弱，贵汉财物；其北则大月氏、康居之属，兵强，可以赂遗设利朝也。诚得而以义属之，则广地万里，重九译，致殊俗，威德遍于四海。天子欣欣以骞言为然。乃令因蜀、犍为发间使，四道并出：出駹，出莋，出徙、邛，出僰，皆各行一二千里。其北方闭氐、莋，南方闭巂、昆明。昆明之属无君长，善寇盗，辄杀略汉使，终莫得通。然闻其西可千余里，有乘象国，名滇越，而蜀贾间出物者或至焉，于是汉以求大夏道始通滇国。初，汉欲通西南夷，费多，罢之。及骞言可以通大夏，乃复事西南夷。①

张骞是西汉汉中郡人，汉中郡在地理位置上属于当时的益州八郡之一，说张骞是蜀人，是可以成立的。张骞在历史上最大的功绩，就是不畏艰险，出使西域，联合大月氏夹击匈奴，尽管他出使的目的并未实现，但他联络西域各国，对开创后来形成的丝绸之路起了一定的作用，发展了我国和中亚、西亚许多国家的友好关系，促进了东西方经济文化的交流。张骞开通的丝绸之路可以称为“北方丝绸之路”，经他发现并建议打通但最终未能开通的蜀郡、滇缅、南亚、西亚线可以称之为“南方丝绸之路”。

汉武帝非常关心当时是否可以连通大夏国一事，多次和张骞谈论。张骞说：连通大夏国不仅可以开辟西南贸易新路，更主要的是可以联合沿线各国对付匈

① 班固：《汉书》（影印本），北京：中华书局，1997年，第2689-2690页。

奴，这和联合西域诸国使之在政治、军事上发挥作用的战略方针是一致的。张骞建议，以乌孙、大夏、大月氏等国为外臣，作为友好联盟国家，可以建立起联合战线，以孤立匈奴，取得对匈斗争的胜利。汉武帝采纳了张骞的建议，远交近攻，最终得胜。事见《汉书》本传。由此可见，一切经济上的战略，都不是孤立的，而是和政治、军事上的战略结合起来的。汉武帝急于打通的“南方丝绸之路”所承担的政治、军事使命，实际上更超过了它潜在的经济使命。

根据童恩正、段渝等学者研究考证：成都正是东西两条“南方丝绸之路”的地理起点。二十一世纪以来，在国家“一带一路”倡议宏伟蓝图的规划实施下，巴蜀文化必将得到越来越深入的研究，巴蜀地区必将为国家建设、民族复兴做出更多的贡献。

有的学者曾以为：嘉陵江左源的天水到巴蜀，山高路遥，古人难以逾越。相较于张骞在战争状态下打通丝绸之路、发现南方丝绸之路所走过的千山万水，沿途崇山峻岭、大河阻绝、民族众多、千难万险，那么古蜀人与古巴人逐水而居，翻越岷山、秦岭、大巴山的壮举，是完全可以做得到的。

除了主动与外界接触、沟通、交流，巴蜀文化的另一特质是具有强大的包容性。比如，《文心雕龙》中的汉代著名文学大家司马相如、王褒、扬雄均为巴蜀人，三人连续而集中地出现于西汉中晚期，并非偶然，这是《文心雕龙》成书之前，巴蜀地区被纳入中原文化体系、继承发展蜀地生活方式之后最富强的历史时期，与西汉国力、蜀地经济大发展和文翁兴蜀学相适应，各类人才大量涌现，文学名家随之产生，这是古代文学发展的历史规律。秦灭巴蜀之后，“移民万户”，迁徙了大量关中居民来到蜀地，李冰父子主持修建伟大的都江堰水利工程，遂使成都平原成为沃野千里的“天府之国”，改变了古蜀文明的构成与特点，带来了富足的农、商生活，成为秦灭六国的兵源、粮源、财源基地。秦灭六国之后，不仅迁徙数万六国豪强入蜀定居，而且在政治斗争中先后贬谪商鞅门客尸佼、蔚缭门客、丞相吕不韦及其谋士、门客入蜀，中原文化、北方文化的进入，再一次增强了蜀地文明的厚度、强度和力度，也带来了六国文化、学术思想与著名的杂家著作《吕氏春秋》，司马迁《报任安书》以为：“不韦迁蜀，世传吕览。”没有蜀地强大的包容精神和宽和气度，在秦始皇焚毁群书、坑杀方士、禁绝异端的政策之下，《吕氏春秋》这样的杂家著作不可能得到很好的保存和广泛地流传。西汉建国前，巴蜀大地是刘邦汉国的核心基地，汉兴置益州，是西汉五大名城之一；文翁化蜀之后，蜀地经济、文化、政治、学术全面繁荣起来，有“比肩齐鲁”之称；汉武帝以此为基地，委派唐蒙、司马相如等为代表，向西南夷广开边路，使西南少数民族也逐渐融入全国政治体系之中。虽然后来时有反叛，但整体上是与中央王权保持一致的。

巴蜀大地繁荣富足，俗尚游乐是巴蜀人自古以来的一大特点。经历了汉代的辉煌，两晋南北朝的低落时期，到唐代时，成都工商、经济重新繁荣起来，享有"扬一益二"之美称；玄宗、僖宗时两次国家大乱，均入蜀避乱而安，顺道而来的北方名人与文化，使蜀地获得了更多外来文化的滋养，并逐渐化合，为我所用。特别是唐玄宗避乱入蜀，改成都为南京，将成都的政治地位大大提高。蜀地民众好游玩，好娱乐，元代双流人费著《岁华纪丽谱》曾说："成都游赏之盛，甲于西蜀，盖地大物繁而俗好娱乐。"巴蜀很早就兴起了旅游习俗，到唐宋时达到顶点。以成都而论，全年固定的游乐活动就有23次之多，或游江，或游山，或游寺，或游郊野，而且往往是群体出游，并与歌舞娱乐、体育竞技、商贸活动结合在一起，具有丰富的文化内涵，这一特点一直传承到今天，且更为丰富。

在本书中，汉代巴蜀文学三杰司马相如《子虚赋》《大人赋》《天子游猎赋》是以上述蜀地生活特点为现实基础之一的极大夸张与虚构之推演，在丰富的想象力中创立了汉代苑囿大赋的体裁，没有蜀地所见所闻与生活方式的耳濡目染，没有汉帝国强盛的国力和广袤的山川、富饶的物产，是难以完全凭空虚构而成的。王褒《洞箫赋》是汉代抒情小赋的代表，悠然安适、作乐享受，是迄今四川人的一大生活特点；而《僮约》中记载的戏谑态度、茶文化、吵闹对抗，正是四川人日常生活的精彩缩影。扬雄生长于蜀地中心的郫县，不仅在辞赋创作上继承发展了司马相如大赋的体裁与写法，还以成都为蓝本，写出了汉代京都大赋的首创名篇《蜀都赋》；蜀地以小学、《易》学研究名重于中国学术界，扬雄就是蜀地学者在西汉的杰出代表，在老师严遵精研《易》学的基础上，扬雄折衷儒道，深思厚积，发为《法言》《太玄》，被魏晋玄学推为开山祖师。以上文学、哲学、文字学成就的取得，与蜀地历史文化传统、日常生活方式与悠闲富足之乐，是密不可分的。

简而言之：上古时期，与蜀人深有联系的是五帝世系；其后，蜀人大禹及夏朝、周朝与巴人深有联系。在巴蜀大地这块多民族聚居、富饶繁荣、物产富足的土地上成长、走出的著名人物，包括伏羲、颛顼、大禹、夏启、司马相如、王褒、扬雄等，他们是中国历史上杰出的政治家、文学家、思想家，根据《文心雕龙》全书的实际内容可知，他们的政治成就、生平事迹、创作实践、文学作品和思想理论成果，为《文心雕龙》的成书做出了巨大贡献。

四、巴蜀文学区系

王国维说："一代有一代之文学。"实则一地也有一地之文学。"巴蜀文学区系"这一文学地理"小区域"的研究，指的是以巴蜀为空间范围和时间范围的文学区系，旨在揭示巴蜀地区文学的区域特征和分异规律。在本书中，主要研究的是巴蜀地区及其与其他文学区系的互动、交流与影响，选取《文心雕龙》成书之前、且在书中占据重要地位的著名的政治家、思想家、文学家，从而探究他们对《文心雕龙》成书的巨大影响。

在当代，成都、重庆作为今四川省、重庆市经济、政治、文化及文学的中心城市，在城市体系中居于核心地位，因而决定了巴蜀文学版图的整体格局与演变。巴蜀文学的中心之所以形成并流动于这两个大都市，归根到底在于其对文学群体尤其是文学大家与文学经典的聚合力与孕育力，而这种聚合力与孕育力的强弱升降，又最终决定了这些大都市之间文学中心的迁徙与流向，在成都与重庆之间，以成都为主要流向。

从先秦到魏晋南北朝时期，巴蜀文化与以下三方文化有明显的交流与兼容：一为荆楚文化，是耕织结合、自给自足的农村公社的文化，它崇尚自然，奇诡浪漫，以《楚辞》为圭臬；二是秦陇文化，注意综核名实，讲究耕战和商业；三是中原文化，崇尚周礼，看重历史，以《诗经》为准绳。巴蜀文化兼容了这三种因素：它接受荆楚文化而把《楚辞》发展为汉大赋；它接受中原文化而使蜀人史学趋于发达；它接受秦陇文化而导致"陇蜀多贾"，工商业繁盛。与文化交流与兼容一致的是，巴蜀文学区系与上述三大文学区系之间，同步地存在交流与兼容。

中国八大文学区系从西到东，从北到南，先后经历了五次循环往复运动，也由此划开了文学地理空间区系轮动的五个阶段。其中秦陇区系与吴越区系的对角反复交替轮动，最终塑成了中国古代文学版图的独特景观。实际上，地理变迁从来都不是一种无序的偶然现象，而是极具丰富的现实与象征意义。这一"区系轮动"的五次运动由西而东、由北而南，然后走向世界、走向现代，主要呈现为空间的移位，但同时又蕴含着时间的演化，是中国文学发展的主动选择。巴蜀文学区系的发展历史，也融合在了这五次运动之中，整体上与之一致。稍微不同的是，因为巴蜀地理位置出于西南的缘故，呈现出由西而东、由南向北，逐渐走向世界、走向现代的特征。

比如，三皇世系中的伏羲出生于阆中，据传葬于今河南周口；五帝世系中的玄嚣、昌意、颛顼等均出生于蜀地，皆成就功业于中原；大禹为北川人，治水成功之后，据传在浙江会稽大会诸侯，在河南禹州称王，最后归葬于会稽，其子夏启继承夏部落王位与大禹部落联盟首领位置，在河南建立夏朝——这些杰出的上古人物，都是在走出巴蜀之后，在各自时代的政治中心成就功业的。汉代司马相如被尊为“赋圣”，他的早期作品主要写于作梁孝王门客时期，中晚期作品主要写于为汉武帝效命之时；王褒是蜀中奇才，他的辞赋与文章，得益于汉宣帝的赏识与宣帝太子的雅好；扬雄更不用说，一生不得志，但在汉代中央与新莽政权为官时期，是他著作写成的主要阶段；李尤铭赋，名动一时，主要是在东汉政府任职期间完成的；西晋陈寿，继承巴人谯周之学，在宏大严谨的视野下完成的《三国志》，写成于在中央任职期间——汉晋著名的文学大家，他们与上古名人一样，仍然是在巴蜀之外的地方——主要是首都——完成自己的文学创作与政治生涯。唐代有主张“汉魏风骨”的大诗人陈子昂和盛唐“诗仙”李白；五代后蜀赵承祚编成历史上第一部词集《花间集》；宋代有位居唐宋八大散文家之列的“三苏”父子，其中苏轼被公认为“千古第一文人”，是具有世界影响力的大文豪；明代有文史哲奇才杨慎，清代产生了大学者张问陶、李调元，现代文学七大家中则有巴金、郭沫若——他们无一不是自西向东、从南到北，走出巴蜀，乃至走出国门，走向世界，从而成名成家、名垂青史的；他们的创作，主要不在首都，而逐渐体现出游历四海、贬谪边地、汇聚于东南文化中心的特点，这与先秦、汉晋时期有所不同。

从古至今，巴蜀人，要走出巴蜀，才能成就一番大事业，文学如此，政治、军事、经济、艺术等方面同样如此。我国十大元帅之中，巴蜀人士十居其四；在党的第一代领导集体中，朱德同志担任全国人民代表大会常务委员会委员长，邓小平同志担任中共中央总书记；第二代领导集体的核心是改革开放的总设计师邓小平同志，16岁时即离开四川，远赴法国勤工俭学，历史将他塑造成中华民族的一代伟人，与上古圣贤有相似的成就和声誉。类似的例子不胜枚举。“留在四川成只虫，走出夔门可成龙”，这确乎是巴蜀人、巴蜀文学家的一个隐性成才规律。

但这不是单方面的，巴蜀自古以来就有兼容并包的地域文化特质，巴蜀文学区系之外的其他文人雅士，来到巴山蜀水，经过熏陶感染之后，成名成家者数不胜数。“自古诗人皆入蜀”，说的是巴蜀大地为仙道之源，奇山异水、秀美富饶、民风淳厚、民俗特色鲜明，可以激发本区域文学范围之外的著名文学家、诗人入蜀为官、游历、考察、著作。上古时期，黄帝即与西陵氏通婚，联姻于巴蜀；其子昌意又与蜀山氏通婚，孕育出颛顼帝；汉代至清代以来，著名文学家鲜有不入蜀者，仅在《文心雕龙》之中，就多次提到政治家诸葛亮、文学家张载的名作；

而左思《三都赋》中，有蜀都之作；诗圣杜甫，在巴蜀作诗数百首；宋代大诗人范成大、陆游在此建功立业，作诗数以千计。文学之外，因战争、政治入蜀之各类人才也不乏其例：秦灭巴蜀之后，移民万户入蜀；秦灭六国之后，移民山东豪强数万户入蜀；唐玄宗、唐僖宗两次避乱入蜀；五代前后时期，巴蜀是少战乱的世外桃源；发展到抗战时期，四川是全国军民大后方，入蜀各阶层、各领域名家荟萃——在五千年的中华文明史上，巴蜀文化区从来处于历代文学发展的在场状态。尽管其中有秦灭巴蜀、古巴蜀文明灭绝的历史沉寂阶段和元屠巴蜀、清初战乱的毁灭性打击阶段，但移民入蜀及从明初到清中叶持续数百年的"湖广填四川"运动，使巴蜀地区很快恢复生机，而一旦恢复过来，秦汉以下，直到现当代，巴蜀地区迅速成为国家经济、文化、政治、人才培养的重要区域。

历代以来，巴蜀文学区系为中国文学贡献了一批又一批著名的大作家，明代李贽在《续焚书》卷一中赞誉四川著名学者、文学家杨慎，有这样的话："（杨）升庵先生固是才学卓越，人品俊伟，然得弟读之，益光彩焕发，流光于百世也。岷江不出人则已，一出人则为李谪仙、苏坡仙、杨戍仙，为唐代、宋代并我朝特出，可怪也哉！"李白、苏轼、杨慎，是仙道之源四川产生的文学三"仙"！而在齐梁文论巨典《文心雕龙》成书的过程中，司马相如、王褒、扬雄等杰出的文学大师、辞赋名家，成就岂在三"仙"之下？在《文心雕龙》的实际内容中，巴蜀政治家、思想家、文学家，闪耀着辉煌壮丽的文学之光、思想之光。

第二节　从伏羲到大禹：上古先圣的各类文学创作

在《文心雕龙》中，出自巴蜀文化区域的著名作家有汉代的司马相如、王褒、扬雄、李尤，三国的诸葛亮，晋代的陈寿等，但是，仅从以汉晋名家为代表的文学作品入手是不够的，向上追溯，《文心雕龙》以儒家思想为宗，其成书，离不开上古先圣的德政与美誉，离不开历代著名的文学作品及其传播与影响，刘勰对他们有崇高的讴歌与赞美，列出《征圣》《宗经》等专门篇章，来树立以先圣德政为基础、以周公和孔子为代表的儒家圣人之丰碑，从而建立起全书的主旨依据和文学思想。

从原始蒙昧时期到夏商周三代奴隶制社会，历时万年，伟人无数。《原道》篇有一段话，是这样说的。

> 人文之元，肇自太极，幽赞神明，易象惟先。庖牺画其始，仲尼

> 翼其终……若乃河图孕乎八卦，洛书韫乎九畴，玉版金镂之实，丹文绿牒之华，谁其尸之？亦神理而已。……自鸟迹代绳，文字始炳，炎皞遗事，纪在三坟……唐虞文章，则焕乎始盛。元首载歌，既发吟咏之志；益稷陈谟，亦垂敷奏之风。夏后氏兴，业峻鸿绩，九序惟歌，勋德弥缛。逮及商周……文王患忧……重以公旦多材……至夫子继圣，独秀前哲……爰自风姓，暨于孔氏，玄圣创典，素王述训，莫不原道心以敷章，研神理而设教，取象乎河洛，问数乎蓍龟，观天文以极变，察人文以成化。①

这一段话中，出现了中国古代著名的部分政治家、思想家，包括上古传说中的伏羲、炎帝、尧、舜、禹、伯益、后稷及确证有其人的周文王、周公旦、孔子，时间跨度从原始社会的旧石器时代、新石器时代到奴隶社会的夏、商、周三代。按照《文心雕龙》的说法：人文从原初之产生到后代之发展，主要是经过上述先圣的贡献与积累而成，始自伏羲，终于孔子。考察其思想皈依，是将上古最有作为的著名人物的言行、作品，统统归于全书以儒家思想为宗法的体系之内。从写作方式和体裁角度看，以上先贤创造有模仿自然的图像文学、有言谈得出的口语文学、有重大事件的叙事文学、有铭刻发布的政令文学、有诗歌音乐等审美文学，他们是中国文学从原始到成熟，上万年演进历史中的杰出代表。

李建中教授以为：《文心雕龙》充满了史学意识，该篇即可看作一篇简明的上古文明史。②笔者对此深以为然。如果我们对上述杰出人物的地理籍贯稍作考察，即可发现如下情况。

伏羲，传说生于今四川阆中，一说甘肃天水，或说山东泗水。

炎帝，传说生于今陕西宝鸡。

尧帝，传说生于今山西临汾，黄帝长子玄嚣后裔。

舜帝，传说生于今河南范县，黄帝次子昌意后裔。

大禹，传说生于今四川北川，一说河南禹州，或说陕西，或说青海。

伯益，传说为秦人先祖，高阳帝颛顼苗裔，为《山海经》撰述人之首。

后稷，传说为周人始祖，帝喾嫡长子，葬于都广之野。

周文王，生于今陕西宝鸡之岐山周原。

---

① 黄叔琳注，李详补注，杨明照校注拾遗：《增订文心雕龙校注》，第1-2页。

② 2017年8月初，中国《文心雕龙》学会第十四次年会在内蒙古师范大学举行，在8月6日下午的大会报告中，李建中教授作了《龙学研究四通》的报告，其中提到了上述观点。特作说明。

周公旦，同上。

孔子，生于今山东曲阜。

上述名人中，伏羲至后稷等的实际籍贯并无定论，实际上也不可能有定论，我们只能根据传说、文献记载和考古发现进行一个大体位置的概说。古文献中，籍贯明确记载于巴蜀的有伏羲（今四川阆中）和大禹（今四川北川）。帝尧、帝舜均为黄帝后裔，源出玄嚣与昌意，而玄嚣与昌意是黄帝与西陵氏女嫘祖联姻后所生的长子与次子，分别降居江水（今四川岷江）与若水（今四川雅砻江），玄嚣部落最有名的后代是帝喾，为尧帝之父，昌意部落最有名的后代是颛顼，为舜帝六世祖，那么，尧帝与舜帝，均有部分蜀人血统。传说中伯益为秦人始祖，为高阳帝颛顼苗裔，他撰述的《山海经》以记述南方特别是古巴蜀的文明、地理、传说为主，国家社会科学基金重大委托项目、四川省重大文化工程《巴蜀全书》的编纂将其列为首批规划项目之首，称为巴蜀第一文献；传说中后稷为周人始祖，帝喾嫡长子，史籍称："蜀之先，帝喾封其支庶于蜀，其后称王。"帝喾称帝之后，派遣子孙返蜀，后为王，后稷很有可能就是帝喾称帝后派回蜀地称王的子弟之一，因为他不仅是周人始祖，逝世后又葬于"都广之野"，事见《山海经》等[①]，《山海经》注释与《华阳国志》等古文献认为：都广即广都，在今成都平原双流县一带，后为古蜀国都城，古时蜀人以广都、新都、成都为三都；后稷部落因后代兴起于岐山周原，最终建立周朝，周文王、周公归属于此，考察周原之地理位置，后稷在成都平原称王、归葬是可信的，因为二者地理空间非常接近。可以看出，从伏羲到周公，都与古巴蜀这一地域空间有一定关联。

刘勰举证的这些名人，贯穿了传说中的原始社会旧石器时代的三皇时期与奴隶制社会的三代时期，也包括了新石器时代的五帝世系部分人物，其中的伏羲、炎帝早已不可按照今天的科学事实来进行个案考证，因为他们很可能不是具体的个人，而是所在部落或部落联盟的名称，这些部落，也有通过多种方式（如战争、迁徙等因素）消长、融合为一体才成为部落的可能，其后的五帝世系也应作如是观。[②]至于后来周人聚居于今陕西宝鸡岐山，周文王出，周公旦出，他们是从部

① 关于都广之野，《山海经·海内经》曰："西南黑水之间，有都广之野，后稷葬焉。爰有膏菽、膏稻、膏黍、膏稷，百谷自生，冬夏播琴。鸾鸟自歌，凤鸟自儛，灵寿实华，草木所聚。爰有百兽，相群爰处。此草也，冬夏不死。"目前，全国有多处地方在争论都广之野，内蒙说、广西说等都曾出现过。根据原文记载与注释，笔者采用成都平原一说。这种说法不仅有文献依据和地理学依据，更有成都平原富饶美丽的历史依据。

② 传说中伏羲的母亲华胥、伏羲的妹妹女娲，是母系氏族社会向父系氏族社会过渡的部落代表，不应该看作具体的人名，而是部落或部落联盟之名。传说中五帝世系的黄帝及其后代，虽然在时间上发展进步了几千年，但大体上也类同于此。比如，传说黄帝部落曾战胜炎帝部落，统治炎帝部落之后，再联合其他部落击败蚩尤部落，逐渐成为中原各部落联盟首领。其后，有关于黄帝—少昊—蟜极—帝喾—后稷的世系传承，少昊即玄嚣，降居江水（今四川岷江），娶蜀女，生蟜极，蟜极生帝喾，帝喾生后稷，是为周人始祖，这些都是部落。

落联盟之中剥离开来的个体首领，是有明确记载的具体个人。

除了孔子，前述名人的地理籍贯有一个很重要的信息：自身或先祖，均出自古梁州域内的秦岭山水及其近邻山水体系之中。在秦岭这座著名的大山中，向北流出了洛水，这是传说中大禹发现洛书的河流，洛水右折，在洛阳注入黄河，河洛之地位于中原腹地，是上古大部分名人如尧、舜、禹等建功立业的地方，也是北方文明核心区域；嘉陵江从秦岭北麓流出，与源出甘肃天水的西汉水汇合之后，成为巴人的母亲河，而《山海经》等文献记载，伏羲被称为巴人始祖，生于嘉陵江中断的阆中地区，或说出生于嘉陵江左源的天水成纪，那么，伏羲早期的主要活动区域，是在这条大江的源头与中断；向东流出了汉水，这是今天晚出的汉族人的母亲河；秦岭西南方向的岷山，源起今甘肃岷县，主体部分于今四川蜿蜒南下，岷山向南流出了岷江，这是黄帝世系一再联合、控制蜀人的母亲河，并且，在明代之前的历史记载中，岷江一直被认为是长江的上源，有江源之称，《尚书·禹贡》即有“岷山导江”的记载；天水向东北，发源出了黄河最大的支流渭河，在宝鸡附近，孕育出了炎帝、黄帝[①]、周文王、周公，是炎帝部落、黄帝部落和周人的母亲河，而渭河上源鸟鼠山段有一个非常巴蜀化的名称：禹河。《山海经》云：“鸟鼠同穴之山，渭水出焉。”相传大禹凿通鸟鼠山，导渭水出山，这座鸟鼠山，即在天水定西。天水向东北流出了渭河，向东南流出了嘉陵江，中间夹着的，正是秦岭。

山水体系之外，按照今天的行政省区来看，秦岭向西是甘肃、青海，向南是四川、重庆，向北是陕西，向东是湖北、河南；在秦岭和大巴山之间，还有一块著名的土地——汉中，这里不仅是战国时期秦楚两国反复争夺的沃野，还是楚汉争霸时期刘邦赖以起家的大本营，秦灭巴蜀，汉据巴蜀，都是以此作为征伐天下的重要根据地，汉中还是汉王朝四百年基业的发源地。《文心雕龙》在《原道》《序志》《征圣》《宗经》等篇章中极力尊崇的孔子，需要感谢汉武帝建立起来的以儒家为宗的思想政治体系，这一体系，使他成为圣人，成为影响中国历史两千余年的最伟大的思想家。

中国南北方分界线标志的秦岭及其近邻山水体系可被看作上古中华文明的摇篮。不少关于上述名人的神话传说或民间传说流传至今，相关上古文献对此也有记载。《山海经》被越来越多的学者认为是有科学依据和事实依据的古文献，

---

① 关于黄帝的出生地，目前至少有五种意见：一是甘肃天水，因为黄帝是少典之子，伏羲之后，故有此说；二是陕西宝鸡，传说黄帝生于姬水，即今宝鸡岐水，炎帝生于姜水，炎黄同源；三是陕西黄陵，因为黄陵是黄帝归葬之地；四是河南新郑，因有“黄帝居于轩辕之丘”的记载，而轩辕之丘，一说即为河南新郑；五是山东曲阜，古称寿丘，黄帝陵墓碑刻有此说。

《史记》《古本竹书纪年》《帝王世纪》《路史》等史传文献与儒家著名经典《尚书》《大戴礼记》等也有很多这样的记载。而不断取得进展的考古发现，以出土实物为雄辩明证，也为这一说法增添着越来越多的证据，如“禹出西羌”等，今天已逐渐成为定论。

《尚书·禹贡》曰：“华阳、黑水惟梁州。岷、嶓既艺，沱、潜既道。”华阳，一说为华山之阳，即华山南面；黑水，一说为岷江上游支流黑水河，一说即雅砻江，古称若水，彝族语音中，“若”指黑色。华阳、黑水之间的方位，大体上在今陕西华山南面到四川雅砻江之间的地理位置。其中的岷、嶓二山，即今岷山、嶓冢山[①]。《禹贡》记载，导山：“导嶓冢至于荆山。”导水：“嶓冢导漾，东流为汉。”《山海经》记载说：大时山再向西三百二十里的地方，叫作嶓冢山。汉水发源于此，向东南流入沔水。嚣水也发源于此，向北流入汤水。于是，我们可以推论嶓冢山即在今秦岭山系的中心位置，或者即大秦岭之古称。

岷、嶓二山所在的古梁州，在没有今天陕、甘、青、宁、川、渝、鄂、豫行政区域划分的情况下，在古代基本上是与巴蜀文化区在地理空间上重合或同义的。那么，在这一广义的巴蜀文化区地域范围内，在刘勰的笔下，在《文心雕龙》重要的开篇之作《原道》篇论述到的圣人之中，伏羲、炎帝、伯益、后稷、大禹、文王、周公直接生长于斯，传承于斯，帝尧与帝舜之先祖发源于斯，降居于斯，只有孔子不是。所以说，上古文明史，是以这一区域为中心建构起来的。

从地理位置上看，秦岭隔断了四川、重庆与陕南、甘南的空间联系，但这是可以克服的，而不是绝对阻碍古人交流与迁徙的。我们可以从巴蜀文化这一地理位置鲜明的名词内涵来解释这一现象。参见上一节内容。

在古巴蜀文化地理空间之前，蜀人大禹在历史上第一次明确划分了中国版图的位置区域：九州[②]。九州是中国古代典籍中所记载的夏朝、商朝、周朝的地域区划，后成为中国的代称。大禹治水成功之后，将全国划分为九个区域，即九州。根据《尚书·禹贡》的记载，九州分别是冀州、徐州、兖州、青州、扬州、荆州、梁州、雍州和豫州。《禹贡》虽然是战国后期学者所作，但所记载的大禹划定九州之事，是真实可信的。

《尚书·禹贡》曰：“禹别九州，随山浚川，任土作贡。”其中，“华阳、黑

① 一名嶓山。《尚书·禹贡》：“嶓冢导漾，东流为汉。” 实际上，漾水乃今西汉水之上源，故班固《汉书·地理志》陇西郡西县谓：“《禹贡》嶓冢山，西汉所出。”唐杜佑《通典·州郡》遂认为嶓冢山有二。一为秦州上邽县（今甘肃天水市），“嶓冢山，西汉水所出，今经嘉陵曰嘉陵江，经阆中曰阆江”。二为汉中郡金牛县（今陕西宁强县东北），“嶓冢山，禹导漾水，至此为汉水，亦曰沔水”。今宁强县北之嶓冢山，土人名汉源山，当为《禹贡》“嶓冢导漾”之嶓冢山。

② 另一种说法说黄帝始定九州。

水惟梁州”。华阳，指华山之阳；至于黑水，则有众多歧说。唐杜佑《通典·古梁州·上》云：“《禹贡》曰：‘华阳黑水惟梁州’，孔安国以为东据华山之南，西距黑水也。又曰：‘导黑水，至于三危，入于南海。’孔安国注云：‘黑水自北而南，经三危，过梁州，入南海。’郑玄云：‘按三危在鸟鼠之西，而南当岷山，又在积石之西，南当黑水祠，黑水出其南胁。’此云经三危，彼云其出，明其乖戾。又按《汉书·地理志》：‘益州郡滇池有黑水祠，而不记山之所在，即今中国无之矣。’又按郦道元注《水经》，锐意寻讨，亦不能知黑水所经之处。顾野王撰《舆地志》，以为至僰道入江，其言与《禹贡》不同，未为实录。至于孔、郑通儒，莫知其所，或是年代久远，遂至堙涸，无以详焉。”[①]也就是说，历代都不清楚黑水位于何处。今四川黑水县，因黑水得名，黑水为岷江上游的支流之一，比较其方位，不太可能是梁州之黑水边界。而四川的另一条大江雅砻江，古称若水，当地彝族同胞呼“黑”为“若”，从语音、地理位置及黑水“自北而南，经三危，过梁州，入南海”的归属来看，或许“若水”雅砻江即古“黑水”，也未可知。

梁州向北是雍州，古时雍梁二州又有合并为一的情况。《通典》曰：“自汉川已下诸郡，皆其封域。舜置十二牧，梁州其一也。以西方金刚，其气强梁，故曰梁州。周礼以梁州并雍州。梁州当夏殷之闲为蛮夷之国，所谓巴、賨、彭、濮之人也。”又曰：“周末，秦惠王使司马错伐蜀，有其地，于天文兼参之宿，亦秦之分野，汉之巴、蜀、广汉、犍为、武都、牂柯、越巂等郡，今通川、潾山、南平、涪陵、南川、泸川、清化、始宁、咸安、符阳、巴川、南宾、南浦、阆中、南充、安岳、盛山、云安、犍为、阳安、仁寿、通义、和义、资阳、南溪、武都、河池、同谷、顺政、阴平、江油、益昌、普安、巴西、梓潼、遂宁、蜀郡、德阳、濛阳、唐安、临邛、卢山、通化、临翼、越巂、云南等郡皆是。汉之弘农郡西南境，今上洛郡。又得楚之交。汉之汉中，今汉中、洋川、安康、房陵等郡，并宜属楚。秦平天下，置郡为汉中、今汉中、洋川、安康、房陵等郡地也。”[②]从这一详细的地理位置界定、后代行政区域划分与巴、賨、彭、濮等民族构成可知：古梁州即后来的巴蜀地区。再根据林向教授对巴蜀文化区的界定反推，古巴蜀地区正在这一以梁州为主、雍州为辅的范围之中，秦岭及其周边山水体系属于古巴蜀文化区。[③]

对这一问题，记载最为详细、历史脉络最为清楚的是《华阳国志》，在《巴

① 杜佑撰，王文锦、王永兴、刘俊文等点校：《通典》，北京：中华书局，1988年，第4574页。
② 杜佑撰，王文锦、王永兴、刘俊文等点校：《通典》，第4574页。
③ 四川大学历史文化学院郭齐、王小红等历史文献学、历史地理学专家指导这一意见。

志》开篇，作者常璩为我们详细梳理了巴蜀文化区的前世今生。

> 昔在唐尧，洪水滔天，鲧功无成。圣禹嗣兴，导江疏河，百川蠲修，封殖天下，因古九囿，以置九州；仰禀参伐，俯壤华阳，黑水、江、汉为梁州。厥土青黎，厥田惟下上，厥赋惟下中，厥贡璆、铁、银、镂、砮、磬、熊、罴、狐、狸、织皮。于是四隩既宅，九州攸同，六府孔修，庶土交正，底慎财赋，成贡中国。盖时雍之化东被西渐矣。历夏、殷、周，九州牧伯率职。周文为伯，西有九国。及武王克商，并徐合青，省梁合雍，而职方氏犹掌其地，辨其土壤，甄其贯利，迄于秦帝。汉兴，高祖藉之成业，乃改雍曰凉，革梁曰益，故巴、汉、庸、蜀属益州。至魏咸熙元年平蜀，始分益州巴汉七郡置梁州，治汉中。以相国参军中山耿黼为刺史。元康六年，广汉还益州，更割雍州之武都、阴平、荆州之新城、上庸、魏兴以属焉。凡统郡一十二，县五十八。[①]

本段文字详细记述了上古大禹时代的梁州、雍州之别与雍州逐渐与梁州合并的史实。在汉高祖时，“改雍曰凉，革梁曰益，故巴、汉、庸、蜀属益州”。三国归魏之后，“分益州巴汉七郡置梁州，治汉中”。晋惠帝司马衷元康六年时，“广汉还益州，更割雍州之武都、阴平、荆州之新城、上庸、魏兴以属焉”。顺着这个清晰的历史地理脉络，秦岭山水属于汉代益州、魏国梁州，于元康六年复归益州。实际上，直到明代，今甘南、陕南等地均为四川省之行政属地。于是，这一区域属于古巴蜀文化区，可成定论。

在《原道》篇中，刘勰认为：“《河图》孕乎八卦，《洛书》韫乎九畴。”伏羲在黄河中根据河图创立了八卦，这是人类图像文学之始；大禹在洛水中根据洛书收获了洪范，这是国家有序治理之本。于是，从人类文学的起源到后代文学的巨大功能，从蒙昧的感悟体会到理性的政教指令，从仰观俯察的创造形式到逻辑严整的政治制度，都产生并形成了，这是中华文明发展史上重要的标志性事件。而在中原河洛完成这两大壮举的伏羲和大禹，正是来自古巴蜀文化区系的两位巨人。

如果我们在刘勰的论述中补全以下三类部落及其首领人物，则可以收获更多的信息。

一是三皇世系。三皇是没有准确定论的旧石器时代部落或部落联盟首领，但无

① 常璩撰，刘琳校注：《华阳国志新校注》，第1-4页。

论怎样变，其中肯定包含伏羲。伏羲是《文心雕龙》论述的人文第一人。传说伏羲之母为华胥，生伏羲、女娲，那么，华胥作为旧石器时代母系氏族社会阶段著名的部落首领，女娲则有可能是其部落在过渡阶段的继任者，伏羲则是发展到父系氏族社会阶段的重要代表人物。有关他们三人的传说和相关的文献记载，实际上是中华上古文明在旧石器时代发展的数千年历史的缩影：华胥是公认的人文初母，伏羲则是公认的人文始祖，这不仅是汉民族的认识，更是中华多民族文明史的共识。华胥的出生地（或华胥部落的主要活动地），一说四川阆中，一说陕西蓝田，一说山东泗水。而华胥诞生伏羲的地方，一说四川阆中，一说甘肃天水，一说山东泗水——笔者采用西部说，陕南、甘南、川北这一大块以秦岭、岷山、大巴山为核心的三角形山水地带，即巴蜀文化区，作为上古圣人伏羲的生地，或伏羲部落的发祥地，是可资成立的。其中心区域在今四川阆中，这是巴人都城之一。

二是五帝世系。经考古证实早于黄帝部落的炎帝部落，炎帝魁隗氏发祥于秦岭常羊山，兴起于赤水（今贵州赤水市），建帝都于陈仓（今陕西宝鸡），传七帝而失政，被炎帝神农氏取而代之。炎帝神农氏，始生地在姜水（今陕西宝鸡），据当代学者阳国胜研究：炎帝所出生的华阳之常羊山，其华阳指巴蜀地区，因为不论是赤水，还是宝鸡，均在巴蜀文化区之内。如此，则炎帝部落源起于巴蜀文化区。其后，五帝世系中的黄帝娶妻西陵氏之女嫘祖，生的两个儿子青阳氏玄嚣降居江水（今四川岷江），昌意降居若水（今四川雅砻江）；昌意娶蜀山氏之女倡仆（一作嫘仆）为妻，生高阳氏，后来继承黄帝帝位，是为颛顼帝；帝喾是玄嚣的孙子，颛顼帝的侄儿，据《史记·三代世表》等历史文献记载，帝喾在继承颛顼帝位称帝之后，派遣子孙返蜀，继续掌控蜀地部落，其后建国，称蚕丛[①]；帝喾传位于儿子帝挚，帝挚禅位于弟弟放勋，即帝尧[②]；帝尧传帝舜，帝舜为颛顼帝六世孙；帝舜传帝禹，而帝禹为黄帝嫡系子孙，出于西羌，生地在今四川省北川县[③]。五帝世系之渊源与发展，在《史记》《帝王世纪》《路史》《华阳国志》等史书文献与《尚书》《孟子》《大戴礼记》等儒家经典的记载中无不与前述之巴蜀文化区息息相关。

---

① 直到唐代，这一说法仍然被记录在历史著作之中，杜佑《通典·州郡典·州郡五》记载“古梁州”时说：“或曰：蜀之先帝喾封其支庶于蜀，其后称王，长曰蚕丛，次曰伯雍，次曰鱼凫。”这是对古蜀历史传说的记载，如今早已被考古发现所证明。

② 皇甫谧《帝王世纪·第二》曰：“帝挚之母，于四人（按：指帝喾四妃）之中其班最下，而挚年兄弟最长，故得登帝位。封异母弟放勋为唐侯。挚在位九年，政软弱，而唐侯德盛，诸侯归之。挚服其义，乃率其群臣造唐朝，而致禅因委，至心愿为臣。唐侯于是知有天命，乃受帝禅，而封挚于高辛氏。事不经见，汉故议郎东海卫宏所传云尔。”

③ 皇甫谧《帝王世纪·第二》曰：“伯禹夏后氏，姒姓也，其先出颛顼。颛顼生鲧，尧封为崇伯，纳有莘氏女，曰修己，见流星贯昴，梦接意感，又吞神珠薏苡，胸坼而生禹于石纽。”石纽，即今四川省北川县。同篇又说：“（大禹）长于西羌，为西夷人。”此即“禹出西羌”之义。

当代最新考古成果对此予以坚实之实证，表明古蜀文明不仅源远流长，而且是早于中原文明的上古文明，黄帝世系与巴蜀文化有着非常密切的联系。

三是夏世系。传说中大禹娶妻涂山氏女，名女娇，生夏启。启灭伯益，终结了之前流传有序的原始社会部落联盟首领更迭的禅让制度，建立夏朝这中国历史上第一个奴隶制国家，中华文明史正式从原始社会进入奴隶社会。大禹是西羌人，涂山氏一说居于今重庆市，夏启大约出生于今重庆市奉节县一带①，那么，夏启是蜀地羌人与巴人后裔无疑。不管他是巧取豪夺还是天下归心，夏启或是攻灭伯益，或是接受伯益之主动让贤，自立为王，建立夏朝。夏朝是巴蜀人领导建立的奴隶制王朝，开辟了中华文明的历史新阶段。

这样，华胥、女娲、伏羲等旧石器时代的著名部落首领，其后的黄帝、颛顼帝、帝喾、帝尧、帝舜、帝禹等著名的新石器时代部落联盟首领，直到夏启及其建立的第一个奴隶制国家夏朝——上述杰出的人物、部落或朝代，都是以上述秦岭山水体系为核心的巴蜀文化区为地理依托的，或起源于此（伏羲、炎帝、颛顼、大禹、夏启等），或联姻于此（黄帝），或降居于此（少昊、昌意等），或成长于此（颛顼等），在这一区域发展、壮大起来之后，他们逐渐向中原、华北地区迁徙，并建功立业，名垂青史。可以说广义的巴蜀文化区，是整个中华民族重要的文明起源地之一，而且是核心起源地之一。刘琳教授、彭邦本教授指出：这一区域的主导民族是羌族，上古中华文明的主导民族，在很长的一段历史中，也是羌族。

综上所述，巴蜀文化区是古代中华文明的发源地之一，而且是核心发源地之一。这一推论早已有了几十上百的论文、著作成果和当代崭新的考古成果证明之，笔者不再赘述。在广义的巴蜀文化区范围内的伏羲、炎帝、五帝世系部分人物、大禹、伯益、夏启、文王、周公等杰出的政治家、思想家，是《文心雕龙》在写作时极力赞美、尽力褒扬、歌功颂德的主要对象。上古传说中的圣王，以其卓越的政治功绩、伟大的发明创造、亲民的教化事业、优秀的文学创造力，为《文心雕龙》的成书提供了评论对象、征引源泉、道德高标和文本体裁。古代文化与写作发展之路，经过数千年的历史，在《文心雕龙》成书的齐梁时代，已经极大丰富、成熟起来，到了一个需要总结、回顾历史、开拓未来的关键点，史称“文学自觉”。《文心雕龙》在这个关键的自觉时代完成，离不开时代风气对文学自觉的推动，理论发展对文论总结的促进。作者刘勰以宏观的历史视野，以贯通全书的雅丽文学思想为准绳，衡量文学发展史，在源头上取法上古圣人，为全书的写作

① 李诚：《古蜀神话传说与中华文明建构》，《中国俗文化研究》2003 年第 1 期。

奠定了坚实基础。

本书主张伏羲为巴人祖先的说法，也就是说，将本书的研究对象，将巴蜀名人对《文心雕龙》成书的影响，在禹夏时代、五帝时代基础上，上推到了伏羲时代。

从伏羲到大禹，他们各自为中华文学史贡献出了不同类型的写作方式和文学作品：伏羲仰观俯察，窥破自然之道，依据河图，画成八卦，这是典型的上古图像文学形态，在此之前，文学存在的主要形态应该是口语文学形态；黄帝世系中与巴蜀文学区系相关的杰出人物，在“鸟迹代绳，文字始炳”的新载体助力之下，口语文学与文字文学综合发展；大禹时代，已经产生了洛书、《洪范》，是规范的政教制度记录，属于成熟的文字文学。上古巴蜀文学区系产生的上述伟人，尽管不是后代纯文学意义上的作家，但在原始蒙昧阶段、奴隶制早期阶段，以不同的写作方式和写作载体，创制不同类型的文学作品，为中国文学史、文明史做出了伟大的贡献。

第三节　西汉三杰：巴蜀文学的著名代表

仔细阅读《文心雕龙》在《序志》中划定的五大部分内容可知：有许多巴蜀本土作家、思想家、政治家被刘勰写进了《文心雕龙》，如大禹、司马相如、王褒、扬雄、李尤、陈寿等，另有诸葛亮、张载等著名入蜀政治家、作家入选。上述杰出代表中，大禹是上古帝王之一，开创夏朝，治水定天下，德政声誉隆，开启夏王朝数百年的基业，是中国历史从原始部落向奴隶社会过渡并完成转变的关键人物；司马相如以其卓越的文学创作、政治贡献、小学成就和辞赋理论，被称为“赋圣”“辞宗”，在中国文学史、文明史、文化史上占据着重要的地位，是《文心雕龙》全书从前到后引以为范例的最著名作家之一；王褒是西汉蜀中文学奇才，是汉代大赋向抒情小赋过渡的代表作家，他的散文创作也有很高的成就，是《文心雕龙》全书不断征引、点评，并树立为两汉断代文学高标的经典作家；扬雄不仅是汉代享负盛名的辞赋作家，还精通哲学，折衷儒道，是著名的大学者，是魏晋玄学在汉代的理论开启人，被后人尊为“汉代孔子”“西道孔子”，《文心雕龙》不仅以之为最著名的作家和理论家之一，还将其杰出的思想成果和文学理论引征过来，作为树立雅丽文学思想的主要理论渊源之一①；李尤以其杰出的各体文学创作，多次被刘勰品评，是汉代文学的一位大师，特别在铭体和赋体文学创作上，

① 王万洪：《〈文心雕龙〉雅丽思想研究》，成都：四川师范大学，2012 年。

是历史上著名的作家之一；巴人陈寿创作了著名的《三国志》，其书与注释不仅是刘勰写作《文心雕龙》的重要素材来源，还为史传文学树立了一个高标，是千年史传体裁的著名代表作家。入蜀著名政治家诸葛亮在政治治理之余，写出了许多流传千古的佳作美文，是教体文章和章表体裁的杰出代表作家；张载《剑阁铭》是流传天下的杰出铭文作品，被晋武帝下诏镌刻于名山，流传天下。

以上巴蜀英才和入蜀名家，为《文心雕龙》的成书做出了重要贡献，在枢纽论、文体论、创作论、批评论这几个板块中占据了至关重要的地位，是刘勰极力标举的上古圣人、经典作家与文学理论家。司马相如、王褒和扬雄是枢纽论部分重点推崇的优秀作家代表；他们创作的各体作品是文体论部分的扛鼎之作，这些作品成为所属该体文章的基本标准，《文心雕龙》折衷诗歌和辞赋的文学理论及其审美标准，源于孔子，而以扬雄为皈依；在创作论中，上述巴蜀作家还是思维论、风格论、审美论、通变论、修辞技法、文字小学的典型代表，他们的成败得失，是所有文学创作取法或扬弃的对象；在批评论部分，他们成为文学史论、知音鉴赏、作家品评、学术道德的核心论述对象；以司马相如“锦绣宫商”与扬雄“诗人之赋丽以则，辞人之赋丽以淫”为代表的汉代辞赋创作理论，是《文心雕龙》追求的雅丽文学思想之半壁江山；扬雄丰富精彩的文艺思想，诸如“心声心画”“自然之道”“征圣宗经”“丽淫丽则”等，成为刘勰征引吸收、建立《文心雕龙》理论体系的重要取材对象。

在上述人物中，司马相如、王褒、扬雄是《文心雕龙》论述较多，且历史影响很大的文学作家。[①]三人之中，又以司马相如文学成就最高，为汉代辞赋四大家之首，是《史记》中专篇列传论述的西汉唯一作家，是汉代文学作家当之无愧的著名代表；又以扬雄成就最为全面，在文学创作、哲学思辨、文艺理论、文字小学等方面居于西汉最杰出代表之列。巴蜀三杰之所以在文学史上各占高标，主要是因为他们在赋体文学发展史上的各开先河之功与所在领域最高的创作成就。无论是他们身前还是身后，无论是《文心雕龙》还是当代评价，都是如此。可以说，没有巴蜀三杰——尤其是扬雄、司马相如二人的创作成就、学术贡献与理论推动，《文心雕龙》不仅会失去最值得依赖的征引取材对象，而且提不出贯通全书的枢纽论、文体论及指导创作与批评实践的雅丽文学思想。以巴蜀三杰为代表的巴蜀名家，占据了《文心雕龙》半壁江山的辞赋创作与辞赋理论，对《文心雕龙》的文学思想的提炼、产生有重大影响。

而《文心雕龙》书中看不到在西汉三杰之前出自巴蜀的著名作家的原因主要

① 文学作家，指各体兼通的纯文学、应用文作家。

是传说中的伏羲、大禹，他们的主要身份，并不是作家，而是政治家。且秦陇、齐鲁等主流文学区系，贡献出过很多著名的大文豪。巴蜀文学直到西汉才突然爆发，狂飙突进地震惊文坛。

公元前316年，秦将司马错、张仪伐蜀，灭巴、蜀，迁徙万户入蜀；秦灭六国之后，迁徙山东诸国豪强数万户入蜀；秦相吕不韦事件之后，迁徙其门客故吏入蜀安置。以上大事件，改变了先秦巴蜀原住民的血脉气质与文化基因，使得巴蜀很早就成为一个多民族融合杂居、中原文化占据主流的地方。其后，蜀守李冰率领百官、百姓艰苦治水，修建了都江堰等驰名世界、至今实用的著名水利工程。都江堰的修成，不仅解决了岷江泛滥成灾的问题，还可以灌溉成都平原及周边临近山区的十几个县。从此，成都平原成为沃野千里的富庶之地，获得“天府之国”的美称。[①]在汉代，成都平原在经济上发展起来之后，文化教育也开始发展起来，最主要的倡导者是文翁。巴蜀因文翁兴学之举，逐渐在文化教育方面异军突起。《汉书·循吏传》说：

> 汉兴之初，反秦之敝，与民休息，凡事简易，禁罔疏阔，而相国萧、曹以宽厚清静为天下帅，民作“画一”之歌。孝惠垂拱，高后女主，不出房闼，而天下晏然，民务稼穑，衣食滋殖。至于文、景，遂移风易俗。是时，循吏如河南守吴公、蜀守文翁之属，皆谨身帅先，居以廉平，不至于严，而民从化。……文翁，庐江舒人也。少好学，通《春秋》，以郡县吏察举。景帝末，为蜀郡守，仁爱好教化。见蜀地辟陋有蛮夷风，文翁欲诱进之，乃选郡县小吏开敏有材者张叔等十余人亲自饬厉，遣诣京师，受业博士，或学律令。减省少府用度，买刀布蜀物，赍计吏以遗博士。数岁，蜀生皆成就还归，文翁以为右职，用次察举，官有至郡守刺史者。又修起学官于成都市中，招下县子弟以为学官弟子，为除更徭，高者以补郡县吏，次为孝弟力田。常选学官僮子，使在便坐受事。每出行县，益从学官诸生明经饬行者与俱，使传教令，出入闺阁。县邑吏民见而荣之，数年，争欲为学官弟子，富人至出钱以求之。由是大化，蜀地学于京师者比齐鲁焉。至武帝时，乃令天下郡国皆立学校官，自文翁为之始云。文翁终于蜀，吏民为立祠堂，岁时祭祀不绝。至今巴蜀好文

① 2018年1月5日，由中共四川省委宣传部、四川省民政厅、四川省社会科学界联合会、四川省历史学会、成都市都江堰市人民政府、都江堰市李冰研究学会共同发起，以笔者所在的西华大学为牵头单位，四川省李冰研究学会正式成立。本书第一作者加入学会。

雅，文翁之化也。[①]

班固完成《汉书》时，上距文翁兴学约200年。文翁的贡献，不仅在于从教育入手，发展了四川的文化，而且他所创办的官学有一套得力的措施。由于他办官学成效卓著，到汉武帝时，中央政府推广了文翁管理官学的经验，下令全国各郡皆立官学，以发展教育。所以，文翁兴学，又开创了西汉一代的官学制度，这在中国教育史上是一个重要的事件。

在文翁兴学之前，巴蜀大地文教并不昌盛。主要历史原因如下。第一，秦灭巴蜀之战，将巴蜀等国原住民基本杀光、赶走，巴蜀文化基本灭绝。第二，秦灭巴蜀之后，迁徙秦国豪族、地主、民众万户入巴蜀，秦灭六国之后，迁徙六国豪强与吕不韦势力集团入蜀安置，改变了巴蜀地域居民与文化属性，逐渐形成了封闭、自大与叛逆的历史基因，所谓“天下未乱蜀先乱，天下已治蜀未治”，就是这个道理。第三，秦始皇推进大一统的政治策略，书同文是其中之一，对巴蜀大地的推进是渐进式的[②]，毁灭文字，也就毁掉了文明复兴的基础。所以，汉代初期的巴蜀居民，实际上是一锅大杂烩，这既有好处：安置移民，便于管理，改良巴蜀原住民习性；也有坏处：民族属性不统一，难于治理，难于教化，难出人才。文翁就是在这样的基础上，抓住了治理蜀郡的关键：教育。在他的倡导下，蜀地学风日渐昌盛，慢慢培养出一大批经学人才，蜀地小学人才与《易》学人才极多；并逐渐诞生出一大批文学人才，以司马相如为代表的著名大文豪，开始登上历史舞台。

秦国移民、李冰治水、文翁兴学，三件大事，使成都在经济、物产、教育、人才培养等方面逐渐走到了全国的前列。比如，巴蜀大地矿产、物产丰富，不仅产生了卓王孙等巨富，也大大提升了本地区经济地位，蜀郡成都成为汉代五大都会之一。《汉书·地理志下》记载说：

> 巴、蜀、广汉本南夷，秦并以为郡，土地肥美，有江水沃野，山林竹木疏食果实之饶。南贾滇、棘僮，西近邛、莋马旄牛。民食稻鱼，亡凶年忧，俗不愁苦，而轻易淫泆，柔弱褊厄。景、武间，文翁为蜀守，教民读书法令，未能笃信道德，反以好文刺讥，贵慕权势。及司马相如

① 班固：《汉书》（影印本），第3623-3627页。

② 四川大学艺术学院侯开嘉教授讲授书法史课程，有一个观点：秦国书同文政策的实施可以分为两种类型，一是激进式的，如秦灭六国之后的统一推进；二是渐进式的，占据一个地方就逐渐在该地区推进这一政策，如秦灭巴蜀之后的推进方式。

游宦京师诸侯，以文辞显于世。乡党慕循其迹。后有王褒、严遵，扬雄之徒，文章冠天下。繇文翁倡其教，相如为之师，故孔子曰："有教亡类。"[①]

本段文字，实际上是两汉时期巴蜀大地文教人才的大总结。人才的涌现，成为物质基础建设好之后的必然：在商业领域，有记载在《史记》《汉书》中的卓王孙等天下首富[②]；在文教领域，有文翁化蜀涌现的司马相如、扬雄、董均等杰出的文学家、思想家、经学家。

对于班固"相如为之师"的说法，笔者曾先后向多位汉代文学研究名家、巴蜀文化研究名家请教，大体一致的看法如下。

第一，司马相如以文辞显名天下，"乡党慕循其迹，后有王褒、严遵，扬雄之徒，文章冠天下"，司马相如在文学创作道路上开启了巴蜀文人名扬天下的先河。在他之前，鲜有人才出现，在他之后，则有王褒、扬雄、李尤、李白、苏轼、杨慎、张问陶、巴金、郭沫若等历代名家。巴蜀盛产大文豪的历史风气，是由司马相如开创的。

第二，在文学之外，更多的是指司马相如离开巴蜀，到达京城，以文显名的发展模式与仕途模式，这一点，对后代巴蜀文人有更为深远的影响[③]。王褒受蜀郡太守的推荐，到京都后可以直接和汉宣帝、太子见面，或议论时政，或作文娱乐，写出《圣主得贤臣颂》与《洞箫赋》等著名文章，死在受宣帝命令回蜀地访寻金马碧鸡的路上；扬雄四十岁前生活在四川，少年时代仰慕司马相如辞赋，《蜀都赋》作为他的代表作，写于三十七八岁的时候，但最终使他闻名天下的却是模仿相如大赋所写的"四大赋"；李尤从小就敬仰司马相如等辞赋大师，写了很多辞赋与铭文，后来到东都，拜为兰台令史，是《汉纪》《东观汉记》的主要编写者之一，当时他的手下就有后来的大儒马融；李白更不用说了，毕生想做官，毕生仰慕司马相如；苏轼以文学、书法名垂青史，但他实际上是一位失意的政治家；明代著述四百余部的天下第一奇才杨升庵状元[④]，得失成败都因为政治的变化。以上著名的巴蜀大文豪，加上现代文学七大家中的巴老与郭老，均是走出夔门、来到经济文化政治中心之后才名扬天下的。扬雄的老师严君平，尽管"文章冠天

① 班固：《汉书》(影印本)，第1645页。

②《史记》与《汉书》之《货殖列传》，记述的第一人，均为蜀郡临邛巨富卓王孙。后来，司马相如琴挑卓王孙孀居独女卓文君，最终卓王孙分其财产，后返回成都，成为富人，为后续进京发展打下了基础。

③ 对此，四川师范大学熊良智教授、西华大学潘殊闲教授给予了较为详细的解释。

④《明史》记录为一百余种，其他文献则有一百九十余种、二百余种、四百余种等不同记载。

下”，但他在《文心雕龙》中却未被提及。困守蜀中的严君平等，才华一点不在上述名家之下，但他最终因为偏处一隅而名声不显。

汉代巴蜀出人才，主要是在文翁与司马相如之后。笔者曾经做过一个文献梳理工作：在司马相如、扬雄等著名文学家单独有传及何武、王涣、杨孟文等著名官吏单独有传的情况下，《史记·儒林列传》《汉书·儒林传》并未收录巴蜀学者，而到了范晔《后汉书》的《儒林列传》与《文苑列传》，则涌现出一大批著名学者与文豪来。

《后汉书·儒林列传上》：

任安字定祖，广汉绵竹人也。少游太学，受《孟氏易》，兼通数经。又从同郡杨厚学图谶，究极其术。时人称曰：“欲知仲桓问任安。”又曰：“居今行古任定祖。”学终，还家教授，诸生自远而至。初仕州郡。后太尉再辟，除博士，公车征，皆称疾不就。州牧刘焉表荐之，时王涂隔塞，诏命竟不至。年七十九，建安七年，卒于家。①

《后汉书·儒林列传下》：

任末字叔本，蜀郡繁人也。少习《齐诗》，游京师，教授十余年。友人董奉德于洛阳病亡，末乃躬推鹿车，载奉德丧致其墓所，由是知名。为郡功曹，辞以病免。后奔师丧，于道物故。临命，敕兄子造曰：“必致我尸于师门，使死而有知，魂灵不惭；如其无知，得土而已。”造从之。……景鸾字汉伯，广汉梓潼人也。少随师学经，涉七州之地。能理《齐诗》、《施氏易》、兼受《河》、《洛》图纬，作《易说》及《诗解》，文句兼取《河》、《洛》，以类相从，名为《交集》。又撰《礼内外记》，号曰《礼略》。又抄风角杂书，列其占验，作《兴道》一篇。及作《月令章句》。凡所著述五十余万言。数上书陈救灾变之术。州郡辟命不就，以寿终。……杜抚字叔和，犍为武阳人也。少有高才。受业于薛汉，定《韩诗章句》。后归乡里教授。沈静乐道，举动必以礼。弟子千余人。后为骠骑将军东平王苍所辟，及苍就国，掾史悉补王官属，未满岁，皆自劾归。时，抚为大夫，不忍去，苍闻，赐车马财物遣之。辟太尉府。建初中，为公车令，数月卒官。其所作《诗题约义通》，学者传之，曰《杜

① 范晔：《后汉书》（影印本），北京：中华书局，1997年，第2551页。

君法》云。……杨仁字文义，巴郡阆中人也。建武中，诣师学习《韩诗》，数年归，静居教授。仕郡为功曹，举孝廉，除郎。太常上仁经中博士，仁自以年未五十，不应旧科，上府让选。显宗特诏补北宫卫士令，引见，问当世政迹。仁对以宽和任贤，抑黜骄戚为先。又上便宜十二事，皆当世急务。帝嘉之，赐以缣钱。及帝崩，时诸马贵盛，各争欲入宫，仁被甲持戟，严勒门卫，莫敢轻进者。肃宗既立，诸马共谮仁刻峻，帝知其忠，愈善之，拜什邡令。宽惠为政，劝课掾史弟子，悉令就学。其有通明经术者，显之右署，或贡之朝，由是义学大兴。垦田千余顷。行兄丧去官。后辟司徒桓虞府。掾有宋章者，贪奢不法，仁终不与交言同席，时人畏其节。后为阆中令，卒于官。……董钧字文伯，犍为资中人也。习《庆氏礼》。事大鸿胪王临。元始中，举明经，迁禀牺令。病去官。建武中，举孝廉，辟司徒府。钧博通古今，数言政事。永平初，为博士。时草创五郊祭祀，及宗庙礼乐，威仪章服，辄令钧参议，多见从用，当世称为通儒。累迁五官中郎将，常教授门生百余人。后坐事左转骑都尉。年七十余，卒于家。①

不仅如此，在本篇结束语中，范晔评论东汉儒林名家，征引扬雄《法言》之名言警句，作为自己论证的理论论据。

论曰：自光武中年以后，干戈稍戢，专事经学，自是其风世笃焉。其服儒衣，称先王，游庠序，聚横塾者，盖布之于邦域矣。若乃经生所处，不远万里之路，精庐暂建，赢粮动有千百，其耆名高义开门受徒者，编牒不下万人，皆专相传祖，莫或讹杂。至有分争王庭，树朋私里，繁其章条，穿求崖穴，以合一家之说。故杨雄曰："今之学者，非独为之华藻，又从而绣其鞶帨。"夫书理无二，义归有宗，而硕学之徒，莫之或徙，故通人鄙其固焉，又雄所谓"譊々之学，各习其师"也。且观成名高第，终能远至者，盖亦寡焉，而迂滞若是矣。然所谈者仁义，所传者圣法也。故人识君臣父子之纲，家知违邪归正之路。②

扬雄作为西汉大儒、大学者、大文豪，《汉书》中分上下两卷列出了篇幅最

① 范晔：《后汉书》（影印本），第2572-2577页。
② 范晔：《后汉书》（影印本），第2588-2589页。

长的传记。他的思想著作《法言》深入人心，为他赢得了西道孔子（桓谭语）、汉代孔子的美誉，其思想学说影响之深远，为历代巴蜀学者中之第一人。

相比儒林学者，文学大家入传的人数就不多了。

> 李尤字伯仁，广汉雒人也。少以文章显。和帝时，侍中贾逵荐尤有相如、杨雄之风，召诣东观，受诏作赋，拜兰台令史。稍迁，安帝时为谏议大夫，受诏与谒者仆射刘珍等俱撰《汉记》。后帝废太子为济阴王，尤上书谏争。顺帝立，迁乐安相。年八十三卒。所著诗、赋、铭、诔、颂、《七叹》、《哀典》，凡二十八篇。
>
> 尤同郡李胜，亦有文才，为东观郎，著赋、诔、颂、论数十篇。[①]

在《后汉书》中，一下子冒出了六个大儒，有的还是经学博士，他们分布在广汉绵竹、蜀郡繁县、广汉梓潼、犍为武阳、巴郡阆中、犍为资中，这是东汉时期巴蜀儒学迅速发展、高水平发展的直接写照。反过来看，《史记》《汉书》中长篇大论地列出了当时最著名的文学家司马相如、王褒、扬雄，而在《后汉书》的《文苑列传》中，只有李尤、李胜，而且传记极其短小，与西汉三杰根本没有可比性。这表明：蜀地教化日隆，慢慢与中原文化、儒家文化同化，天纵奇才般的文学大家不再出现，而学术的发展慢慢与中原儒家文化趋于一致。

综上，汉代巴蜀物产丰饶、人才鼎盛，开疆拓土、联通南北的战略位置和经济位置十分重要，是当今国家重点建设与外交发展的重点区域。司马相如奉命开通西南夷，奠定了历史上巴蜀地区的主要地理格局。

有了这样的经济基础、政治基础、教育基础、学术基础，有了李冰、文翁、司马相如这样的标志性人物的特殊贡献，巴蜀地区各类人才才会大量涌现。从整个巴蜀文学史的角度来看，司马相如的出现不仅是填补文学大家空白的大事，更是影响历代、垂范千年的标志。从此，以他为代表的西汉三杰，在《文心雕龙》中占据了重要的地位，在中国文学史中占据了重要的地位。

---

① 范晔：《后汉书》（影印本），第2616页。笔者按：李尤各体作品今存八十六篇，而不是二十八篇，以铭文与赋文为主。

第二章 “华夏始祖”大禹

大禹，意思是伟大的禹。大禹姓姒，名文命（也有禹便是名的说法），字（高）密，出生于今四川省绵阳市北川羌族自治县禹里乡。大禹是黄帝的六世孙、颛顼帝的四世孙，为夏后氏首领、夏朝开国君王。大禹是华夏民族在神州大地奠基立国的一位伟大先祖。大禹在历史上的杰出贡献有二：一是治理黄河，一是建立了我国历史上第一个世袭制国家夏朝，标志着我国奴隶社会的开始，改变了中国历史的演进和发展，有“华夏始祖”的美誉。

大禹是原始社会末期尧舜禹三代时期杰出的亲民政治家，他治水有功，划定九州，教化民众，盛德永传。自古以来，全国各族人民深深怀念、追思大禹。司马迁《史记》、扬雄《蜀王本纪》、常璩《华阳国志》等历史文献著作详细著录了大禹事迹，表达了对大禹的崇高赞美。河南省、浙江省、四川省等地纷纷成立各类形式的大禹研究会，开展学术研讨、文化祭祀、文艺演出等活动，研究、传播、弘扬大禹事迹和大禹精神。

大禹是巴蜀政治家在全国产生重大影响的第一人，也是迄今为止在历史上影响最大的四川政治家之一。2017 年 6 月，四川省人民政府隆重推出四川十大历史文化名人，大禹排名第一。[①]以著名历史学家、四川大学彭邦本教授为会长的四川省大禹研究学会，正在蓬勃开展各类学术研究活动与文化普及活动，推进大禹研究，弘扬大禹精神。本章内容即是在这一宏观背景下，结合《文心雕龙》全书内证实际情况展开的实事求是的研究，为大禹研究的进一步深入发展贡献一点力量。

第一节 大禹简介

禹是黄帝的玄孙、颛顼的孙子。[②]由于治水立了大功，被尊称为大禹。他的

---

① 四川作为中华文明的重要发源地之一，诞生了无数人才。十位历史文化名人各具风骚，他们的名字熠熠生辉。他们积淀着多样、珍贵的精神财富，包括人与自然和谐相处的生存智慧，精益求精的工匠精神，富于理想的浪漫情怀，博学深思、明辨笃行的学术追求等，滋养了独特丰富的文学艺术、科学技术、人文学术，至今仍然具有深远的影响。

② 也有说法认为禹应为颛顼六世孙。古史传说中的人物，其寿命、称帝时间、世系传承等多有不同的说法。

父亲治水不成而被杀，禹接替治水的工作，采取疏导的方法，经过十三年的努力，终于成功。后继舜为帝。称国号为夏，故称夏禹。他在涂山大会诸侯，建立了奴隶制国家的雏形。禹铸造九鼎，象征九州。在位四十五年死，葬于会稽山。大禹是上古神话传说中的杰出圣人，卓越的政治家，对于他的籍贯、生卒年、活动区域等，实际上并没有准确的记载。笔者在此采用“禹出西羌”的说法，理由如下。

（1）古史传说。“禹出西羌”是目前学术界对大禹籍贯最确信的一种说法。[①]

（2）文献记载。扬雄《蜀王本纪》曰：“禹本汶山郡广柔县人，生于石纽，其地名痢儿畔。禹母吞珠孕禹，拆副而生于县。涂山娶妻生子，名启。于今涂山有禹庙，亦为其母立庙。”这是目前可知对大禹籍贯最早的记载。扬雄是西汉晚期人，比大禹晚了两千多年，而在扬雄之前，之所以没有相关巴蜀文献或古籍文献记载，一个非常重要的原因是公元前316年，秦将司马错与张仪灭巴蜀，为了将巴蜀膏腴之地作为秦国攻伐天下的兵源、粮源、财源基地，因此，不仅屠杀蜀人，而且尽毁文献典籍，直接导致古巴蜀文字与文化的灭绝与中断。也就是说，如果考古发现的疑似古巴蜀文字能够被后人识读的话，关于大禹的记载应该不是从扬雄才开始有的，如岳麓山上著名的《禹王碑》，迄今无人能够识读，也许就是这个原因。对此，《华阳国志》早就说过：“巴、蜀厥初开国，载在书籍，或因文纬，或见史记，久远隐没，实多疏略。及周之世，侯伯擅威，虽与牧野之师，希同盟要之会。而秦资其富，用兼天下；汉祖阶之，奄有四海。梁、益及晋，分益为宁。司马相如、严君平、杨子云、阳成子玄、郑伯邑、尹彭城、谯常侍、任给事等各集传记，以作《本纪》，略举其隅。”[②]这段话不仅叙述了巴蜀历史在秦国侵略下被迫中断的事实，也表明了这样的观点：不仅扬雄，其他很多人都书写过蜀国的历史，“司马相如、严君平、杨子云、阳成子玄、郑伯邑、尹彭城、谯常侍、任给事等各集传记，以作《本纪》”，而我们今天只能看到扬雄所写的《蜀王本纪》，看不到司马相如、严君平、杨子云、谯周等的巴、蜀历史著作，也就缺失了很多蜀人对大禹及其他先祖的文献记载；直到《华阳国志》中才有“上圣则大禹生其乡，媾姻则黄帝婚其族”“芒芒禹

① 关于这个问题，笔者电话采访了四川大学郭齐教授、彭邦本教授、杨世文教授、王小红副教授，西南民族大学祁和晖教授，四川师范大学神话研究专家李诚教授，西华大学潘殊闲教授、李钊副教授、吴会蓉副教授等，他们在谈了各自的意见之后，对大禹归于古蜀人持明确的支持意见。四川大学杨世文教授认为：关于大禹的神话传说应该有一部分是后人加进去的，按照古代人的活动方式和实际条件，大禹的足迹不可能踏遍东南西北，就算是治水，也有一个主要区域；这与传说中大禹“三过家门而不入”一样，其目的，有可能是为了美化大禹形象。

② 常璩撰，刘琳校注：《华阳国志新校注》，第519页。

迹，画为九州”这样的记载。

（3）考古发现。四川广汉三星堆、新津宝墩龙马古城、都江堰芒城、郫县古城、温江鱼凫城、温江金沙遗址等重大考古发现，初步勾勒出了古蜀文明大致的轮廓。地下实物的出土，与众多的神话传说、文献记载相符合或大体一致，可以视之为“三重证据”[①]，更多地支撑了“禹出西羌”的说法。综上，笔者在本书中主张大禹为古蜀人的意见。

在已知文献典籍中，记载大禹生平事迹最为详细、可信度最高的是司马迁的《史记·夏本纪》[②]。《竹书纪年》[③]在实际内容上比本篇更为详细，但因其战国古文字本在宋代曾经失传过，失传的原因之一，据说是与正统儒家学说相悖，元明时期才出现今本刻本，比司马迁的记载晚了一千多年，多数人认为是伪作，故本研究主要采信司马迁之说。从中，我们可以得到以下明确信息。

大禹出生在汶山石纽地区[④]，母亲是有莘氏之女，名叫女志，也叫脩己。禹幼年随父亲鲧东迁，来到中原。鲧被尧封于崇地（今河南登封附近），为伯爵，故称崇伯鲧或崇伯，约公元前2037年至公元前2029年在崇伯之位。帝尧时，中原洪水泛滥造成水患灾祸，百姓愁苦不堪。帝尧命令鲧治水，鲧受命治理洪水水患，鲧用障水法，也就是在岸边设置河堤，但水却越淹越高，历时九年未能平息洪水灾祸。鲧治水是中国著名的洪水神话，后因治水失败，被刑罚致死。[⑤]鲧与欢兜、三苗、共工并称“四罪”。

接着禹被任命为司空，继任治水之事。禹立即与益和后稷一起，召集百姓前

---

① 参看彭邦本教授等专家的若干研究论文；三星堆、金沙遗址考古实物与成都市、四川省历年考古编年文献记载。另外，李诚教授对此有一段非常精彩的论述：19世纪后期德国人海因里希·谢里曼对传说中的特洛伊古城及其他古希腊文化遗址的发现，与荷马传唱的史诗《伊利亚特》交相辉映，印证了一段辉煌的古希腊历史；而19世纪前期法国学者让·弗朗索瓦·商博良对古埃及象形文字的破译，则架起了后人通向璀璨夺目的古埃及文化的又一道桥梁。考古发现与文献典籍中所载神话传说这两者，或许是研究任何一种古老的文明系统最基本的支撑点，而这两者在古蜀文明中都已具备。尤其是现存古代文献典籍中有关古蜀文明的神话与传说更为丰富，而上述这一系列的考古发现，使我们对这些神话传说有了新的审视角度和思考，并进一步引发了对古蜀神话传说与古代中华文明之间关系的新思考。（李诚：《古蜀神话传说与中华文明建构》）

② 司马迁：《史记》（影印本），第49-89页。按：“尧遭鸿水，黎人阻饥”以下各句，是司马贞《索隐述赞》的话语。

③《古本竹书纪年》又称《汲冢纪年》，是战国史官所作，有记载夏、商、周的历史文献十三篇，晋代时因不准盗掘魏王墓而被发现。其内容与正统儒家学说大相径庭，比如，对三代仁政与禅让制度的描述，不是仁人君子在位、有德者居之的民主禅让制度，而是新兴部落首领囚禁、流放上任部落首领的历史，这与韩非子所说的后任首领逼、放、伐前任首领一致。笔者以为，道德仁政是有的，但这才更符合历史的真实面貌。

④ 此即“禹出西羌”之说。

⑤《山海经》中就有“禹以息壤堙洪水”的记载。《山海经》记载：“红水滔天，鲧窃帝之息壤以堙红水，不侍帝命，帝令祝融杀鲧于鱼渊。女鲧腹生禹，帝乃命禹率布土以定九州。”晋郭璞《山海经注》：“息壤者，言土自长息无限，故可以塞红水也。”用现代汉语翻译过来：大洪水泛上天际，鲧偷窃了帝尧的息壤用来堵塞洪水，却没有经过帝尧的同意。帝尧便让祝融在鱼渊处死鲧。鲧的遗腹子大禹成人后，帝尧让禹治水并确定古代中国九州地界。

来协助，他视察河道，并检讨鲧治水失败的原因。[①]禹总结了父亲治水失败的教训，改革治水方法，以疏导河川为主导，利用水向低处流的自然趋势，疏通了九河。治水期间，禹翻山越岭，淌河过川，从西向东，一路测度地形的高低，树立标杆，规划水道。他带领治水的民工，走遍各地，根据标杆，逢山开山，遇洼筑堤，以疏通水道，引洪水入海。禹为了治水，费尽脑筋，不怕劳苦，也不敢休息。他亲自率领老百姓风餐露宿，三过家门而不入，整天在泥水里疏通河道，把平地的积水导入江河，再引入海洋。经过十三年治理，终于取得成功，消除了中原洪水泛滥的灾祸。因为治洪水有功，人们为表达对禹的感激之情，尊称他为“大禹”，即“伟大的禹”。

在治水的过程中，禹走遍天下，对各地的地形、习俗、物产等皆了如指掌。帝舜在位三十三年时，正式把天子位禅让给禹。十七年以后，舜在南巡中逝世。三年治丧结束，禹避居夏地的一个小邑阳城，将帝位让给舜的儿子商均。但天下的诸侯都离开商均去朝见禹王。在诸侯的拥戴下，禹正式即王位，居住在阳城[②]，国号夏。这就是中国称“华夏”的起始。[③]

夏禹分封丹朱于唐，分封商均于虞。推行了很多改革措施：改定历日称为夏历，以建寅之月为正月；重新将天下规划为九个州，并制定了各州的贡物品种；帝夏禹王还规定：天子帝畿以外五百里的地区叫甸服，再外五百里叫侯服，再外

---

① 根据古典文献的记载，大禹不仅在治水成功这件事情上超过了父亲，还在其他政治事件上表现出远超其父的谋略与远见。据《淮南子·原道训》的记载：“昔者夏鲧作三仞之城，诸侯背之，海外有狡心。禹知天下之叛也，乃坏城平池，散财物，焚甲兵，施之以德，海外宾服，四夷纳职，合诸侯於涂山，执玉帛者万国。”这段话是说：从前夏部落的首领鲧建造了三仞（八尺为一仞）高的城池来保卫自己，大家都想离开他，别的部落对夏虎视眈眈。后来禹当了首领，发现这一情况，就拆毁了城墙，填平了护城河，把财产分给大家，毁掉了兵器，用道德来教导人民。于是大家都各尽其职，别的部落也愿意来归附。禹在涂山开首领大会时，来进献玉帛珍宝的首领上万。鲧的许多做法失败了，大禹能够吸取教训，从反面检讨之，成为一代明君，不是偶然的，大禹践行的凝聚民心、以民为本的民本思想，无疑是其中重要的因素之一。

②《孟子·万章上》载“禹避舜之子于阳城”，《古本竹书纪年》载“禹居阳城”，《世本·居篇》载“夏禹都阳城，避商均也，又都平阳，或在安邑，或在晋阳”，《史记·夏本记》则说“禹辞避舜之子商均于阳城”。从有关文献看，夏禹与阳城、平阳的关系是十分密切的。

③ 华夏为古汉族的自称，在先秦典籍中多称为“夏”或“诸夏”，又称为“华”或“诸华”，用以区别四夷（东夷，南蛮，西戎，北狄）；后又代称中国。相传在大约五千年前，黄河流域中下游一带的华山与夏水之间分布着许多部落，比较重要的有后来的炎帝部落和黄帝部落等。炎、黄两部落融合成的“华夏民族”，即为“炎黄子孙”。据《史记·五帝本纪》载，五帝中的首位是黄帝，后来的人称黄帝为华夏族的始祖。黄帝之后，著名的有唐尧、虞舜、夏禹等。禹，姒姓，治水有功，继位于舜，当了中原各部落之共主，其子启建立了中国的第一个奴隶制王朝夏。夏朝在上古为中央大国，“夏人”即为“中国之人”，“华夏”即为中国的代名词。文化高的地区称为“夏”，把文明程度高的人或族叫“华”。“华夏”合起来就代表了中国是一个有高度文明和发达文化的中央大国，“华夏”久而久之便成了汉族的代名词。中国可信文献中，最早出现华夏二字并称的，是《尚书·武成》。“华夏蛮貊，罔不率俾。”伪孔传将其解释为“冕服采装曰华，大国曰夏”。《左传·定公十年》：“裔不谋夏，夷不乱华。”《春秋左传正义》：“中国有礼仪之大，故称夏；有服章之美，谓之华。”意即因中国是礼仪之邦，故称“夏”，“夏”有高雅的意思。中国人的服饰很美，故作“华”。华夏族随着生存空间的扩张而繁衍壮大，到汉唐时期人口文化经济达到空前高度，到宋时人文各项领域达到顶峰，“汉人”这一词汇在汉朝之后成为华夏族的别名。及至后来又有汉族之称。

五百里叫绥服，再外五百里叫要服，最外五百里叫荒服。甸、侯、绥三服，进纳不同的物品或负担不同的劳务；要服，不纳物服役，只要求接受管教、遵守法制政令；荒服，则根据其习俗进行管理，不强制推行中央朝廷政教。这是明显的中央集权政治制度，也是中国数千年来华夏居中、中央为大、臣服四方的大一统思想的起始。

禹在位的第十年东行，到了会稽后去世。①禹去世后，其子启继夏朝天子位。夏禹死后，启通过武力征伐伯益，将其击败后继位②，成为中国历史上由“禅让制”变为“世袭制”的第一人，自此，宣告原始社会结束，开始了奴隶社会，启是传统上被公认的中国第一个帝王。

为了将夏启继承大禹帝位的合法性塑造得更适当，古籍文献中不乏对夏启的歌功颂德之词，比如《帝王世纪·第三》就说：“启升后，十年，舞九韶。”启登上了帝位，表演了舜帝时代伟大的音乐《九韶》，暗示夏启敬奉大舜、继承大禹帝位的合法性是不容置疑的。同篇又说：“帝启，一名建，一名余。德教施于四海，贵爵而尚齿。养国老于东序，养庶老于西序。”夏启施行仁德之政，尊老爱幼，确实是大禹仁政的理想继承者。

大禹开启的夏王朝世系见表2-1。

表2-1 夏王朝世系③

大禹	禹姓姒，名文命，是黄帝的玄孙。由于治水立了大功，被尊称为大禹。他的父亲治水不成而被杀，禹接替治水的工作，采取疏导的方法，经过十三年的努力，终于成功。后继舜为帝。称国号夏后，故又称夏禹。他在涂山大会诸侯，建立了奴隶制国家的雏形。禹铸造九鼎，象征九州。在位四十五年死，葬于会稽山
启	姓姒，名启，大禹的儿子。即位后击败有扈氏的反抗，巩固了政权，建立了中国第一个奴隶制的国家
太康	夏启的儿子，继启为王。他生活荒淫，朝政松弛。在他外出打猎时，有穷氏首领后羿乘机入侵，自己作了君长，史称“太康失国”

①《竹书纪年》载为在位四十五年，皇甫谧认为禹享年一百岁左右。

② 司马迁则记载说：“十年，帝禹东巡狩，至于会稽而崩。以天下授益。三年之丧毕，益让帝禹之子启，而辟居箕山之阳。禹子启贤，天下属意焉。及禹崩，虽授益，益之佐禹日浅，天下未洽。故诸侯皆去益而朝启，曰吾君帝禹之子也。于是启遂即天子之位，是为夏后帝启。”司马迁是从夏启“有德”的角度来说他得到了天下诸侯的拥戴，但夏启并不像他父亲那样立过大功劳，诸侯拥戴的实际上是夏禹而不是夏启，伯益“佐禹日浅，天下未洽”，这种动荡的局面给了接受父辈荫蔽的夏启以良机，在伯益没有明确“禅让”帝位给夏启的情况下，“启遂即天子之位”，这是公然的篡夺。所以，笔者更主张夏启以武力讨伐方式夺得帝位的意见。

③《史记》中所载的夏王朝世系并未能在考古的角度上得以证实，因而有人根据西方关于这一个方面的认识对夏王朝相关记述提出质疑。但从另一个方面来讲，司马迁所处的汉代距离夏王朝的时代大约两千年，当时为他所掌握的史料是远远多于今天的。最重要的一点，汉朝上承东周。而夏商周三代在传承方面环环相扣，因此从史料继承的角度来说，夏世系是具有其合理性的。而对于此言之凿凿曰其不实则显得有些武断了。当然可以承认的一点是，由于种种原因，上古史录在口口相传的过程中，常把不同人、不同时期的事迹归集到少数被神话化了的人物身上；这一点，也是中国从古至今造神运动的一大传统。

续表

仲康	太康的弟弟。即位后无力恢复夏的天下，这时后羿被他的亲信寒浞杀死。寒浞自立为王
相	仲康的儿子。即位二十八年后，寒浞攻打他，相被杀
少康	相的遗腹子。少康时终于推翻了入主夏国四十多年的有穷氏政权，史称“少康中兴”。少康是一位有作为的国王
杼	少康的儿子。曾参加父亲领导的恢复夏国的战争，并立下许多战功。他发明了甲和矛，并大举征伐东夷，取得胜利
槐	杼的儿子。他在位时社会经济有所发展
芒	槐的儿子。他在位时，开始了延续数千年的沉祭①
泄	芒的儿子，他在位时，正式赐封九夷各部诸侯爵位
不降	泄的儿子。在位五十九年后，让位与其弟扃
扃	不降的弟弟
廑	扃的儿子。他在位时，夏国开始衰落
孔甲	不降的儿子。司马迁说“帝孔甲立，好方鬼神，事淫乱”，可见孔甲是一位胡作非为的残暴昏君
皋	孔甲的儿子
发	皋的儿子。他在位时，各方诸侯已经不来朝贺，夏进一步衰落
桀	发的儿子。是历史上有名的残暴之君。穷奢极欲，暴虐嗜杀，终于被商汤所灭，结束了长达近五百年的夏朝

根据《史记·夏本纪》记载：“禹之父曰鲧，鲧之父曰帝颛顼，颛顼之父曰昌意，昌意之父曰黄帝。禹者，黄帝之玄孙而帝颛顼之孙也。”结合《大戴礼记·帝系》的记载，可知禹之前的世系传承为：黄帝—昌意—颛顼—鲧—禹。

《史记》中夏王朝世系传承为：禹—启—太康（失国，后羿篡位）—仲康—相—少康—予—槐—芒—泄—不降—扃—廑—孔甲—皋—发—履癸（桀）。

《竹书纪年》中夏王朝世系传承为：禹—启—太康（失国，后羿篡位）—少康—予（伯杼）—芬（发）—荒（芒）—泄—不降—扃—胤甲—昊—发（敬，惠）—桀。

再向上推，将五帝世系与三皇世系加入进来，则可见中华民族发展到夏代的文明传承顺序如下。

燧人氏配华胥氏生伏羲、女娲。

伏羲配女娲，生少典。

少典生二子：长子炎帝、次子黄帝。

黄帝生二子：长子少昊（又名玄嚣）、次子昌意。

少昊生九子：蟜极、重（又名句芒）、该（又名蓐收）、穷奇、般、倍伐、昧祖、穷申、瞽目。

① 即将祭物沉入黄河祈求河神的庇护。

昌意生一子：颛顼，又名乾荒。

颛顼生六子：鲧曾、古蜀王、称、魍魉、穷蝉、梼杌。

鲧曾生鲧祖：鲧祖生鲧父。鲧父生鲧。鲧生禹，即姒文命。禹生姒启。

姒启生五子：姒太康、姒元康、姒伯康、姒仲康、姒武观。仲康生相。相生少康。少康生杼（也作予）。杼生槐。槐生芒。芒生泄。泄生不降、扃。不降生孔甲。孔甲生皋。皋生发。发生桀。扃生廑。[①]

综上，禹因治水有功，取得了帝位，并传给其子启，从而建立了我国历史上第一个奴隶制王朝，夏王朝约存在于公元前 21 世纪至公元前 16 世纪，约 500 年。

大禹的重大功绩不仅在于治理洪水，发展国家生产，使人民安居乐业，更重要的是结束中国原始社会部落联盟的社会组织形态，创造了“国家”这一新型的社会政治形态。后来，“大禹铸鼎于荆山”，即冀州鼎、兖州鼎、青州鼎、徐州鼎、扬州鼎、荆州鼎、豫州鼎、梁州鼎、雍州鼎，鼎上铸着各州的山川名物、禽异兽。九鼎象征着九州，其中豫州鼎为中央大鼎，豫州即为中央枢纽。九鼎集中到夏王朝都城阳城，借以显示夏王大禹成了九州之主，天下从此一统。九鼎继而成为“天命”之所在，是王权至高无上、国家统一昌盛的象征。大禹完成了国家的建立，用阶级代替原始社会，以文明社会代替野蛮社会，推动了中国帝王历史沿革发展，被后人称为“立国之祖”。

大禹的陵寝位于浙江省绍兴市越城区禹陵乡禹陵村，是后人为颂扬和纪念中国古代第一位治水英雄和夏朝的奠基者大禹而修建的。主要包括禹陵、禹祠和禹庙三大部分。禹陵的建筑主要是明、清和民国重建之物。全国重点保护文物单位。大禹陵庙几千年祀典相继，是后人学习大禹事迹、弘扬大禹精神的明证，是弘扬民族精神的重要举措，对中华民族起着无可替代的凝聚作用。

历代帝王相继祭祀大禹，特别是从秦始皇开始的封建帝王更是如此。在民间，神话、传说、遗迹数不胜数；遍布全国各地的禹王庙，庙会祭祀、大禹诞辰祭祀、大禹事迹祭祀等历代传承；据传内容为称颂大禹治水功德的《禹王碑》是最有名的祭祀遗迹之一。此碑原刻于南岳衡山岣嵝峰，故称《岣嵝碑》，相传此碑为颂扬夏禹遗迹，字似缪篆，又似符箓。古籍文献如东汉罗含《湘中记》、明代王象之《舆地记胜》等多有记录。此碑原迹曾消失千年，2007 年 7 月上旬被重新发现，现已成为湖南省重点保护文物。长沙岳麓山顶峰、陕西西安碑林、四川成都、

---

① 笔者认为：上述世系传承是根据神话传说和古籍记载推导出来的，实际情况当并非如此。暂备一说。

浙江绍兴及云南昆明等地均有摹刻。①

第二节 《文心雕龙》的大禹评论

《文心雕龙》将蜀人大禹作为伟大的政治家来歌颂，尽管大禹不是文学家，本人也没有直接的署名作品传世，但他凭借治水功绩、建国贡献和美好品质，成为《文心雕龙》重点论述的先圣之一。普查全书，得到很多记述大禹和夏代政治、诗歌、音乐、文学的文字。现根据其主要记载，依从分类论述的方式，简述于下。

一、赞美大禹的伟大功绩

大禹治水和德政治国的功绩十分伟大，《文心雕龙》从不同的角度进行了多样化的褒赞。《原道》篇论述文学的起源和发展简史，将大禹及其功绩作为文学发展历史上承前启后的重要环节。

> 自鸟迹代绳，文字始炳。炎皞遗事，纪在《三坟》，而年世渺邈，声采靡追。唐虞文章，则焕乎始盛。元首载歌，既发吟咏之志；益稷陈谟，亦垂敷奏之风。夏后氏兴，业峻鸿绩，九序惟歌，勋德弥缛。②

夏后氏，指夏代国君，此处指大禹。刘勰赞美说："夏后氏兴，业峻鸿绩，九序惟歌，勋德弥缛。"

> 禹曰："於！帝念哉！德惟善政，政在养民。水、火、金、木、土、谷，惟修；正德、利用、厚生，惟和。九功惟叙，九叙惟歌。戒之用休，董之用威，劝之以九歌俾勿坏。"

---

① 2012年12月初，笔者跟随四川大学古籍整理研究所师生赴湖南大学岳麓书院参加"首届湖湘文化与巴蜀文化高层论坛"。期间，与同行师友一道登临岳麓山，见到并拍摄了传说中的千年古物《禹王碑》。岳麓山《禹王碑》为1946年翻刻版本，绿漆，阴刻，碑有剥泐风化迹象。《禹王碑》字体圆润，笔画遒健，结构疏密适中，有曲无直，有画无点，文字相当成熟，当为今天已经失传的古文字之一，不可释读。明代奇才杨慎曾释读原碑文字，但经后人考证，又有怀疑释读不真实的说法。郭沫若先生曾耗时三年研究之，仅能释读三个字，而且不被认可。于此可见，《禹王碑》文字古奥，已经不是秦灭六国后统一使用的今传汉字。也有可能是被秦国废弃的楚国文字，或其他文字。有巴蜀文化学者认为所刻文字为古巴蜀文字，聊备一说。总之，有待今天的研究者做出研究，以期解开此碑真伪、释读此千古悬疑。

② 黄叔琳注，李详补注，杨明照校注拾遗：《增订文心雕龙校注》，第1页。按：黄侃《文心雕龙札记》论夏后"业峻鸿绩"时说："案业、绩同训功，峻、鸿皆训大，此句位字，殊违常轨。"按：全书还有很多这样的例子，如《征圣》篇"抑引随时，变通会适"、《铭箴》篇"铭实表器，箴惟德轨"等位字均与此同例，可能是一种表述上的习惯。

帝曰：“俞！地平天成，六府三事允治，万世永赖，时乃功。”[①]

禹说：“啊！帝要深念呀！帝德应当使政治美好，政治在于养民。水、火、金、木、土、谷六种生活资料应当建立，正德、利用、厚生三件大事目的在使天下和谐，这九件事应当理顺，九件事理顺了应当歌颂。要用善言规劝臣民以警戒犯错，用威罚监督臣民，用九歌勉励臣民，使政事不会败坏。”舜帝说：“对！水土平治，万物成长，六府和三事真实办好了，是万世永利的事业，这是您的功勋。”

何谓九功，何谓九叙，何谓九歌，是否为文中“六府三事”的叠加？笔者以为：一则九是最大的数字，可以泛指最大最高的功绩，值得给予最多的歌颂；二则从具体的含义上说，当有定论。

晋郤缺言于赵宣子曰：“日卫不睦，故取其地，今已睦矣，可以归之。叛而不讨，何以示威？服而不柔，何以示怀？非威非怀，何以示德？无德，何以主盟？子为正卿，以主诸侯，而不务德，将若之何？《夏书》曰：‘戒之用休，董之用威，劝之以《九歌》，勿使坏。’九功之德皆可歌也，谓之九歌。六府、三事，谓之九功。水、火、金、木、土、谷，谓之六府。正德、利用、厚生，谓之三事。义而行之，谓之德、礼。无礼不乐，所由叛也。若吾子之德莫可歌也，其谁来之？盍使睦者歌吾子乎？”宣子说之。[②]

唐孔颖达正义曰：“六府三事之功，有次叙，皆可歌乐。”又据《汉书·礼乐志》：“国子者，卿大夫之子弟也，皆学歌九德，诵六诗，习六舞、五声、八音之和。”颜师古注曰：“水、火、金、木、土、谷，谓之六府。正德、利用、厚生，谓之三事。六府三事谓之九功。九功之德皆可歌也，故言九德也。”可见，大禹向帝舜提出来的“水、火、金、木、土、谷，惟修；正德、利用、厚生，惟和”就是九功、九叙，为文中“六府三事”的叠加，这些是与民生、德政最相关的重要事件，九歌则是显扬这些德政思想的传播手段。且不论屈原《九歌》与此是否有关联，但后代有作为的帝王以此比拟大禹，彰显自己的政治成就。如唐玄宗《首夏花萼楼观群臣宴宁王山亭回楼下又申之以赏乐赋诗》：“九歌扬政要，六舞散朝衣。”其中的九歌，即指此处之九歌；其中的六舞，一说为六种乐舞：谓黄帝之

① 孔安国传，孔颖达等正义：《尚书正义》，上海：上海古籍出版社，1990年，第135页。
② 杜预注，孔颖达等正义：《春秋左传正义》，上海：上海古籍出版社，1992年，第1846页。

《云门》、尧之《咸池》、舜之《大韶》、禹之《大夏》、汤之《大濩》、武王之《大武》。[①]均与大禹直接相关。

“夏后氏兴，业峻鸿绩，九序惟歌，勋德弥缛”中的“勋德”，即功德。杨明照先生《文心雕龙校注》：“《说苑·修文》篇：德弥盛者文弥缛。缛，繁采饰也。”《原道》：“文之为德也大矣。”《体性》篇论述八体风格，列有“繁缛”一体，解说曰：“繁缛者，博喻酿采，炜烨枝派者也。”这就是说，大禹以其盛德（主要是治水功绩与治国改革）为基础，为天下百姓立下了赫赫功勋，不仅他个人在历史上得到了很高的赞誉，夏代的文学也因此而留下极高的声誉。刘勰赞美大禹的“勋德”很多，是一种笼统的说法，在《尚书·皋陶谟》中，则有赞美大禹九德的明确记载。

> 皋陶曰：“都！亦行有九德。亦言，其人有德，乃言曰，载采采。”
>
> 禹曰：“何？”
>
> 皋陶曰：“宽而栗，柔而立，愿而恭，乱而敬，扰而毅，直而温，简而廉，刚而塞，强而义。彰厥有常，吉哉！日宣三德，夙夜浚明有家；日严祗敬六德，亮采有邦。翕受敷施，九德咸事，俊乂在官。百僚师师，百工惟时，抚于五辰，庶绩其凝。无教逸欲，有邦兢兢业业，一日二日万几。无旷庶官，天工，人其代之。天叙有典，敕我五典五惇哉！天秩有礼，自我五礼有庸哉！同寅协恭和衷哉！天命有德，五服五章哉！天讨有罪，五刑五用哉！政事懋哉懋哉！”“天聪明，自我民聪明。天明畏，自我民明威。达于上下，敬哉有土！”[②]

据此可知，大禹之所以能够当好舜的接班人，治理好中原各个部落，成为大禹王，一个重要的原因是：他的身边有皋陶这样的好同事、好部属，能够时时提醒他、劝谏他，使大禹能清醒认识天下大势，准确把握民心所向，采取恰当的治理措施，这就是大禹遵循“九德”[③]，建定天下的一个重要原因。《尚书》中在《大禹谟》之后，专列《皋陶谟》一篇，记载皋陶这位大舜和大禹时代的著名臣子的

---

① 另说据《周礼·春官·乐师》：凡舞有帗舞，有羽舞，有皇舞，有旄舞，有干舞，有人舞。谓之六舞。

② 孔安国传，孔颖达等正义：《尚书正义》，第138-139页。

③ 关于九德，在历史上主要有三种说法，除了本文采录的大禹九德，还有两种不同的意见存在：九德之二是指《左传·昭公二十八年》中的“心能制义曰度，德正应和曰莫，照临四方曰明，勤施无私曰类，教诲不倦曰长，赏庆刑威曰君，慈和偏服曰顺，择善而从之曰比，经纬天地曰文。九德不愆，作事无悔，故袭天禄，子孙赖之!”九德之三是指《逸周书·常训》中的“忠、信、敬、刚、柔、和、固、贞、顺”九种美德。笔者按：除了以上三种关于品质九德的意见之外，清人和素《琴谱合璧》还提出了古琴的九德说：“蓄琴者，欲其九德具备，无收庸材。九德者：奇、古、透、润、静、匀、圆、清、芬也。”

言行功绩。

不仅皋陶，还有《原道》篇谈到的“益稷陈谟，亦垂敷奏之风”的两个人：皋陶的儿子伯益和后稷，既是大舜时代的大臣，更是大禹时代的名臣。伯益和后稷以其辅佐大舜与大禹的卓越的政治功勋，写入《尚书》之中，在《皋陶谟》之后，专列《益稷》谟一篇，来记述他们。伯益后来还被大禹选定为禅位的继承人，接受了大禹的帝位。

《文心雕龙》对赞颂大禹的九功、九叙、九歌还多次提及。《明诗》篇：“及大禹成功，九序惟歌。”又《时序》一篇，专论数千年文学发展史，并以上古文学为例证，阐述“时运交移，质文代变”“歌谣文理，与世推移”的普适性规律，大禹治水的事迹及其德政美誉再次成为刘勰赞美的对象。

> 时运交移，质文代变；古今情理，如可言乎？……至大禹敷土，九序咏功；成汤圣敬，“猗欤”作颂。……故知歌谣文理，与世推移；风动于上，而波震于下者也。[①]

如此，从文学的产生开始，到古代先王的崇高言行，再到文学发展的千年历史，乃至具体的作品品评，大禹都是其中最重要的对象之一。《正纬》篇在论述纬书的起源时，将伏羲与大禹并举之。

> 夫神道阐幽，天命微显，马龙出而大《易》兴，神龟见而《洪范》耀。故《系辞》称“河出图，洛出书，圣人则之”，斯之谓也。但世夐文隐，好生矫诞，真虽存矣，伪亦凭焉。[②]

神道，即《原道》论述的自然之道。阐幽，与“微显”相对，即幽阐，深奥的要使它明显。天命，自然界的法规。马龙，像马的龙，相传马龙从黄河里负图而出，伏羲照着河图制成了八卦，后来周文王为八卦作爻辞而成《周易》。神龟，传说大禹时洛水中有龟负书进献。《洪范》，指《尚书·洪范》篇，说天赐给大禹洪范九畴。洪范，大法；九畴，各类。刘勰指出：根据自然之道阐明幽深的事理，上天的启示显现于微妙的事物。黄河里龙马出图而产生了《易》，神龟在洛水负书出献。所以《周易·系辞》里说：“黄河出图，洛水出书，圣人效法它写作了经

① 黄叔琳注，李详补注，杨明照校注拾遗：《增订文心雕龙校注》，第539页。
② 黄叔琳注，李详补注，杨明照校注拾遗：《增订文心雕龙校注》，第40页。

书。”讲的就是这些道理。

相传，上古伏羲氏时，洛阳东北孟津县境内的黄河中浮出龙马，背负“河图”，献给伏羲，伏羲依此而演成八卦，后为《周易》来源。又相传，大禹时，洛阳西洛宁县洛河中浮出神龟，背驮“洛书”，献给大禹。大禹依此治水成功，遂划天下为九州，又依此定九章大法，治理社会，流传下来收入《尚书》中，名《洪范》。《周易・系辞上》说“河出图，洛出书，圣人则之”，就是指这两件事。

伏羲据河图制作八卦，成为在蒙昧混沌中认知自然的先哲。而大禹则根据洛书的启示，治水成功，划定九州，制作《洪范》，成为中国政治家中最早奠定疆域、规划国土、有着科学治理方式的政治家。

《尚书・周书》之中有关于《洪范》的记载，奇怪的是，本篇论述大禹治国的方针措施，却是在周武王时代展开的一次追溯历史、回顾历史的谈话记录。

> 武王胜殷，杀受，立武庚，以箕子归。作《洪范》。惟十有三祀，王访于箕子。
>
> 王乃言曰：“呜呼！箕子。惟天阴骘下民，相协厥居，我不知其彝伦攸叙。”
>
> 箕子乃言曰：“我闻在昔，鲧堙洪水，汩陈其五行。帝乃震怒，不畀‘洪范’九畴，彝伦攸斁。鲧则殛死，禹乃嗣兴，天乃锡禹‘洪范’九畴，彝伦攸叙。初一曰五行，次二曰敬用五事，次三曰农用八政，次四曰协用五纪，次五曰建用皇极，次六曰乂用三德，次七曰明用稽疑，次八曰念用庶征，次九曰向用五福，威用六极。
>
> 一、五行：一曰水，二曰火，三曰木，四曰金，五曰土。水曰润下，火曰炎上，木曰曲直，金曰从革，土爰稼穑。润下作咸，炎上作苦，曲直作酸，从革作辛，稼穑作甘。
>
> 二、五事：一曰貌，二曰言，三曰视，四曰听，五曰思。貌曰恭，言曰从，视曰明，听曰聪，思曰睿。恭作肃，从作乂，明作哲，聪作谋，睿作圣。
>
> 三、八政：一曰食，二曰货，三曰祀，四曰司空，五曰司徒，六曰司寇，七曰宾，八曰师。
>
> 四、五祀：一曰岁，二曰月，三曰日，四曰星辰，五曰历数。
>
> 五、皇极：皇建其有极。敛时五福，用敷锡厥庶民。惟时厥庶民于汝极。锡汝保极：凡厥庶民，无有淫朋，人无有比德，惟皇作极。凡厥

庶民，有猷有为有守，汝则念之。不协于极，不罹于咎，皇则受之。而康而色，曰：‘予攸好德。’汝则锡之福。时人斯其惟皇之极。无虐茕独而畏高明，人之有能有为，使羞其行，而邦其昌。凡厥正人，既富方谷，汝弗能使有好于而家，时人斯其辜。于其无好德，汝虽锡之福，其作汝用咎。无偏无陂，遵王之义；无有作好，遵王之道；无有作恶，尊王之路。无偏无党，王道荡荡；无党无偏，王道平平；无反无侧，王道正直。会其有极，归其有极。曰：皇，极之敷言，是彝是训，于帝其训，凡厥庶民，极之敷言，是训是行，以近天子之光。曰：天子作民父母，以为天下王。

六、三德：一曰正直，二曰刚克，三曰柔克。平康，正直；强弗友，刚克；燮友，柔克。沈潜，刚克；高明，柔克。惟辟作福，惟辟作威，惟辟玉食。臣无有作福、作威、玉食。臣之有作福、作威、玉食，其害于而家，凶于而国。人用侧颇僻，民用僭忒。

七、稽疑：择建立卜筮人，乃命卜筮。曰雨，曰霁，曰蒙，曰驿，曰克，曰贞，曰悔，凡七。卜五，占用二，衍忒。立时人作卜筮，三人占，则从二人之言。汝则有大疑，谋及乃心，谋及卿士，谋及庶人，谋及卜筮。汝则从，龟从，筮从，卿士从，庶民从，是之谓大同。身其康强，子孙其逢，汝则从，龟从，筮 从，卿士逆，庶民逆吉。卿士从，龟从，筮从，汝则逆，庶民逆，吉。庶民从，龟从，筮从，汝则逆，卿士逆，吉。汝则从，龟从，筮逆，卿士逆，庶民逆，作内吉，作外凶。龟筮共违于人，用静吉，用作凶。

八、庶征：曰雨，曰旸，曰燠，曰寒，曰风。曰时五者来备，各以其叙，庶草蕃庑。一极备，凶；一极无，凶。曰休征；曰肃、时雨若；曰乂，时旸若；曰晰，时燠若；曰谋，时寒若；曰圣，时风若。曰咎征：曰狂，恒雨若；曰僭，恒旸若；曰豫，恒燠若；曰急，恒寒若；曰蒙，恒风若。曰王省惟岁，卿士 惟月，师尹惟日。岁月日时无易，百谷用成，乂用民，俊民用章，家用平康。日月岁时既易，百谷用不成，乂用昏不明，俊民用微，家用不宁。庶民惟星，星有好风，星有好雨。日月之行，则有冬有夏。月之从星，则以风雨。

九、五福：一曰寿，二曰富，三曰康宁，四曰攸好德，五曰考终命。六极：一曰凶、短、折，二曰疾，三曰忧，四曰贫，五曰恶，六曰弱。”[①]

治国安邦要讲规则，正如游戏也要讲规则一样。规则来自哪里？按照《洪范》的说法，大禹的政治地位就是上天授与的，并且上天在授予规则时还要加以选择。不能按规则办事的人就不授予，如鲧就是这样。这套说法对敬畏上天和天命的古人来说，是很有效的。暴君和开明君主的区别在于：暴君把个人意志看得高于一切，凌驾于规则之上，无法无天，为所欲为，如商纣王；开明君主尊重规则，讲究按规则办事，用今天的话说就是依法办事，使自己的言行合于仪轨，如周文王和周武王。箕子看中周武王而授予洪范九畴，正是看中了他是个守规矩的人。

箕子所说的“最高法则”，就是家长制的典型法则。最后一句话已点出了这个法则的要害。天子只有成为臣民的父母，才会成为天下的君主。这就明白地告诉我们，我们都是最高统治者的儿女，是“父母”（家长）生养了我们（而不是相反），人从此要服从、尊敬、孝顺家长，不要犯上作乱。《尚书》认为：作威作福是天子的特权。这就从根本大法的角度，制定、维护了天子的最高权威。

到周武王时代，夏朝统治近 500 年，商朝延续约 600 年，距离夏禹时代至少已经过去了 1100 年，然而大禹的威信仍然如此之高：箕子和武王，没有讨论伏羲、黄帝、尧舜，而是选择大禹为讨论对象，将大禹《洪范》作为最高治国方针，足见大禹在国家形成阶段的启示作用和榜样示范作用，大禹在历史上，是真正第一位影响后代的政治家。

二、作为辞赋批评的素材对象

按照《文心雕龙》全书写作脉络的发展，“文之枢纽”在《原道》篇礼赞大禹为文学发展史之重要代表任务之后，刘勰又在《辨骚》篇评论屈原楚辞与辞赋发展时，将大禹及其相关文献作为重要的征引对象，来提出自己对屈赋的独特看法：

> 王逸以为：“诗人提耳，屈原婉顺。《离骚》之文，依《经》立义。驷虬乘鹥，则‘时乘六龙’；昆仑流沙，则《禹贡》敷土。名儒辞赋，莫不拟其仪表，所谓‘金相玉质，百世无匹’者也。”[②]

---

① 孔安国传，孔颖达等正义：《尚书正义》，第 187-193 页。

② 黄叔琳注，李详补注，杨明照校注拾遗：《增订文心雕龙校注》，第 50 页。

本则所引，是东汉王逸对屈赋思想“依《经》立义”的主张和阐发，他针对的对象是班固。为了搞清楚屈原其人其作在汉代的评论情况，我们有必要做一个简单的归纳。

战国时期的荀子，是较早对屈赋做出评论的人，他说：“君子行不贵苟难，说不贵苟察，名不贵苟传，唯其当之为贵。故怀负石而投河，是行之难为者也，而申徒狄能之。然而君子不贵者，非礼义之中也。”荀子对屈原的死用的是表示赞美的褒义之词，但也有不满，虽然“是行之难为者”，却“非礼义之中也”。

西汉一朝，汉武帝是第一位喜好辞赋的皇帝，在他的影响下，带着政治野心的淮南王刘安等积极响应起来。一次，刘安到都城朝拜，汉武帝命令他写一篇关于楚辞的文学批评，刘安一挥而就，对屈原及其作品作了高度褒赞，深得武帝欢心。以此为契机，汉代对屈原及楚辞的批评多维度发展起来。汤炳正先生在《屈赋新探》中指出：司马迁全盘继承了淮南王刘安的意见，对屈原人格、《离骚》精神的评论[①]，都是非常准确的。可见，作为史学家的司马迁乃是非常崇拜屈原的。

发展到扬雄，他认为屈原的作品是很好的，“体同诗雅”，甚至自己也写了《反离骚》，投入岷江之中，用这种特殊方式来纪念屈原。但同时扬雄认为屈原的死非常不值得，君子得时则大行，不得时则龙蛇，何必湛身哉？想必扬雄一方面深明孔子以来儒家明哲保身的道理（扬雄的祖先就是因为躲避晋国内乱和仇家追杀逐步入蜀的），也许另一方面还暗示着屈原不该因楚国君王的失策而去跳江自杀。

但是，东汉的历史学家班固却不尽以前人对屈原之评赞为然。他对屈原及《离骚》的思想倾向是有褒有贬的，甚至是以贬为主的。班固批评时，有意避开了司马迁，而径直把矛头指向刘安。他指出，称屈原和《离骚》可“与日月争光”云云，“斯论似过其真”。班固的人生观是“全命避害，不受世患”，这点与扬雄一致。他以为屈原应像《诗·大雅》所谓的“‘即明且哲，以保其身’斯为贵矣”，他批评屈原不应“露才扬己，责数怀王，怨恶椒兰，愁神苦思，强非其人，忿怼不容，沉江而死”。他也不同意屈原把大量的神化传说融入作品中，多称昆仑、冥婚、宓妃虚无之语，皆非法度之正，经义所在。但班固也并不否认屈原的作品

① 《屈原列传》曰：“屈平疾王听之不聪也，谗谄之蔽明也，邪曲之害公也，方正之不容也，故忧愁幽思而作《离骚》。离骚者，犹离忧也。夫天者，人之始也；父母者，人之本也。人穷则反本，故劳苦倦极，未尝不呼天也；疾痛惨怛，未尝不呼父母也。屈平正道直行，竭忠尽智，以事其君，谗人间之，可谓穷矣。信而见疑，忠而被谤，能无怨乎？屈平之作《离骚》，盖自怨生也。”汤老指出：司马迁的意见是从刘安那里抄来的，也代表了司马迁本人“发愤著书”的意见。

“弘博丽雅，为辞赋宗。后世莫不斟酌其英华，则象其从空”。因此，他对屈原的评价是：“虽非是明智之士，可谓妙才也。”

稍后的王逸则不满于班固这样的庸俗之见。他盛赞屈原“膺忠贞之质，体清洁之性，直如石砥，颜如丹青；进不隐其谋，退不顾其命，此诚绝世之行，俊彦之英也”。一方面，这是王逸自己的独立看法，另一方面，也不能排除他是受到了儒学盛行、经典广布的时代风气的影响。

另外，汉代帝王中喜欢辞赋的人不在少数，除了汉武帝，汉宣帝也很喜欢屈赋[①]，认为屈赋“皆合经术”，而且明确提出“辞赋大者与古诗同义，小者辩丽可喜”的观点，为辞赋的繁荣提出了论纲。至于梁代的刘勰的《文心雕龙》，又概括班固、王逸、汉宣帝、扬雄等人的观点，写了《辨骚》一篇，除证明屈原作品有异于《风》《雅》的四点以外，也有同乎经典的四个方面。上文所引，既是此说之一。

由此观之，对屈原的评价有三种主要意见：一是褒赞为主，二是批评为主，三是折衷意见。

班固——倒屈派；

荀子、扬雄、刘勰——折衷派；

刘安、司马迁、王逸、汉宣帝——挺屈派。

在褒赞屈原的挺屈派中，刘安、司马迁主要是从《离骚》的内容、思想与艺术成就来说的，针对作品来赞美屈原。汉宣帝明确认为屈赋与儒家经典思想一致。而王逸是走得最远的一位，评论的是屈原的人品和道德，以及忠心为国的壮举，从作品角度来谈问题反而不够。这样，屈原的为人、作品，两个方面都被赞美到了极致。

而《文心雕龙》显然不是这样对立起来谈问题的，这就是刘勰写作该书“及其品评成文，有同乎旧谈者，非雷同也，势自不可异也；有异乎前论者，非苟异也，理自不可同也。同之与异，不屑古今；擘肌分理，唯务折衷”思维方法论的胜利。今天，当我们以理性的态度来看待屈原及其作品的时候，会发现王逸大体上相当于文学愤青，他的话过于偏激了。其中，“《离骚》之文，依《经》立义。驷虬乘鹥，则‘时乘六龙’；昆仑流沙，则《禹贡》敷土”，王逸认为《离骚》完

① 据《汉书·王褒传》：上令褒与张子侨等并待诏，数从褒等放猎，所幸宫馆，辄为歌颂，第其高下，以差赐帛。议者多以为淫靡不急，上曰：“‘不有博弈者乎，为之犹贤乎已！’辞赋大者与古诗同义，小者辩丽可喜。辟如女工有绮縠，音乐有郑、卫，今世俗犹皆以此虞说耳目，辞赋比之，尚有仁义风谕，鸟兽草木多闻之观，贤于倡优博弈远矣。”“顷之，擢褒为谏大夫。其后太子体不安，苦忽忽善忘，不乐。诏使褒等皆之太子宫虞侍太子，朝夕诵读奇文及所自造作。疾平复，乃归。太子喜褒所为《甘泉》及《洞箫》颂，令后宫贵人左右皆诵读之。”

全是符合儒家经典思想标准的，里面出现的乘龙引凤、昆仑流沙等神话传说中的故事或素材，都是符合上古儒家文献记载的，如记载大禹事迹的《尚书·夏书·禹贡》篇：

> 禹别九州，随山浚川，任土作贡。禹敷土，随山刊木，奠高山大川。冀州……济河惟兖州。……海岱惟青州……海、岱及淮惟徐州……淮海惟扬州……荆及衡阳惟荆州……荆河惟豫州……华阳、黑水惟梁州……黑水、西河惟雍州……织皮昆仑……九州攸同……东渐于海，西被于流沙，朔南暨声教讫于四海。禹锡玄圭，告厥成功。[①]

根据《禹贡》的记载：禹别九州，随山浚川，治水成功，治国改革，其行踪不仅织皮昆仑，而且东渐于海，西被于流沙，声教讫于四海，告厥成功。这是对大禹人生的总结性记载。王逸认为屈原《离骚》中的昆仑流沙等地点和意象，是出自《禹贡》的记载，这是不恰当的。

第一，屈原当时有没有看过《尚书》是个问号。楚国居于南方，尽管祖先出自中土，但数百年来，文字、风俗与中原地区已经大不相同。《尚书》的成书时间和真伪问题本就有争议，屈原在世的时候，到底有没有看过《尚书》中的《禹贡》，不一定。

第二，昆仑与流沙是神话传说中的地名，地处西域，楚国居于南方，屈原更多的是通过口耳相传或者其他书籍知道有这样的地名，这是可以肯定的。因为昆仑流沙在神话传说中地位极高，知道有这个地名是正常的。

第三，屈原运用昆仑流沙这样的意象，是在彰显自己的想象力和理想追求的极致终点：飞仙而升，遨游四海。借此远离尘世，告别痛苦。这与《禹贡》记载大禹治水、归服四海的功绩与德政，完全是两件事。

刘勰理性地评论屈原作品，他和王逸的偏激不一样，他对屈原的评价更准确、客观。所以，《辨骚》篇才会全面地列出屈赋与儒家经典对比时产生的四同与四异，其中就有“陈尧舜之耿介，称禹汤之祗敬，典诰之体也”的一面，屈赋赞美尧舜禹和商汤，这些都是古代最著名的贤君，这与《尚书》典诰之体是一致的，都是对先王德政及美誉的记载，这一点上和儒家经典一致。刘勰能将屈赋与《尚书》等儒家经典相提并论，早已鲜明地表明了自己对屈赋的高度赞美的态度，但他尊重事实，能一分为二地看待屈赋与经典的异同，是准确的。

---

① 孔安国传，孔颖达等正义：《尚书正义》，第146-153页。

三、作为诗歌与音乐文学发展的经典代表

大禹接受大舜的选拔、考察和禅让，《墨子·尚贤上》："禹举益于阴方之中，授之政，九州成。"[①]伯益成为中原部落共主。大禹子启篡夺伯益之位，正式建立夏朝。[②]大禹是中国社会从原始部落到奴隶制国家形态发展的关键人物，因此，将大禹、夏启及其后代文学纳入本文论述之中，是题中应有之义。

根据《文心雕龙》全书脉络的发展，来到《明诗》《乐府》等篇，夏代诗歌与音乐文学，成为《文心雕龙》论述这些体裁最为重要的素材来源，它们或是最经典的诗歌作品，或是中国音乐最早的起始源头，意义非凡。《明诗》篇说：

> 人禀七情，应物斯感，感物吟志，莫非自然。昔葛天氏乐辞云，玄鸟在曲；黄帝云门，理不空绮。至尧有大唐之歌，舜造南风之诗，观其二文，辞达而已。及大禹成功，九序惟歌；太康败德，五子咸讽：顺美匡恶，其来久矣。[③]

刘勰指出：夏禹治水成功，各项工作都上了轨道，受到了歌颂。夏帝太康道德败坏，他的兄弟五人便作《五子之歌》来表示自己的怨恨。由此可见，用诗歌来歌颂功德和讽刺过失，是很早以来就有的做法了。

"大禹成功，九序惟歌"句已在《原道》篇"夏后氏兴，业峻鸿绩，九序惟歌，勋德弥缛"中阐释过，这是对大禹崇高行为的褒赞。而"太康败德"句，则指的是大禹的孙子太康，治国无能，且自身修养也有问题；"五子咸讽"指的是夏帝太康道德败坏，他的兄弟五人便作《五子之歌》来表示自己的怨恨，是从反面来批评夏代帝王的案例。《五子之歌》以其讽谏之义，成为夏代诗歌最著名的代表之一，据《尚书·夏书·五子之歌第三》的记载：

> 太康失邦，昆弟五人须于洛汭，作《五子之歌》。太康尸位，以逸豫灭厥德，黎民咸贰，乃盘游无度，畋于有洛之表，十旬弗反。有穷后羿因民弗忍，距于河，厥弟五人御其母以从，徯于洛之汭。五子咸怨，

① 墨翟著，辛志凤、蒋玉斌等译注：《墨子译注》，哈尔滨：黑龙江人民出版社，2003 年，第 32 页。

②《韩非子·外储说右下》以为："禹爱益而任天下于益，已而以启人为吏。及老，而以启为不足任天下，故传天下于益，而势重尽在启也。已而启与友党攻益而夺之天下，是禹名传天下于益，而实令启自取之也。此禹之不及尧、舜明矣。"在韩非子看来，大禹比不上尧舜二帝，表面上传位与伯益，实际上暗中命令儿子启夺取帝位。

③ 黄叔琳注，李详补注，杨明照校注拾遗：《增订文心雕龙校注》，第 64 页。

述大禹之戒以作歌。

其一曰：“皇祖有训，民可近，不可下，民惟邦本，本固邦宁。予视天下，愚夫愚妇，一能胜予，一人三失，怨岂在明，不见是图。予临兆民，懔乎若朽索之驭六马，为人上者，奈何不敬？”

其二曰：“训有之，内作色荒，外作禽荒。甘酒嗜音，峻宇雕墙。有一于此，未或不亡。”

其三曰：“惟彼陶唐，有此冀方。今失厥道，乱其纪纲，乃底灭亡。”

其四曰：“明明我祖，万邦之君。有典有则，贻厥子孙。关石和钧，王府则有。荒坠厥绪，覆宗绝祀！”

其五曰：“呜呼曷归？予怀之悲。万姓仇予，予将畴依？郁陶乎予心，颜厚有忸怩。弗慎厥德，虽悔可追？”①

《尚书》是我国上古时期政治、经济、军事等方面的文件、文告汇编，其中也有部分篇章追述了当时的史实。《尚书》的内容偏重于政治生活、典章制度，是后世帝王治理朝政的常法大典。

《五子之歌》借太康兄弟之口述大禹训诫说：“民为邦本，本固邦宁”，体现了中国最早最原始的以人为本，而不是以神为本的政治思想，难能可贵。《尚书·皋陶谟》中记载舜帝与皋陶、大禹讨论政务，皋陶说：“在知人，在安民。”大禹说：“知人则哲，能官人；安民则惠，黎民怀之。”这里的“知人”是执政者要知人善任的意思，而“安民”则是为政的宗旨。由此可以看出，大禹“民为邦本，本固邦宁”之说是深思熟虑的。

然而太康却忘记了先祖的教训。大禹以民为本，身体力行，治理了洪水，赢得天下百姓的衷心拥戴，大舜禅位与他。太康背离百姓之心，被后羿篡夺了帝位。刘勰指出，这首《五子之歌》“顺美匡恶，其来久矣”。由此可见，用诗歌来歌颂功德和讽刺过失，是很早以来就有的做法了。《文心雕龙》征引《五子之歌》的目的，是指出这样一个道理：诗歌实际上是感情的抒发，既包括个人感情，也包括社会民情，还包括政治世情。所以本篇开始就引用大舜的话说：“大舜云：诗言志，歌永言。圣谟所析，义已明矣。是以在心为志，发言为诗；舒文载实，其在兹乎？诗者，持也，持人情性。三百之蔽，义归无邪；持之为训，有符焉尔。”②其中，“诗者，持也，持人情性”一说，是本篇的中心所在，

① 孔安国传，孔颖达等正义：《尚书正义》，第156-157页。
② 黄叔琳注，李详补注，杨明照校注拾遗：《增订文心雕龙校注》，第64页。

全篇可以看作一篇简明的古代诗歌发展史，上自大舜起，下达晋宋止，历时数千年，将各类诗歌体裁的发展历史和基本特点阐述出来，主要集中于四言诗和五言诗。《五子之歌》作为中国历史上第一篇四言诗歌，而且是记载在《尚书》之中，其讽喻功能，不言而喻。

汉代诗论的重要文献《毛诗大序》曰："诗者，志之所之也，在心为志，发言为诗，情动于中而形于言，言之不足，故嗟叹之，嗟叹之不足，故咏歌之，咏歌之不足，不知手之舞之足之蹈之也。"不仅将《尚书·舜典》"诗言志，歌永言"的基本特点阐释出来，还继承了夔"击石拊石，百兽率舞"所提出的诗、歌、舞三者合一的表现形式。而在诗歌功能的论述上，《毛诗序》直接提出"情发于声，声成文谓之音，治世之音安以乐，其政和；乱世之音怨以怒，其政乖；亡国之音哀以思，其民困。故正得失，动天地，感鬼神，莫近于诗。先王以是经夫妇，成孝敬，厚人伦，美教化，移风俗"的功能说：听音观政、政治教化。更早一些的《吕氏春秋·适音》则主张："乐无太，平和者是也。故治世之音安以乐，其政平也；乱世之音怨以怒，其政乖也；亡国之音悲以哀，其政险也。凡音乐，通乎政而移风平俗者也。俗定而音乐化之矣。故有道之世，观其音而知其俗矣，观其政而知其主矣。故先王必托於音乐以论其教。"①刘勰在齐梁年间写作《文心雕龙》，将《五子之歌》的讽喻之义与"乱世之音怨以怒，其政乖"的政治反观功能结合起来，将音乐"通乎政""论其教"与"移风平俗"的政治教化结合起来。在这种指导思想下，刘勰在《才略》篇中甚至提出了《五子之歌》"辞义温雅"，乃"万代之仪表"的说法：

> 九代之文，富矣盛矣；其辞令华采，可略而详也。虞、夏文章，则有皋陶六德，夔序八音，益则有赞；五子作歌，辞义温雅，万代之仪表也。②

《才略》论述历代作家作品的特点和评论情况，首先就指出：虞、夏时代的文章，有皋陶谈论治理国家的六德③，夔主管的八音，伯益则有赞扬禹的赞辞，五子作了讽刺夏太康的《五子之歌》。这些作品，文辞温和，意义雅正，可以说是万代

① 吕不韦著，陈奇猷校释：《吕氏春秋新校释》，上海：上海古籍出版社，2002年，第276页。

② 黄叔琳注，李详补注，杨明照校注拾遗：《增订文心雕龙校注》，第573页。

③ 皋陶是大舜时的大臣。他曾经讲了"九德"，但未讲"六德"，即宽而粟（严肃）、柔而立、愿（朴实）而恭、乱（整治）而敬、扰（驯顺）而毅、直而温、简而廉、刚而塞（质实）、张而义，为"九德"。事见《尚书·皋陶谟》。

的标准。

《五子之歌》本是怨刺诗歌，距离“辞义温雅”差距甚远，而《文心雕龙》主要是从政教功能的角度进行论述，认为诗歌内容对统治者有鞭策和警醒作用。

在《文心雕龙》的其他篇章之中，对《五子之歌》还有其他的称谓，如《章句》篇即以《洛汭之歌》称之。

> 至于诗颂大体，以四言为正；唯《祈父》《肇禋》，以二言为句。寻二言肇于黄世，《竹弹》之谣是也；三言兴于虞时，《元首》之诗是也；四言广于夏年，《洛汭之歌》是也；五言见于周代，《行露》之章是也。六言、七言，杂出《诗》《骚》；两体之篇，成于西汉。情数运周，随时代用矣。[①]

刘勰指出：四言诗在夏朝时候多用，《洛汭之歌》便是四言的诗歌。在刘勰看来，诗、颂大体，当以四言为正。诗歌和颂体文章，应当以四言诗歌和四言文句为正宗，而夏代正是四言诗歌“广”的时代，其中的《洛汭之歌》就是四言诗歌的典型代表。从这里的论述，我们可以窥探到如下几点信息。

第一，《诗经》三百零五篇，主要体裁是四言诗歌，那么，照此推论，夏朝理当是四言诗歌“广”并大力发展、乃至大量被选入《诗经》的兴盛时期。

第二，《五子之歌》影响重大。一则《五子之歌》是四言诗歌成熟的第一首代表作品，是历史上的第一首规范诗歌；二则其讽喻特色是《诗经》讽喻选诗的经典代表，完全称得上是中华民族的千古国训。

第三，《五子之歌》的传播是多形式的、广泛的。据《尚书》记载：“太康失邦，昆弟五人须于洛汭，作《五子之歌》。太康尸位，以逸豫灭厥德，黎民咸贰，乃盘游无度，畋于有洛之表，十旬弗反。有穷后羿因民弗忍，距于河，厥弟五人御其母以从，徯于洛之汭。五子咸怨，述大禹之戒以作歌。”《洛汭之歌》之所以被作为《五子之歌》的别称，除了是创作于洛汭这一明确的地点之外，刘勰这样写作，应当还有深层的用意。洛汭之地，泛指洛水与黄河之间的广大地区，最早见于《尚书》。由于长期处于部落联盟政权的政治、军事、文化、经济中心位置，洛汭之地是中原地区的浓缩影像，带有政教与文化核心的意味。这里是伏羲画八卦的传说地之一，也是古代贤君禅让政权、举行重大仪式活动的地方之一，再则，《五子之歌》带有鲜明的政教价值，讽刺当时弊政，对后代君主治国安邦、励精

① 黄叔琳注，李详补注，杨明照校注拾遗：《增订文心雕龙校注》，第441页。

图治具有重大的参考价值与警示作用。

因此，在《明诗》《才略》等篇章中被称为“五子咸怨”“五子作歌”的《五子之歌》，才会在《章句》篇中被改称为《洛汭之歌》，盖因“洛汭”是上古圣地、中华民族的精神核心高地，以其命名，其价值与意义远胜于《五子之歌》这一名称。

而在《通变》篇论述文学数千年发展的时代文风与历时文风的变化时，又以“夏歌雕墙”称之。

> 是以九代咏歌，志合文则：黄歌“断竹”，质之至也；唐歌在昔，则广于黄世；虞歌《卿云》，则文于唐时；夏歌“雕墙”，缛于虞代；商周篇什，丽于夏年。至于序志述时，其揆一也。暨楚之骚文，矩式周人；汉之赋颂，影写楚世；魏之篇制，顾慕汉风；晋之辞章，瞻望魏采。推而论之，则黄唐淳而质，虞夏质而辨，商周丽而雅，楚汉侈而艳，魏晋浅而绮，宋初讹而新：从质及讹，弥近弥澹。何则？竞今疏古，风末气衰也。①

杨明照先生《增订文心雕龙校注》“夏歌雕墙”曰：“作‘雕’与《书》伪《五子之歌》合。”《五子之歌》：“内作色荒，外作禽荒；甘酒嗜音，峻宇雕墙；有一于此，未或不亡。”张立斋先生《文心雕龙注订》曰：“‘缛于虞代’，言‘雕墙’之歌又繁缛于《卿云》之辞，世愈后文愈盛也。”范文澜先生注：“《尚书大传》载舜《卿云歌》曰：‘卿云烂兮，纠缦缦兮。日月光华，旦复旦兮。’”仅从文字内容上来看，《五子之歌》远比《卿云歌》为多，确实体现了夏代歌谣比前代歌谣渐渐繁缛的历史发展趋势。

刘勰指出：夏代的《雕墙歌》，比舜歌富于辞采；商周时代的诗歌，比夏代的歌谣更为华丽。至于在表达思想感情、叙述时事方面，它们的原则都是一致的。整体来看，文学史的发展，在夏代及其以前，是本着自然而为、质朴纯粹的特点来发展的，以质朴、雅正为主；“商周丽而雅”之后，逐渐“文胜其质”，走向文饰过度“侈而艳，浅而绮”的不良道路。范文澜先生指出：“商周以前之文，皆本自然之趋向，以序志述时为归。至楚汉以下，则谓之矩式，影写，顾慕，瞻望，而终之曰‘竞今疏古，风味气衰，’据此以观，文章须顺自然，不可过重模拟。盖因袭之弊，必至躯壳仅存，真意丧失，后世一切虚伪涂饰之文，皆由此道而生

① 黄叔琳注，李详补注，杨明照校注拾遗：《增订文心雕龙校注》，第 397 页。

者也。”

到刘勰写作《文心雕龙》时，已经讹滥丛生，必须要救弊当下了。如此，《文心雕龙》以其恢弘的历史视野和立体综合的叙述内容，在广阔的文学史背景下，准确地抓住了每一时代的断代文学特征，再进一步，又在时代个性的基础上，抽象出前后交织、通变发展的历时共性，将《文心雕龙》的文学史大纲构建起来，并在《时序》篇中予以详细展开。在这个过程中，以《五子之歌》为代表的夏代文学，既是历时链条上的不可缺少的重要一环，也是后代比前代逐渐繁缛、华美这一共性特征下的重要范例。夏代文学是文学发展史的重要部分。

《五子之歌》以不同的名称，在《文心雕龙》的多个篇章中得到不同角度的重要评论。在《乐府》这一专论音乐文学发展历史的篇章中，直接与大禹相关的音乐和夏代不同时期出现的音乐，是中国音乐发展史最早的成型音乐。《乐府》篇论述说：

> 乐府者，“声依永，律和声”也。钧天九奏，既其上帝；葛天八阕，爰乃皇时。自《咸》、《英》以降，亦无得而论矣。至于涂山歌于候人，始为南音；有娀谣于飞燕，始为北声；夏甲叹于东阳，东音以发；殷整思于西河，西音以兴：音声推移，亦不一概矣。匹夫庶妇，讴吟土风，诗官采言，乐盲被律，志感丝篁，气变金石。是以师旷觇风于盛衰，季札鉴微于兴废，精之至也。夫乐本心术，故响浃肌髓，先王慎焉，务塞淫滥。敷训胄子，必歌九德，故能情感七始，化动八风。[①]

刘勰认为：涂山氏之女等候夏禹所唱的“候人兮猗”之歌，是南方乐歌的开始。《吕氏春秋·季夏纪第六·音初》记载，大禹南巡时分，涂山氏之女作歌曰“候人兮猗”。

> 禹行功，见涂山之女，禹未之遇而巡省南土。涂山氏之女乃令其妾候禹于涂山之阳，女乃作歌，歌曰“候人兮猗”，实始作为南音。周公及召公取风焉，以为“周南”、“召南”。[②]

大禹的妻子涂山氏之女所作的歌谣，一直影响到了周代音乐，周公和召公曾在那

① 黄叔琳注，李详补注，杨明照校注拾遗：《增订文心雕龙校注》，第82页。
② 吕不韦著，陈奇猷校释：《吕氏春秋新校释》，第338页。

里采风，写作成为“周南”“召南”，“周南”“召南”是《诗经》中的正宗，可见，夏代音乐对后代音乐和文学的发展意义重大。

此外，夏代的孔甲在东阳作有《破斧歌》，东方乐歌便由此兴起。《音初》篇记载说：

> 夏后氏孔甲田于东阳萯山，天大风晦盲，孔甲迷惑，入于民室，主人方乳，或曰“后来是良日也，之子是必大吉”，或曰“不胜也，之子是必有殃”。后乃取其子以归，曰：“以为余子，谁敢殃之？”子长成人，幕动坼橑，斧斫斩其足，遂为守门者。孔甲曰：“呜呼！有疾，命矣夫！”乃作为破斧之歌，实始为东音。[①]

殷帝王整甲作了怀念故乡的歌曲，是西方乐歌的开始，并影响了周代长公与秦国的音乐。《音初》篇：

> 殷整甲徙宅西河，犹思故处，实始作为西音。长公继是音以处西山，秦缪公取风焉，实始作为秦音。[②]

曾经救过周昭公性命的长公辛余靡封侯后住在西翟之山，继承了这一乐歌。后来，秦穆公时曾在那里采风，开始把它作为秦国的音乐。

而有娀氏[③]的两个美丽的女儿所演唱“燕燕往飞”的歌谣，是北方乐歌的开始。《音初》曰：

> 有娀氏有二佚女，为之九成之台，饮食必以鼓。帝令燕往视之，鸣若谥隘。二女爱而争搏之，覆以玉筐。少选，发而视之，燕遗二卵，北飞，遂不反。二女作歌，一终曰：“燕燕往飞”，实始作为北音。[④]

---

① 吕不韦著，陈奇猷校释：《吕氏春秋新校释》，第 337-338 页。

② 吕不韦著，陈奇猷校释：《吕氏春秋新校释》，第 338 页。

③ 有娀，古国名，风姓，上古东夷大族太皞之后的四国之一，古书中或作有戎、有仍、有扔，周代称为任，在今山东济宁。相传帝喾之妃有娀氏女简狄生了商的祖先契（偰、卨），夏末时商汤伐夏在有娀之虚击败了夏桀的军队。《史记·殷本纪》：“殷契，母曰简狄，有娀氏之女，为帝喾次妃。三人行浴，见玄鸟堕其卵，简狄取吞之，因孕生契。”顾颉刚在《有仍国考》一文中旁征博引，详加考证后认为，有娀即有戎、有仍，亦即周代的任国，是太皞之后的风姓国，娀、戎、仍、任古音相同或相近可通假，其地在今山东济宁；许全胜也认为有娀即有戎。说均可信。春秋时期的有娀部族可能已经不在济宁的任，而是西迁了戎州。有戎（娀）何时、何因西迁，史无记载，可能遭到鲁国的排挤而然。但无论如何，有娀氏生活在夏朝，其儿女之歌为夏音，是无疑的。

④ 吕不韦著，陈奇猷校释：《吕氏春秋新校释》，第 338 页。

在此基础上，《音初》篇指出：“凡音者，产乎人心者也。感于心则荡乎音，音成于外而化乎内，是故闻其声而知其风，察其风而知其志，观其志而知其德。盛衰、贤不肖、君子小人皆形于乐，不可隐匿，故曰乐之为观也深矣。土弊则草木不长，水烦则鱼鳖不大，世浊则礼烦而乐淫。郑卫之声，桑间之音，此乱国之所好，衰德之所说。流辟誂越慆滥之音出，则滔荡之气、邪慢之心感矣；感则百奸众辟从此产矣。故君子反道以修德，正德以出乐，和乐以成顺。乐和而民乡方矣。”[①]所以，君子以道为根本，进行品德修养，端正品德而创作音乐，音乐和谐而后通达理义。音乐和谐了，人民就向往道义了。

夏启作为大禹帝位的继承者，不管他是推翻伯益也好，接受伯益之禅让也好，夏启建立了夏朝，成为一位有作为的国家君主。夏启也曾制作过音乐，《帝王世纪·第三》：“启升后，十年，舞九韶。”启登上了帝位，表演了舜帝时代伟大的音乐《九韶》，暗示夏启敬奉大舜、继承大禹帝位的合法性是不容置疑的。

那么，什么样的音乐才是和谐而后通达理义，并能使人民向往道义的呢？这就是前文唐玄宗《首夏花萼楼观群臣宴宁王山亭回楼下又申之以赏乐赋诗》中“九歌扬政要，六舞散朝衣”所说的“九歌”与“六舞”。其中的九歌，指歌颂大禹的歌谣；其中的六舞，是从黄帝以来的六种乐舞：谓黄帝之《云门》、尧之《咸池》、舜之《大韶》、禹之《大夏》、汤之《大濩》、武王之《大武》，都是最贤明的帝王时代的音乐。《文心雕龙》中常常将舜之《大韶》、禹之《大夏》并称为《韶》、《夏》，在全书中多次出现。

> 《乐府》：自雅声浸微，溺音腾沸，秦燔《乐经》，汉初绍复，制氏纪其铿锵，叔孙定其容典，于是《武德》兴乎高祖，《四时》广于孝文；虽摹《韶》、《夏》，而颇袭秦旧，中和之响，阒其不还。[②]
>
> 《乐府》：至于魏之三祖，气爽才丽，宰割辞调，音靡节平。观其《北上》众引，《秋风》列篇，或述酣宴，或伤羁戍，志不出于慆荡，辞不离于哀思。虽三调之正声，实《韶》、《夏》之郑曲也。[③]
>
> 《情采》：故立文之道，其理有三：一曰形文，五色是也；二曰声文，五音是也；三曰情文，五性是也。五色杂而成黼黻，五音比而成《韶》、《夏》，五性发而为辞章：神理之数也。[④]

① 吕不韦著，陈奇猷校释：《吕氏春秋新校释》，第 338 页。
② 黄叔琳注，李详补注，杨明照校注拾遗：《增订文心雕龙校注》，第 82 页。
③ 黄叔琳注，李详补注，杨明照校注拾遗：《增订文心雕龙校注》，第 82-83 页。
④ 黄叔琳注，李详补注，杨明照校注拾遗：《增订文心雕龙校注》，第 415 页。

《事类》：凡用旧合机，不啻自其口出；引事乖谬，虽千载而为瑕。陈思，群才之英也，《报孔璋书》云："葛天氏之乐，千人唱，万人和，听者因以蔑《韶》、《夏》矣。"此引事之实谬也。[①]

《文心雕龙》以大舜和大禹时代的《韶》《夏》为正宗，因为它们体现了先王之德政，"乃声乐而心泰也"[②]，于是，《韶》《夏》成为后代《诗经》中雅乐的代称，或艺术标准，刘勰以"雅声"目之。[③]与之相对的，则是后代产生的"郑声"。郑声，原指春秋战国时郑国的音乐。因与孔子等提倡的雅乐不同，故受儒家排斥。此后，凡与雅乐相悖的音乐，甚至一般的民间音乐，均为崇"雅"黜"俗"者斥为"郑声"。《论语·卫灵公》："放郑声，远佞人。郑声淫，佞人殆。"刘宝楠正义："《五经异义·鲁论》说郑国之俗，有溱、洧之水，男女聚会，讴歌相感，故云郑声淫。"刘勰指出："《韶》响难追，郑声易启。"明杨慎《升庵经说·淫声》："郑声淫者，郑国作乐之声过於淫，非谓郑诗皆淫也。"清陈廷焯《白雨斋词话》卷五："此《关雎》所以不作也，此郑声所以盈天下也。"

孔子说到《诗经》的时候："《诗三百》，一言以蔽之，曰思无邪。"《诗三百》用一句话概括之，就是思想纯正，没有邪念。

《论语》中两处"郑声淫"分别出自的《卫灵公》和《阳货》。《卫灵公》主要是围绕为人处世、治理国家两大方面而整理的孔子言论。孔子的学生颜渊问怎样治理国家，于是孔子回答了这么一番话："行夏之时，乘殷之辂，服周之冕，乐则《韶》舞，放郑声，远佞人。郑声淫，佞人殆。"即实行夏朝的历法，乘坐殷朝的车子，戴周朝的帽子，演奏就用大舜时代的《韶》乐，抛开郑国的音乐，远离花言巧语的小人。郑国的音乐淫乱，奸邪的小人危险。在这里孔子把"夏时""殷辂""周冕""《韶》乐"看作是治国之本，而把"郑声""佞人"当成了治国的大忌。显然，"郑声"是相对《韶》乐而言的。相传《韶》乐是舜时代的乐曲名，歌颂舜的功业。乐曲如黄钟大吕，击石明磬，格调庄严，舒缓悠扬。《韶》是孔子崇尚的正统音乐，也是孔子认为安邦治国的重要标志之一。"子谓《韶》：'尽美矣，又尽善也。'""子在齐闻《韶》，三月不知肉味。曰：'不图为乐之至于斯也。'"可见孔子对《韶》喜爱之深，推崇备至，因为

① 黄叔琳注，李详补注，杨明照校注拾遗：《增订文心雕龙校注》，第474页。

②《时序》语。

③ 因古代文献中有"夏"通"雅"的读法，故有学者认为《韶》《夏》当为《韶》《雅》，或者应该去掉书名号，合称为"韶雅"，指的是高雅、雅正的儒家音乐，与郑声（即民间的、新出现的、流行的音乐）相对。在此，根据"六舞"内容的界定，笔者暂时不采纳这一说法。

这是周代礼乐制度下尚未被破坏的古代雅乐，有赞美、坚持，甚至作为音乐艺术标准的必要。

《文心雕龙》全面继承了孔子对于雅乐和俗乐的看法，认为古乐《韶》《夏》是“中和之响”，中断于秦国焚灭《乐经》，自此往后，雅声断绝。尽管后来有汉代乐府制度的建立，也创作了不少类似于模仿《韶》《夏》、具有雅正风格的音乐，但还是无法恢复；发展到曹魏三祖，他们的作品虽然音律和谐而完美，但是内容上确有问题：“或述酣宴，或伤羁戍，志不出于慆荡，辞不离于哀思”，所以，是形式而神非的作品，“虽三调之正声，实《韶》、《夏》之郑曲也”，并非雅正、中和的作品。

由此可见，刘勰抱有严格的儒家雅正思想，在音乐艺术标准上推崇《韶》《夏》“正声”，坚守孔子批判“郑声”的态度，对于后代音乐、诗歌的发展，尚雅贬俗，排斥新声，具有复古、保守的特点。

四、作为赞体文章的首创对象

在诗歌、音乐文学等体裁之后，《文心雕龙》在《颂赞》篇中将大禹作为由伯益首创的赞体文章褒赞对象来论述。

> 赞者，明也，助也。昔虞舜之祀，乐正重赞，盖唱发之辞也。及“益赞于禹”，“伊陟赞于巫咸”，并飏言以明事，嗟叹以助辞也。故汉置鸿胪，以唱拜为赞，即古之遗语也。[①]

“赞”的意思就是说明、帮助的意思。相传从前虞舜的祭祀，很重视乐官的赞语，因为它是唱颂歌之前作说明的词句。至于益帮助大禹时说的话，伊陟向巫咸作的说明，都是用强硬的措词来说明事理，加强语气来帮助言词。所以，汉代设置了鸿胪官，他在各种典礼上的大声传呼指挥人们歌唱行礼的话就是赞辞，这些都是古代遗留下来的口头的赞语。

“益赞于禹”，指的是伯益帮助大禹的话。原文出于《史记·秦本纪》：

> 秦之先，帝颛顼之苗裔孙曰女脩。女脩织，玄鸟陨卵，女脩吞之，生子大业。大业取少典之子，曰女华。女华生大费，与禹平水土。已成，帝锡玄圭。禹受曰：“非予能成，亦大费为辅。”帝舜曰：“咨尔费，赞

① 黄叔琳注，李详补注，杨明照校注拾遗：《增订文心雕龙校注》，第109页。

> 禹功，其赐尔皂游。尔后嗣将大出。”乃妻之姚姓之玉女。大费拜受，佐舜调驯鸟兽，鸟兽多驯服，是为柏翳。舜赐姓赢氏。[①]

伯益是秦国最早的先祖。他的父亲是大业，指尧舜禹三王时代的大臣皋陶。文中的益，指伯益，《尚书》称益，《史记》称大费、柏翳，又称伯翳，《世本》《汉书》称化益、伯益，嬴姓，名益，又名大费，皋陶（大业）之子，舜帝时东夷部落首领，是高阳帝颛顼的苗裔，嬴姓诸国的受姓始祖。益善于畜牧和狩猎，助禹治水有功。在《史记·秦本纪》中，大禹对舜说："非予能成，亦大费为辅。"舜对伯益说："咨尔费，赞禹功，其赐尔皂游。尔后嗣将大出。"但本段中伯益究竟是怎样"赞禹功"的，则并无细致的记载。回到《尚书》，伯益"赞禹"的记载，见于《大禹谟》：

> 三旬，苗民逆命。益赞于禹曰："惟德动天，无远弗届。满招损，谦受益，时乃天道。帝初于历山，往于田，日号泣于旻天，于父母，负罪引慝。祗载见瞽叟，夔夔斋栗，瞽亦允若。至諴感神，矧兹有苗。"
>
> 禹拜昌言曰："俞！"班师振旅。帝乃诞敷文德，舞干羽于两阶，七旬有苗格。[②]

由此可知，在作为副帅辅佐大禹攻打三苗时，伯益认为只有以美德才能使人顺服，谦受益，满招损，精诚所至，金石为开，这对征服三苗也是起作用的。大禹接受了伯益的建议，撤退军队，实行文教德治，三苗族受到感化，终于归顺。

那么，大禹能最终以文教德治而不是武力攻伐征服三苗部落，伯益是立了大功的。

帝舜时，伯益与大禹同朝为官，因善于狩猎与畜牧，被佥推为九官之一的虞官，负责治理山泽，管理上下草木鸟兽，并佐舜调驯鸟兽。他在长期狩猎实践中积累了丰富的经验，熟悉鸟兽语言和习性，鸟兽多被其驯服，因而在畜牧方面功绩卓著，又始食于嬴，被舜赐姓嬴氏，作为东夷少昊部落嬴姓的继承人，并赐给其封土。

大禹继承舜的王位之后，伯益又辅佐大禹治理水土、开垦荒地、种植水稻、凿挖水井。伯益的主要政见言论可见于《尚书·大禹谟》。伯益提倡德治，认为

① 司马迁：《史记》（影印本），第173页。
② 孔安国传，孔颖达等正义：《尚书正义》，第137页。

只要由衷地信奉帝尧所代表的仁德，治国之谋就会取得成功，群臣辅弼君王就会彼此和谐，对应的朝政就会相得益彰。

伯益认为治国要小心谨慎、忠于职守。强调未雨绸缪，这样遇到偶发事件时就不会毫无准备失了分寸。要有原则与法度，不能贪图享乐。不能以违背自然本性为代价，好大喜功，盲目冒进；也不要拂逆万民的心愿，来屈从强权者的一己之欲。这样一来，才能抚顺四夷。

伯益还将跟随大禹治水时所经历的地理山川、草木鸟兽、奇风异俗、轶闻趣事记录下来，成为《山海经》的素材。[①]伯益是龙山文化后期一个中国由原始社会向奴隶社会转变时期的历史性人物。

据史料记载，大禹有意禅位于伯益，但因禅让制度的社会背景发生变化而未能实现，大禹之子启夺取继承权。《史记·夏本纪》：“益让帝禹之子启，而辟居箕山之阳。及禹崩，虽授益，益之佐禹日浅，天下未洽。故诸侯皆去益而朝启，曰‘吾君帝禹之子也’。于是启遂即天子之位，是为夏后帝启。”战国《韩非子·外储说·右下》：“古者禹死，将传天下于益，启之人因相与攻益而立启。”《战国策·燕策一》：“禹授益而以启为吏，及老而以启为不足任天下，传之益也。启与支党攻益而夺之天下，是禹名传天下于益，其实令启自取之。”《晋书·束哲传》引《竹书纪年》：“益干启位，启杀之。”从此，原始社会进入奴隶社会，禅让制亦被世袭制取代。

五、作为铭箴二体的创造对象和经典代表

大禹当上中原部落共主之后，勤政爱民，治国有方，深受百姓和四方诸侯拥戴。为了让自己不犯大的错误，大禹广求各方意见，并严格要求自己的言行，他的事迹，在铭体与箴体文学的发展史上写有重重的一笔。

> 昔帝轩刻舆几以弼违，大禹勒笋簴而招谏。……列圣鉴戒，其来久矣。故铭者，名也。观器必名焉，正名审用，贵乎慎德。盖臧武仲之论铭也，曰：“天子令德，诸侯计功，大夫称伐。”夏铸九牧之金鼎，周勒肃慎之楛矢，令德之事也。吕望铭功于昆吾，仲山镂绩于庸器，计功

① 我国最早的唯一记述东方帝后神系的《山海经》据传是伯益所作。西汉刘歆《山海经表》：“已定《山海经》者，出于唐虞之际……禹别九州，任上作贡，而益等类物善恶，著《山海经》。”东汉王充《论衡·别通篇》：“禹主行水，益主记异物，海外山表，无所不至，以所记闻作《山海经》。”东汉赵晔《越王无余外传》：“（禹）与益、夔共谋，行到名山大泽，召其神而问之，山川脉理、金玉所有、鸟兽昆虫之类，及八方之民俗、殊国异域、土地里数：使益疏而记之，故名之曰《山海经》。”

之义也；魏颗纪勋于景钟，孔悝表勤于卫鼎，称伐之类也。[①]

《鬻子》曰："大禹为铭于笋簴曰：教寡人以道者击鼓，教寡人以义者击钟，教寡人以事者振铎，语寡人以忧者击磬，语寡人以狱者挥鞀。"此即"大禹勒笋簴而招谏"之本源。又《淮南子·泛论训》记载说："禹之时，以五音听治，悬钟鼓磬铎置鞀，以待四方之士，为号曰：教寡人以道者击鼓，谕寡人以义者击钟，告寡人以事者振铎，语寡人以忧者击磬，有狱讼者摇鞀。当此之时，一馈而十起，一沐而三捉发，以劳天下之民，此而不能达善效忠者，则才不足也。"表明了大禹忧勤政事、虚怀待下的处事作风。《吕氏春秋·求人》对此有更为细致的记载："禹东至榑木之地，日出九津，青羌之野，攒树之所，扌昬天之山，鸟谷、青丘之乡，黑齿之国；南至交址、孙朴续樠之国，丹粟漆树沸水漂漂九阳之山，羽人、裸民之处，不死之乡；西至三危之国，巫山之下，饮露吸气之民，积金之山，其肱、一臂、三面之乡；北至人正之国，夏海之穷，衡山之上，太戎之国，夸父之野，禺强之所，积水、积石之山。不有懈堕，忧其黔首，颜色黎黑，窍藏不通，步不相过，以求贤人，欲尽地利：至劳也。得陶、化益、真窥、横革、之交五人佐禹，故功绩铭乎金石，著於盘盂。"详细记述了大禹治水的辛勤、艰苦、低调与扎实，大禹为整个民族和百姓立下了不朽功勋，故称"功绩铭乎金石，著於盘盂"，此乃铭体之本义也。

而"夏铸九牧之金鼎"一事，是一件重大历史事件。相传，夏朝初年，夏王大禹划分天下为九州，令九州州牧贡献青铜，铸造九鼎，象征九州，将全国九州的名山大川、奇异之物镌刻于九鼎之身，以一鼎象征一州，并将九鼎集中于夏王朝都城。因此，"鼎"成为国家拥有政权的象征，进而成为国家传国宝器。九鼎成为中国的代名词，以及王权至高无上、国家统一昌盛的象征。夏朝、商朝、周朝三代奉为象征国家政权的传国之宝。后世帝王非常看重九鼎的权利象征与意义，亦曾屡次重铸九鼎，武则天、宋徽宗也曾铸九鼎。此外，九鼎还是国民政府时期军队勋章的一种。

因此，铭体文学一开始就是先秦贵族的产物。《左传·襄公十九年》载臧武仲云："夫铭，天子令德，诸侯言时计功，大夫称伐。……且夫大伐小，取其所得，以作彝器，铭其功烈，以示子孙，昭明德而惩无礼也。"这里说天子铭德不铭功，诸侯举动得时而有功可以铭，大夫讨伐别人有功，也可以铭。总之，这种铭都是当时贵族纪念所谓"功德"的。《文章流别论》云："且上古之铭，铭于宗

① 黄叔琳注，李详补注，杨明照校注拾遗：《增订文心雕龙校注》，第139页。

庙之碑。……后世以来之器铭之嘉者，……咸以表显功德。”另外有一种刻在器物上的铭，是以警戒为目的的。这种警戒，有的是自戒的，有的是警戒别人的。褒赞功德的铭有两种：一种是表扬生者的功德，另一种是表扬死者的功德。

在文字学上，大禹铭文具有重要的意义。据《书林纪事》记载：相传因九牧贡金，铸鼎像物，故作像形篆以铭钟鼎，一曰钟鼎书。或又传禹先得玄女之法，开凿洞天，尽立五岳名山形，撰灵宝文。如此，则将钟鼎文的出现时间，从夏商周上推到了大禹时代，这是古代成熟文字的精彩运用，也是大禹时期青铜铸造技艺高度发达的象征。

本篇名曰《铭箴》，除了上文讨论的铭体，至于箴，则完全以警戒为主，而且警戒的目的也有警戒别人和自戒两种：警戒别人的叫“官箴”，自我警戒的叫“私箴”。箴的本义为针石之针，是医生治病的工具，因此把补缺防患的规诫之辞，就叫作箴。刘勰在《铭箴》篇中说道：

> 箴者，所以攻疾防患，喻针石也。斯文之兴，盛于三代。《夏》《商》二箴，馀句颇存。周之辛甲，百官箴阙，唯《虞箴》一篇，体义备焉。①

箴体文章，其特点是针对性强，主要用于针砭时正文、防止后患。胡广《百官箴叙》曰：“箴谏之兴，所由尚矣。圣君求之于下，忠臣纳之于上。故《虞书》曰：‘予违汝弼，汝无面从，退有后言。’墨子着书，称《夏箴》之辞。”《玉海》卷二百四《辞学指南》：“《夏箴》见于《周书·文传》篇。”笔者在各类古籍文献中检索搜集，得到以下有关《夏箴》的信息。

（1）《周书·文传解》第二十五：“文王受命之九年，时维暮春，在鄗召太子发曰：‘呜呼！我身老矣，吾语汝’。我所保与我所守，传之子孙。吾厚德广惠，忠信而志爱，人君之行。……《夏箴》曰：‘中不容利，民乃外次。’《开望》曰：‘土广无守，可袭伐；土狭无食，可围竭。’……《夏箴》曰：‘小人无兼年之食，遇天饥，妻子非其有也。大夫无兼年之食，遇天饥，臣妾舆马非其有也。戒之哉！弗思弗行，至无日矣。’”

（2）《文选》王元长《策秀才文》注：“《夏箴》曰：‘小人无兼年之食，遇天饥，妻子非其有也。’”

（3）《北堂书钞》卷一〇二《周书·夏箴》云：“天有四殃，水旱饥荒；非务

① 黄叔琳注，李详补注，杨明照校注拾遗：《增订文心雕龙校注》，第140页。

积聚，何以备粮？”

由此观之，《夏箴》在流传的过程中，已经残缺不全，我们现在只能看到有关《夏箴》的零散文句，已不得睹其全貌。

关于《虞箴》，这是一篇赞美大禹与夏代的文章，这是古代虞人为戒田猎而作的箴谏之辞，是中国最古老、有文字记载、垂训千古的官箴，出现于公元前一千年左右的春秋时期。据《左传·襄公四年》记载：

> 无终子嘉父使孟乐如晋……，魏绛曰：“……《夏训》有之曰：‘有穷后羿。’”公曰：“后羿何如？”对曰：“昔有夏之方衰也，后羿自鉏迁于穷石，因夏民以代夏政。恃其射也，不修民事而淫于原兽。弃武罗、伯困、熊髡、龙圉而用寒浞。寒浞，伯明氏之谗子弟也。伯明后寒弃之，夷羿收之，信而使之，以为己相。浞行媚于内而施赂于外，愚弄其民而虞羿于田，树之诈慝以取其国家，外内咸服。羿犹不悛，将归自田，家众杀而亨之，以食其子。其子不忍食诸，死于穷门。靡奔有鬲氏。浞因羿室，生浇及豷，恃其谗慝诈伪而不德于民。使浇用师，灭斟灌及斟寻氏。处浇于过，处豷于戈。靡自有鬲氏，收二国之烬，以灭浞而立少康。少康灭浇于过，后杼灭豷于戈。有穷由是遂亡，失人故也。昔周辛甲之为大史也，命百官，官箴王阙。于《虞人之箴》曰：‘芒芒禹迹，画为九州，经启九道。民有寝庙，兽有茂草，各有攸处，德用不扰。在帝夷羿，冒于原兽，忘其国恤，而思其麀牡。武不可重，用不恢于夏家。兽臣司原，敢告仆夫。’《虞箴》如是，可不惩乎？”于是晋侯好田，故魏绛及之。①

商纣王当时据说干了很多伟大的事业，人也长得高大帅气，但是，他自矜功伐，做了很多背离国政的意气之事，所以，辛甲这样规劝他，是希望他能向伟大的大禹学习，不要向后羿学习。

《虞人之箴》语言朴实，感人至深。微言大义，振聋发聩。在几千年以前，大禹就提出了人与自然、人与兽“各有攸处，德用不扰”的思想；其后，篡夺了夏代王位的后羿，却因贪恋渔猎，把国家忧患放在脑后。因此，本文意在劝谏天子不要因贪恋打猎而不务政事，后因以《虞人箴》为谏猎之典。刘勰以“体义备焉”，给予了高度评价。

① 杜预注，孔颖达等正义：《春秋左传正义》，第1933页。

《虞人之箴》不仅是箴体文学的代表，对后代影响也很大。《汉书·扬雄传赞》曰：“史篇莫善於《仓颉》，作《训纂》；箴莫善於《虞箴》，作《州箴》。”《华阳国志·蜀志》直接以“茫茫禹迹，画为九州”开头，褒赞蜀人先祖大禹。白居易《寄唐生》：“功高虞人箴，痛甚骚人辞。”其他论赞，此不一一。

六、作为诰誓二体的主要创立元素

夏禹及其后代，在古史《尚书》《史记》等文献中有很多记载，其中，古代文体诰与誓的发展，离不开大禹讨伐三苗、夏启讨伐有扈等发生在夏代的若干历史事件，以及由此而后的商、周传承。根据《文心雕龙》集中论述史传文学史的《史传》篇之记载：

> 开辟草昧，岁纪绵邈，居今识古，其载籍乎？轩辕之世，史有仓颉，主文之职，其来久矣。曲礼曰：“史载笔。”史者，使也；执笔左右，使之记也。古者，左史记事，右史书言。言经则《尚书》，事经则《春秋》也。唐虞流于“典”、“谟”，商夏被于“诰”、“誓”。[①]

范文澜注：“谷梁隐八年传云‘诰誓不及五帝。’谓典谟唐虞所传，诰誓三王始有也。尚书所载皆典谟训诰誓命之文，虽为古史，而体例未具，非史之正宗。至周公制春秋，编年之体，于是起也。”《辞学指南》“诰”类：“诰，告也，其原起于《汤诰》。《周官》大祝六辞，三曰诰；士师五戒，二曰诰。成王封康叔、唐叔，命以《康诰》、《唐诰》。汉元狩六年立三子为王，初作诰。”《文体明辨序说》“诰”类：“按字书云：‘诰者，告也，告上曰告，发下曰诰。’古者上下有诰，故下以告上，《仲虺之诰》是也；上以诰下，《大诰》《洛诰》之类是也。考于《书》可见矣。”“诰”是对臣民训诫劝勉的文告。隋唐以后专用于赐爵授官，与制没有什么区别，所以主管起草这类文件的官员叫“知制诰”。《文章辨体序说》“制诰”类：“按《周官》太祝六辞，二曰命，三曰诰，考之于《书》，命者以之命官，若《毕命》、《冏命》是也。诰则以之播告四方，若《大诰》、《洛诰》是也。汉承秦制，有曰策书，以封拜诸侯王公，有曰制书，用载制度之文。若命官，则各赐印绶而无命书也。”

《文体明辨序说》“誓”类：“按誓者，誓众之词也。蔡沈云：‘戒也。’军旅曰誓。古有誓师之词，如《书》称禹征有苗誓于师，以及《甘誓》、《汤誓》、《泰

① 黄叔琳注，李详补注，杨明照校注拾遗：《增订文心雕龙校注》，第205页。

誓》、《牧誓》、《费誓》是也。又有誓告群臣之词，如《秦誓》是也。后世无《秦誓》之类，而誓师之词亦不多见，岂非放失之故欤？”“诫戎”，警诫军旅之事。《说文解字》：“誓，约束也。”《释名》：“誓，制也。”要约之辞，拘制之义也。故王者或要约军旅，或誓告群臣曰誓。

《文心雕龙·檄移》篇记载了夏启“初誓于军”的历史事件。

> 震雷始于曜电，出师先乎威声。故观电而惧雷壮，听声而惧兵威。兵先乎声，其来已久。昔有虞始戒于国，夏后初誓于军，殷誓军门之外，周将交刃而誓之。[①]

“夏后初誓于军”，是指夏启在征伐有扈氏的战争之前，作有《甘誓》一篇，这是历史上正式记载的誓体文章首创之作。这篇誓文的原文还可以看到，据《尚书·夏书·甘誓第二》的记载：

> 启与有扈战于甘之野，作《甘誓》。
>
> 大战于甘，乃召六卿。
>
> 王曰：“嗟！六事之人，予誓告汝：有扈氏威侮五行，怠弃三正，天用剿绝其命，今予惟恭行天之罚。左不攻于左，汝不恭命；右不攻于右，汝不恭命；御非其马之正，汝不恭命。用命，赏于祖；弗用命，戮于社，予则孥戮汝。”[②]

根据内容可知：《甘誓》是一篇战争动员令，是这次战争前夏启告诫六军将士的言辞。《甘誓》的内容是后人根据传闻写成的。甘是地名，在有扈氏国都的南郊。誓是古时告诫将士的言辞。大禹死后，他的儿子夏启继承了帝位。启所确立的新制度，遭到了有扈氏的反对，启便发动了讨伐有扈氏的战争。结果“遂灭有扈氏。天下咸朝”。这次战争以有扈氏失败，夏启胜利而告终，天下诸侯都来朝拜夏启，夏启消灭了反对自己的势力，树立起了威信，并保持了对政权的大一统。

天子率领将士亲自出征，必定是一场关系到国家命运的决战，一定要使将士们明白为谁和为什么而战，否则不明不白上战场，很有可能要吃败仗。天子作为

① 黄叔琳注，李详补注，杨明照校注拾遗：《增订文心雕龙校注》，第281页。
② 孔安国传，孔颖达等正义：《尚书正义》，第155页。

主帅，发布战争动员令，既有权威性，又有感召力，还可以证明出征打仗的正义。《甘誓》中没有豪言壮语和长篇大话，最足以征服人心的理由就是奉行天命，简洁而震撼人心。

随着社会在不断前进，后来的檄讨文书越来越长，可惜空洞无物，废话越来越多，理由列出了一大堆却难以震撼人心，这在《檄移》篇中有所介绍。《甘誓》篇正好符合了《文心雕龙》纵观文学发展史所提出来的古今文学“从质及文”，不断繁缛的特点。

《甘誓》有正式的命名，而且独立于《尚书》之中，自成一篇。但是，仔细阅读《尚书》可知，早在《甘誓》之前，夏启的父亲大禹，就曾帅军讨伐不肯归顺大舜的“有苗”部落，在出征之前，大禹曾“会群后，誓于师”，《大禹谟》记载说：

> 帝曰：“咨，禹！惟时有苗弗率，汝徂征。”
>
> 禹乃会群后，誓于师曰：“济济有众，咸听朕命。蠢兹有苗，昏迷不恭，侮慢自贤，反道败德，君子在野，小人在位，民弃不保，天降之咎，肆予以尔众士，奉辞伐罪。尔尚一乃心力，其克有勋。”①

大禹组织了各路诸侯的联军，“会群后”，然后宣誓出征，“誓于师”，希望大家同心协力，取得成功，故曰：“以尔众士，奉辞伐罪。尔尚一乃心力，其克有勋。”由此可知，大禹才是历史上第一篇誓文的创造者。

除了在《史传》中论述到诰、誓体裁外，《文心雕龙》还在《诏策》篇中叙述及此。

> 皇帝御宇，其言也神。渊嘿黼扆，而响盈四表，其唯诏策乎！昔轩辕唐虞，同称为“命”。“命”之为义，制性之本也。其在三代，事兼诰誓；誓以训戎，诰以敷政。命喻自天，故授官锡胤。②

张立斋先生《文心雕龙注订》曰：“《书》有六体，誓其一也。誓有讨叛伐罪之意，故曰戎也。”杨明照先生《增订文心雕龙校注》云：“《文选》班固《典引》蔡邕注：‘本事曰诰，戎事曰誓。’”查《尚书》中，收录有《大诰》《康诰》《酒

① 孔安国传，孔颖达等正义：《尚书正义》，第137页。
② 黄叔琳注，李详补注，杨明照校注拾遗：《增订文心雕龙校注》，第264页。

诰》《召诰》《洛诰》《康王之诰》与《甘誓》《汤誓》《泰誓》《牧誓》《费誓》《秦誓》诸篇，所以诰、誓应当起源于夏，而盛行于商周二代。

诰、誓文体的一大作用是动员、训诫，因此，《诏策》篇在文末附带论述到了戒、教、效三体，对戒体文学的论述，直接从记录在《尚书》中的大禹名言开始。

> 戒者，慎也，禹称“戒之用休”。君、父至尊，在三同极。[1]

“戒”，就是谨慎的意思，夏禹说“用美好的话来警诫他”。君王、父亲和老师是最尊严的，这三者给人的恩德是无穷的。其中“戒之用休”，语出《尚书·大禹谟》文。

> 禹曰：“於！帝念哉！德惟善政，政在养民。水、火、金、木、土、谷惟修，正德、利用、厚生惟和。九功惟叙，九叙惟歌。戒之用休，董之用威，劝之以九歌，俾勿坏。”[2]

大禹“戒之用休”的思想，与伯益的劝谏有关，同篇记载伯益的话说：

> 益曰：“吁！戒哉！儆戒无虞，罔失法度。罔游于逸，罔淫于乐。任贤勿贰，去邪勿疑。疑谋勿成，百志惟熙。罔违道以干百姓之誉，罔咈百姓以从己之欲。无怠无荒，四夷来王。”[3]

正是有了伯益这样的好同事，大禹才会在治水与从政中严谨做事，事半功倍；而当时为王的舜，才会放心让大禹和伯益搭档合作，共同工作，去完成治理天下的伟业。

七、作为论述文体风格论的对象材料

在上述评价大禹功绩[4]、分体论述夏代对各体文学发展的贡献[5]、综合概述夏

---

① 黄叔琳注，李详补注，杨明照校注拾遗：《增订文心雕龙校注》，第266页。

② 孔安国传，孔颖达等正义：《尚书正义》，第135页。

③ 孔安国传，孔颖达等正义：《尚书正义》，第134-135页。

④《原道》等。

⑤《辨骚》《明诗》《乐府》《颂赞》《铭箴》《史传》《诏策》等。

代文学在全书创作论[①]与批评论[②]中的重要地位之后，《文心雕龙》发展到审美批评部分，在文体风格的专篇《定势》中，以夏人为例，证明各种风格应该兼容并包、合理选择创造的道理。

> 渊乎文者，并总群势：奇正虽反，必兼解以俱通；刚柔虽殊，必随时而适用。若爱典而恶华，则兼通之理偏；似夏人争弓矢，执一不可以独射也。若雅郑而共篇，则总一之势离；是楚人鬻矛誉楯，两难得而俱售也。[③]

“夏人争弓矢”句，语出《御览》三四七引《胡非子》，夏代有个人夸自己的弓说：“我的弓好，没有谁的箭能够配得上。”另一人夸自己的箭好说：“我的箭好，没有谁的弓能配得上。”夏朝的羿是掌管射箭的射官，听到他们的争论之后说：“如果没有弓，怎能射箭？没有箭，怎能射中靶子？”

刘勰引用这个故事，意在告诉我们：一个作家的风格不应有所偏好，如果只喜欢典雅的风格，而厌恶华丽的风格，这就偏于一方，不合乎“兼通”之理。这是说只有一种单调的风格，或者只偏爱一种单调的风格，必然有很大的片面性，而不能成为伟大的作家。法国自然科学家布封在《论风格》中就说：“一个大作家绝不能只有一颗印章，在不同的作品上都盖上同一的印章，这就暴露出天才的缺乏。”明屠隆《与王元美先生》云：“文章大观，奇正、离合、瑰丽、尔雅、险壮、温夷，何所不有？”[④]俞元桂《作家与风格》：“对立的风格是不能在一篇作品里统一起来的，作品的风格要建立在统一的、协调的基础上。‘若雅郑而共篇，则总一之势离。’破坏了统一和协调，风格就不存在了。但是一篇作品在统一、协调的前提下，可以兼有几种风格，可以是典雅的，同时又是精约的，只要它不是对立的风格。”[⑤]不过在一篇文章里，既有典雅的风格，又有轻靡的风格，就失去了统一。这就是说一位作家可以有多样化的风格倾向，具体到一篇作品里，却不能同时存在两种对立的风格倾向。“多样化的统一”这一美学原理的提出，不能不说是《文心雕龙》的极大创见。

---

① 《通变》《情采》《章句》等。
② 《时序》《才略》等。
③ 黄叔琳注，李详补注，杨明照校注拾遗：《增订文心雕龙校注》，第406页。
④ 《由拳集》卷十四。
⑤ 俞元桂：《作家与风格》，《热风》1962年第1期。

第三章 “赋圣”司马相如

司马相如在《文心雕龙》中处于至关重要的地位，是刘勰极力标举的经典作家。他创作的各体作品是文体论部分的扛鼎之作；在创作论中，又成为创作思维论、风格论、风骨论、通变论、写作技法、文字小学的典型代表，他创作的成败得失，是刘勰取法或扬弃的基本标准；在批评论部分，司马相如成为文学史论、知音鉴赏、作家品评、文章道德的核心论述对象。以其“锦绣宫商”“控引天地”为代表的辞赋尚丽与思维理论，成为刘勰征引吸收的重要取材对象。司马相如对《文心雕龙》的成书有重大的影响。

司马相如是巴蜀文学为中国文学贡献出来的第一位断代大家，他卓越的想象力、语言传达力、艺术创造力、题材选取力，新奇斑斓，多姿多彩，奇思妙想，滔滔不绝。以他为起点，巴蜀文学历代都有为中国文学做出杰出贡献的作家，如扬雄、李白、苏轼、杨慎、郭沫若、巴金等，他们身上，有鲜明的巴蜀地域文化特点。2014 年 11 月 1 日，经四川省民政厅、四川省社会科学界联合会批准，由四川省历史学会、南充市蓬安县人民政府、蓬安县司马相如研究学会等单位联合发起的四川省司马相如研究学会在其出生地蓬安正式成立。[①]与会成员一致认为，司马相如和相如文化是巴蜀文化之光，也是中国文化的骄傲，是需要继承和发扬的传统文化，有必要在原有研究成果之上，集中全川司马相如研究之力，组成全省性的研究会，并团结省内外的专家学者，把这一研究深入下去。

本书以“四川思想家”命名，表面上司马相如与“思想家”关系不大，实则四川思想家研究中心早已将巴蜀名人司马相如作为最杰出的思想家看待，并早已展开了相应的研究工作。本章的主要内容，旨在揭示司马相如对《文心雕龙》成书所做的伟大文学贡献，推进当代对司马相如的研究。

第一节 生 平 简 介

司马相如（约公元前 179 年—前 118 年），西汉辞赋家，汉代文化史、文学

① 《史记》记载司马相如为“蜀郡成都人”，这是指的其成长地，而不是其出生地。学术界从 1989 年开始了对司马相如籍贯的研讨，目前比较一致的看法是：司马相如先祖是秦灭巴蜀大将司马错的后代，居住在原来的巴国境内，今四川省南充市蓬安县。司马相如出生于蓬安，大约七岁时，随父母迁居成都，遂为蜀郡成都人。

史的杰出代表，汉赋四大家之首，史称“赋圣”。司马相如的文学作品以辞赋创作和散文创作为主，代表作《子虚赋》等，带有明显的道家思想与神仙色彩。历史上有关司马相如生平最权威的记载是《史记》《汉书》等史书，根据二者的记载，可以将司马相如的生平简要梳理于下。①

司马相如，字长卿，原名犬子，因仰慕战国时赵国名相蔺相如为人而改名。②出生在今四川南充，成长于今四川成都，其先祖大约是公元前316年秦将司马错灭巴蜀时留在当地的一支。③他少年时代喜欢读书和练剑，是个文武双修的人，二十多岁时，父母用钱给他在宫廷内谋了个官职，做了汉景帝的武骑常侍，但这些并非相如所好，因而有不遇知音之叹。后来因病免职。

待梁孝王刘武来朝时，司马相如才得以结交邹阳、枚乘、庄忌等辞赋家。因病退职后，前往梁地与这些志趣相投的文士共事，就在此时，为梁王写了那篇著名的《子虚赋》。《子虚赋》的主题是这一时期以虚静为君的道家思想，但是并没有得到汉景帝的赏识，因为景帝不好辞赋。其后“梁孝王卒，相如归”。回到成都之后，司马相如凭借自身的才识胆略，与临邛大富豪卓王孙之女卓文君结成婚姻，最终在成都过上了“为富人”的生活。

司马相如尽管年轻时候好击剑，花钱买官进京担任的也是汉景帝的“武骑常侍”，但他最擅长的还是写文章，特别是辞赋。多年以后，早岁写下的《子虚赋》给他带来了命运的转机。根据本传记载，“好辞赋”的汉武帝，非常推崇《子虚赋》，他以为这是前代古人的作品，恨不能与之同时而生！

由此可知，第一，武帝时代，辞赋流传很广。特别是《子虚赋》这样的划时代名作，尽管不是在京城写成的，但是其流传很广。梁孝王门客之中，枚乘、司马相如是一流的辞赋大家，他们的作品不仅在梁王门客群体之间流传，其中的优秀作品，越过属国界限，流传到了京城与皇宫之中，汉武帝才能够看到这样杰出的大

---

① 比较二者内容，实则班固全抄司马迁之说，故本章以司马迁《史记》所载为本。

② 司马相如生活在汉代初期走向鼎盛之时，这个时期的思想、世风也在转变之中。前代的诸侯王尚在，可是权势已经削弱。以前依附于诸侯王的士人，也无所用其才智，但是，这个时期成长起来的一代文人，仍然兼具纵横家的精神、气质。东方朔的高自称许，是这种精神的表现。司马相如身上的策士遗风更为明显，他对社会现实的关注，对君主的随时进谏，他事景帝时意不自得便免官他就，表现出很强的独立精神。他又不同于东方朔、枚皋。他谏说、论事，宗旨严正，具有较强烈的社会责任感，即使在极端铺张的文学创作中，也多贯穿一条鲜明的主线，即要有所讽喻，有所针砭，注重自己作品或言论的社会效果。正是基于这一点，他受到君主的信任，朝廷委以重任。而东方朔、枚皋，虽然自视甚高，天子却只俳倡畜之，没有让他们承担过严肃的使命。

③ 关于司马相如的籍贯，历来有争议：《史记·司马相如列传》《汉书·司马相如传》皆载明司马相如为蜀郡成都人（司马相如字长卿，蜀郡成都人也），清代《四川通志》也记载：“汉司马相如成都人，侨居蓬州。”但根据二十世纪楚辞学的相关研究成果与历史考证来看，司马相如应该是四川南充人，先祖随秦国大将司马错灭巴蜀时入蜀，居于南充市蓬安县。2003年，司马相如研究学会成立，其后举行了多次学术研讨会，对这一问题有了更加明确的定论。现在比较一致的看法是：司马相如出生地是南充蓬安，七岁时跟随父辈迁居到成都，遂落籍成都。后来司马相如和卓文君成婚，曾在今邛崃县城短暂居住过，后来再次定居成都，故居在今成都市青羊区琴台路一带。

赋作品。

第二，司马相如籍籍无名。文章流传如此之广，文学成就如此之高的司马相如，在当时根本就没有什么名气，汉武帝根本就不知道曾出现过这样一个武骑常侍，甚至连司马相如是哪里人、何时生死等情况，一概不知。所以才会感叹不能与之同时而生。

第三，文学作品造诣之高。要说他在外交政策实践中立下的功勋，那是少见的；要说他发誓不乘赤车驷马绝不归蜀的胸怀，那是极为豪迈的（也有人认为是极为狭隘的）；而他恃才放旷的傲诞性格，经常得罪人——但是，他是一个文学家，不是道德家，不是政治家，不是人际关系学家。而《子虚赋》这样的作品，司马相如能开创式地创作出来，靠的就是其他人不具备的卓越天赋和才华。

司马相如很会把握机会。他自信地对汉武帝说：以前写的那篇《子虚赋》，描绘的不过是诸侯（梁孝王）狩猎的情景，现在我愿意为您写一篇表现天子（就是您）游猎的作品，于是在接受汉武帝赏赐的笔札之后，写下了著名的《天子游猎赋》，也就是后来的《上林赋》[①]。此赋继续以《子虚赋》中“子虚”“乌有先生”“亡是公”为假托人物，设为问答，以前无古人的卓绝想象力，放手铺写，极力夸饰，暗中以维护国家统一、反对帝王奢侈为主旨，歌颂了统一大帝国无可比拟的形象，又对统治者有所讽谏，开创了汉代大赋的一个基本主题。

此赋一出，司马相如深受汉武帝赏识，不仅在文学之路上肯定了他的创作才华和作品质量，更进一步，封其为郎官，“赋奏，天子以为郎”。司马相如受到武帝重用，重新开启了他在汉景帝时代就已经准备好了的政治旅途。作为朝廷任命的使者回到蜀地，协调官民关系，开通西南边地交通，为国立功，实现了自己离

① 按：本篇作品的存亡，有争议。《史记·司马相如列传》说：“上读《子虚赋》而善之，曰：‘朕独不得与此人同时哉!’（杨）得意曰：‘臣邑人司马相如自言为此赋。’上惊，乃召问相如。相如曰：‘有是。然此乃诸侯之事，未足观也，请为《天子游猎赋》，赋成奏之。’上许，令尚书给笔札。相如以子虚，虚言也，为楚称；乌有先生者，乌有此事也，为齐难；无是公者，无是人也，明天子之义。故空藉此三人为辞，以推天子诸侯之苑囿。其卒章归之于节俭，因以风谏。奏之天子，天子大说。”《汉书》因之，也没有分篇问题。所以说，《天子游猎赋》是单独的一篇，《子虚赋》是单独的另一篇。宋王观国在《学林》卷七“古赋题”指出：“司马相如《子虚赋》中，虽言上林之事，然首尾贯通一意，皆《子虚赋》也，未尝有《上林赋》。而昭明太子编《文选》，乃析其半，自‘亡是公听然而笑’为始，以为《上林赋》，误矣。”金人王若虚《滹南集》卷三十四《文辨》、明人焦竑《笔乘》卷三、清人何焯《义门读书记·文选》等并赞同其说。何焯引祝氏曰：“此赋虽两篇，实则一篇。”他们都认为《子虚赋》和《上林赋》是同一篇作品，即《子虚赋》，未尝有《上林赋》，因此，不应当分成两篇。在此基础上，清人顾炎武在《日知录》卷二十七中又进一步指出：“《子虚》之赋，乃游梁时作，当是侈梁王田猎之事而为言耳。后更为楚称齐难，而归之天子，则非当日之本文矣。若但如今所载子虚之言，不成一篇结构。”阎若璩、孙志祖也赞成此说。《潜邱札记》卷五曰：“真《子虚赋》久不传，《文选》所载，乃《天子游猎赋》，昭明误分之而标名耳。”《读书脞录》卷七曰：“此赋以子虚发端，实非《子虚赋》本文。《子虚赋》帝已读之矣，何庸复奏乎?盖此赋但当名《上林赋》，不当名《子虚赋》。昭明误分，而以旧题加之尔。”就是说，《史记》所载的这篇作品，就是《天子游猎赋》，所谓《子虚赋》，实际上已经失传。

开蜀郡赴汉武帝召见时许下的“驷马高车”还故乡之愿。[①]

《史记》记载：唐蒙受命开通巴蜀等西南夷地区，并向南、向西拓展汉帝国边疆国土，但是，他采取了一种简单粗暴、杀人开路的办法，事实证明，唐蒙这一招在巴蜀及其西南少数民族中根本行不通！前述有言：巴蜀地区自秦灭巴蜀起，大部分是秦国移民、六国豪强流放巴蜀的移民，以及秦相吕不韦手下的众多门客，加上原来蜀地艰苦、险峻的地理条件炼成的战天斗地、逆反心强的地域民风，唐蒙的做法，只能激化矛盾。作为蜀郡本地人，司马相如接受了汉武帝出使巴蜀、开通西南夷各族的重任。到达目的地后，便发布了一张《谕巴蜀檄》的公告，并采取恩威并施的手段，改变了唐蒙的片面策略，收到了良好的效果。不仅圆满完成“略定西夷，邛、筰、厓、駹、斯榆之君皆请为内臣。除边关，关益斥，西至沬、若水，南至牂柯为徼，通零关道，桥孙水以通邛都。还报天子，天子大说”这一主要政治使命，成为西汉一朝通过文治策略开疆拓土、安定边防的成功实践家。第一次顺利出使之后，皇上任命相如为中郎将，令持节，再次出使，笼络西南夷。相如等到达蜀郡，蜀人以迎接相如为荣。司马相如得到了岳丈卓王孙的青睐，原本，卓王孙对他恨之入骨，被迫将部分家产、童仆分给女儿卓文君，这只是为了让他们能生活下去的，想不到司马相如才能出众，于是，“厚分与其女财，与男等同”。司马相如在政治功业、家庭生活两方面都达到了人生顶峰。

第二次出使过程中，司马相如运用高超的政治智慧，很有远见地看到了此行之不易，为此，他创作了一篇《难蜀父老》，以解答问题的形式，成功地说服了众人，使少数民族与汉廷合作，为开发西南边疆做出了贡献。从这个角度来讲，司马相如是西汉武帝时期杰出的外交战略家和民族政策实践者。[②]

先秦至今，巴蜀都是一个多民族区域。《战国策•秦策》说：“蜀，西辟之国也，戎狄之长也。”《华阳国志》等文献记载，先秦时期，除巴蜀二族为主要部落外，巴地上还有板楯蛮、濮、賨、共、苴、奴、獽、夷等族群，蜀地周边还有夜郎、邛、巂、徙、氐、叟、筰、冉駹等族群。西汉时主要有濮人、氐人、冉駹夷、青衣羌、徙人、叟人、筰人、邛人和僰人等。秦灭巴蜀，设郡县，蜀人逐渐南迁以至消失，秦国迁徙人口充实之。秦统一六国后，将东方六国豪强三万余户迁徙到蜀地安置居住，一方面严格控制，一方面大大促使蜀地人口数量的增加和多民

① 成都北门的驷马桥，原来叫升仙桥。据《华阳国志•蜀志》记载：“（成都）城北十里有升仙桥，有送客观，司马相如初入长安，题市门曰：‘不乘高车驷马，不过汝下。’”人们为了纪念胸怀大志的司马相如，将升仙桥改为驷马桥，至今仍是成都北上的必经之地。古时一车套四马，故称驷马，是贵族身份的象征。司马相如后来被任命为中郎将，作为朝廷使者荣归故里，实现了自己出川时许下的承诺。

② 李殿元：《司马相如：西汉边疆开拓的杰出战略家与实践者》，《文史杂志》2017年第6期。

族文化的融合与繁荣。到汉武帝时代，司马迁在《史记·西南夷列传》中说："西南夷君长以什数，夜郎最大。其西，靡莫之属以什数，滇最大；自滇以北君长以什数，邛都最大，此皆魋结好，耕田，有邑聚。其外，西自同师以东，北至楪榆，名为嶲、昆明，皆编发，随畜迁徙，毋常处，毋君长，地方可数千里。自嶲以东北，君长以什数，徙、筰都最大。自筰以东北，君长以什数，冉、駹最大。其俗或土箸，或移徙，在蜀之西。自冉駹以东北，君长以什数，白马最大，皆氐类也。此皆巴蜀西南外蛮夷也。"[①]巴蜀之外，西南"蛮夷"部落甚众，为了加强西南边陲的控制和统治，汉武帝大力开边，恩威并施，征抚并用，不断拓展汉帝国力量对西南边疆的统治力度。

《史记》《汉书》对"西南夷""西南外蛮夷"的界定，已经排除了巴蜀两地，或者是以巴蜀为西南夷之分界区域，因为巴蜀已汉化，尚未汉化的四周族群便仍被称为蛮夷。可见，一个新的以"巴蜀为界的华夷分野"在此形成。[②]在这个宏大的历史时间段中，司马相如扮演了一个受命执节、开疆拓土的朝廷钦差形象。可以说，西汉王朝乃至今天中国西南边陲疆域的确立，司马相如为此立下了大功。

其后，司马相如在官场沉浮。因为性格高傲，生活富裕，所以"其进仕宦，未尝肯与公卿国家之事，称病间居，不慕官爵"。日子过得悠闲自在。但他未曾忘记自己文臣的政治角色，多次以不同的文学作品劝谏汉武帝。

第一次是陪同汉武帝在长杨打猎时，看到汉武帝爱好击杀熊彘，而且驰逐野兽，于是"上疏谏之"，体现了他为人臣尽职尽责的本分。这次进谏的结果是"上善之"。

第二次是打猎结束后，"还过宜春宫，相如奏赋以哀二世行失也"。写了《哀秦二世赋》，借古讽今，希望汉武帝严谨治国，从秦国的灭亡中看到汉帝国的潜在危机。

第三次是在看到汉武帝崇尚神仙道德、追求长生不死的迷恋状态："天子既美《子虚》之事，相如见上好仙道，因曰：'上林之事未足美也，尚有靡者。臣尝为大人赋，未就，请具而奏之。'相如以为列仙之传居山泽间，形容甚臞，此非帝王之仙意也，乃遂就《大人赋》。"然而，与初衷相违背的是，"相如既奏大人之颂，天子大说，飘飘有陵云之气，似游天地之间意"。汉武帝受文章内容之激发，神思气扬，意气飘飘，大有翩翩欲仙之心理体验，他错误地领会了这篇文章的主旨。

整体上看，司马相如以辞赋而不是章表等文体方式进谏，他不是一个直接提

① 司马迁：《史记》（影印本），第2991页。
② 徐新建：《西南研究论》，昆明：云南教育出版社，1992年，第61页。

意见的大臣，他甚至没有将自己想要表达的讽谏意思让汉武帝读懂！但是，一个辞赋作家，一个担任郎官、孝文园令这样的小官、闲官，由于他出使西南夷的时候被人告发贪污受贿而丢过官，而且，文人的身份，使得他不可能像真正的政治家那样直接向武帝提建议。更何况，当时的汉武帝一心沉迷长生不老之术，不仅炼丹服药，铸建乘露仙人，甚至在“巫蛊之祸”中直接逼死了太子，将自己的儿孙辈基本除尽，没有留下一个继承人。面对这样性格和行事的汉武帝，司马相如也不敢直接讽谏。

但是，在司马相如传奇的一生中，他一直都被汉武帝记挂着，天子知道他的卓绝才华，非常担心司马相如写出来的文章被埋没，从而留下遗憾，于是派遣所忠到相如家中索取著作。卓文君献出了相如遗作，写的是有关封禅的事，所忠把这篇《封禅文》进献给天子，“天子异之”。

这篇文章深刻洞悉了刘彻的远大追求，因为他北击匈奴、联通西域、开疆拓土、治国安邦、名垂青史，追求长生不死、与天同寿，想的正是和秦始皇一样的要去泰山封禅的大事业，居然被司马相如所了解到并写了出来，不得不说，司马相如深具洞见之明、识人之能，确有过人之处。其后，“司马相如既卒五岁，天子始祭后土。八年而遂先礼中岳，封于太山，至梁父禅肃然”。汉武帝完成了封禅大业！

司马相如去世以后，据文献记载埋葬在今成都市都江堰市境内，与卓文君同葬一处。伟大的都江堰工程与富饶的成都平原滋养了一代赋圣，死后，他魂归故里，长眠在这片神奇美丽的土地上，结束了传奇的一生。遗憾的是，由于年代久远等各种原因，司马相如墓的具体位置已经不可考证。

汉代最重要的文学体裁是赋，而司马相如是公认的汉赋代表作家和赋论大师，以及文学大师和美学大家。《汉书·艺文志》著录“司马相如赋二十九篇”，是“赋二十五家”中的巨匠，现存《子虚赋》《上林赋》《大人赋》《长门赋》《美人赋》《哀秦二世赋》六篇，另有《梨赋》《鱼葅赋》《梓山赋》三篇存名。《隋书·经籍志》有《司马相如集》一卷，已散佚。明人张溥辑有《司马文园集》，收入《汉魏六朝百三家集》。

司马相如还掌握了辞赋创作的审美规律，并通过自己的辞赋创作实践和有关辞赋创作的论述，对辞赋创作的审美创作与表现过程进行了不少探索，看似只言片语，但他已经比较完整地提出了自己的辞赋创作主张。从现代美学的领域，对其辞赋美学思想进行阐释，是有益的和必要的。由于受到道家思想的深刻影响，司马相如的辞赋呈现出了斑斓多姿的艺术风貌，特别是纵意夸张的想象力，从而获得了经久不息的艺术魅力。

司马相如辞赋作品辞藻富丽，结构宏大，以“巨丽”著称，为数百年汉赋奠定了时代风格特点，其后，扬雄、班固、张衡等接触汉赋的作家，均深受他的影响，这些直接的和间接的贡献，使他成为汉赋体裁的著名代表作家，后人称之为“赋圣”，刘勰称之为“辞宗”。司马迁《史记》为他单独列传，篇幅超过文学作家第一传记《屈原贾生列传》六倍有余，仅有《汉书》中分上下篇列出的蜀人扬雄传记在篇幅上可与之媲美，这是二十四史中独一无二的殊遇。司马相如作为汉赋的宗师，为他立传的司马迁作为汉代史书的巨匠，不仅是司马家族中最杰出的人才之一，而且是中国文学史、文化史上最杰出的代表之一，后人常将二人相提并论，直到二十世纪，鲁迅的《汉文学史纲要》中还把二人放在一个专节里加以评述，指出：“武帝时文人，赋莫若司马相如，文莫若司马迁。”

司马相如还是一位杰出的文字学家和音乐家。他精于辞赋创作，多用奇字，在文字学上有很深的造诣，撰述的《凡将篇》，在历代文字学专著中位居汉代第一名的位置①，为后来扬雄整理、编撰集西汉文字学大成的名著《训纂篇》打下了坚实的基础。东汉的许慎，在他们的著作成果上，写出了《说文解字》，这在《文心雕龙》书中《练字》篇有重要记载。辞赋写作的一大要素是精通音乐，“一经一纬，一宫一商”，控引天地，包举宇宙，司马相如擅长奏琴，不仅以此抱得美人归，而且其在辞赋创作中也深刻体现了音乐文学的韵律之美。加上从小习武击剑，担任汉景帝武骑常侍，可以说，他是一个多才多艺的大家。

第二节 《文心雕龙》的司马相如评论

成书于南朝齐梁之际的《文心雕龙》是我国古代写作学理论的巅峰之作。通观《文心雕龙》全书，在二十二个篇章中至少有三十一条材料直接谈到了司马相如，这些材料整体上可以分为三种情况。

一、直接以“相如”论述者

（1）相如《上林》，繁类以成艳。（《诠赋》）

（2）相如之吊二世，全为赋体。桓谭以为其言恻怆，读者叹息；及卒章要切，断而能悲也。（《哀吊》）

① 班固《汉书·艺文志》在《六艺略》之八专论小学，举证历代文字学著作十家，司马相如位居汉代第一名家。

（3）虞重纳言，周贵喉舌；故两汉诏诰，职在尚书。王言之大，动入史策，“其出如綍”，不反若汗。是以淮南有英才，武帝使相如视草；陇右多文士，光武加意于书辞：岂直取美当时，亦敬慎来叶矣。（《诏策》）

（4）移者，易也；移风易俗，令往而民随者也。相如之《难蜀老》，文晓而喻博，有移檄之骨焉。（《檄移》）

（5）铺观两汉隆盛：孝武禅号于肃然，光武巡封于梁父；诵德铭勋，乃鸿笔耳。观相如《封禅》，蔚为唱首。尔其表权舆，序皇王，炳玄符，镜鸿业；驱前古于当今之下，腾休明于列圣之上；歌之以祯瑞，赞之以介丘：绝笔兹文，固维新之作也。（《封禅》）

（6）人之禀才，迟速异分；文之制体，大小殊功。相如含笔而腐毫……虽有巨文，亦思之缓也。（《神思》）

（7）昔潘勖《锡魏》，思摹经典，群才韬笔，乃其骨髓峻也；相如赋仙，气号“凌云”，“蔚为辞宗”，乃其风力遒也。（《风骨》）

（8）夫夸张声貌，则汉初已极。自兹厥后，循环相因，虽轩翥出辙，而终入笼内。……相如《上林》云：“视之无端，察之无涯；日出东沼，入乎西陂。”……此并广寓极状，而五家如一。诸如此类，莫不相循。（《通变》）

（9）自宋玉、景差，夸饰始盛；相如凭风，诡滥愈甚。故上林之馆，奔星与宛虹入轩；从禽之盛，飞廉与鹪鹩俱获。（《夸饰》）

（10）观夫屈、宋属篇，号依《诗》人；虽引古事，而莫取旧辞。唯贾谊《鹏赋》，始用鹖冠之说；相如《上林》，撮引李斯之书：此万分之一会也。（《事类》）

（11）凡用旧合机，不啻自其口出；引事乖谬，虽千载而为瑕。陈思，群才之英也，《报孔璋书》云：“葛天氏之乐，千人唱，万人和，听者因以蔑《韶》、《夏》矣。”此引事之实谬也。按葛天之歌，唱和三人而已。相如《上林》云：“奏陶唐之舞，听葛天之歌，千人唱，万人和。”唱和千万人，乃相如接入。然而滥侈葛天，推三成万者，信赋妄书，致斯谬也。（《事类》）

（12）汉初草律，明著厥法：太史学童，教试“六体”；又吏民上书，字谬辄劾。是以马字缺画，而石建惧死；虽云性慎，亦时重文也。至孝武之世，则相如譔《篇》……鸣笔之徒，莫不洞晓；且多赋京苑，假借形声。是以前汉小学，率多玮字；非独制异，乃共晓难也。（《练字》）

（13）逮孝武崇儒，润色鸿业；礼乐争辉，辞藻竞骛：……相如涤器而被绣……遗风馀采，莫与比盛。（《时序》）

（14）相如好书，师范屈、宋，洞入夸艳，致名“辞宗”；然核取精意，理不

胜辞，故扬子以为“文丽用寡者长卿”，诚哉是言也！(《才略》)

(15) 桓谭著论，富号“猗顿”，宋弘称荐，爰比相如；而《集灵》诸赋，偏浅无才，故知长于讽谕，不及丽文也。(《才略》)

(16) 略观文士之疵：相如窃妻而受金，……诸有此类，并文士之瑕累。(《程器》)

二、以“长卿”称呼者

(1) 若能凭轼以倚《雅》《颂》，悬辔以驭楚篇，酌奇而不失其贞，玩华而不坠其实，则顾盼可以驱辞力，欬唾可以穷文致，亦不复乞灵于长卿，假宠于子渊矣。(《辨骚》)

(2) 及扬雄《剧秦》，班固《典引》，事非镌石，而体因纪禅。观《剧秦》为文，影写长卿，诡言遁辞，故兼包神怪；然骨制靡密，辞贯圆通，自称“极思”，无遗力矣。《典引》所叙，雅有懿采，历鉴前作，能执厥中；其致义会文，斐然馀巧。故称“《封禅》靡而不典，《剧秦》典而不实”，岂非追观易为明，循势易为力欤？(《封禅》)

(3) 是以……长卿傲诞，故理侈而辞溢；……触类以推，表里必符。岂非自然之恒资，才气之大略哉？(《体性》)

(4) 故丽辞之体，凡有四对：言对为易，事对为难；反对为优，正对为劣。言对者，双比空辞者也；事对者，并举人验者也；反对者，理殊趣合者也；正对者，事异义同者也。长卿《上林》云：“修容乎《礼》园，翱翔乎《书》圃。”此言对之类也。(《丽辞》)

(5) 及《离骚》代兴，“触类而长”；物貌难尽，故重沓舒状：于是“嵯峨”之类聚，“葳蕤”之群积矣。及长卿之徒，诡势瓌声；模山范水，字必鱼贯：所谓诗人丽则而约言，辞人丽淫而繁句也。(《物色》)

三、称之为“马”者

(1) 自《九怀》以下，遽蹑其迹，而屈宋逸步，莫之能追。故其叙情怨，则郁伊而易感；述离居，则怆怏而难怀；论山水，则循声而得貌；言节侯，则披文而见时。是以枚贾追风以入丽，马扬沿波而得奇：其衣被词人，非一代也。(《辨骚》)

(2) 汉初四言，韦孟首唱；匡谏之义，继轨周人。孝武爱文，《柏梁》列韵。严、马之徒，属辞无方。至成帝品录，三百余篇；朝章国采，亦云周备。(《明诗》)

(3) 暨武帝崇礼，始立乐府，总赵代之音，撮齐楚之气，延年以曼声协律，

朱、马以骚体制歌。(《乐府》)

(4)秦世不文，颇有杂赋。汉初词人，循流而作：陆贾扣其端，贾谊振其绪，枚马播其风，王扬骋其势……讨其源流，信兴楚而盛汉矣。(《诠赋》)

(5)自扬、马、张、蔡，崇盛丽辞：如"宋画吴冶，刻形镂法"，丽句与深采并流，偶意共逸韵俱发。(《丽辞》)

(6)然饰穷其要，则心声锋起；夸过其理，则名实两乖。若能酌《诗》《书》之旷旨，翦扬马之甚泰，使夸而有节，饰而不诬，亦可谓之懿也。(《夸饰》)

(7)及魏代缀藻，则字有常检；追观汉作，翻成阻奥。故陈思称："扬、马之作，趣幽旨深，读者非师传不能析其辞，非博学不能综其理。"岂直才悬，抑亦字隐。(《练字》)

(8)夫古来知音，多贱同而思古。所谓"日进前而不御，遥闻声而相思"也。昔《储说》始出，《子虚》初成，秦皇、汉武，恨不同时；既同时矣，则韩囚而马轻，岂不明鉴同时之贱哉？(《知音》)

(9)文既有之，武亦宜然；古之将相，疵咎实多。……况马、杜之磬悬，丁、路之贫薄哉？(《程器》)

(10)盖士之登庸，以成务为用。鲁之敬姜，妇人之聪明耳。然推其机综，以方治国；安有丈夫学文，而不达于政事哉？彼扬、马之徒，有文无质，所以终乎下位也。(《程器》)

这些论述每每出现于全书"文之枢纽""论文叙笔""剖情析采，笼圈条贯"的重要位置，司马相如作为《文心雕龙》全书作家作品、创作得失与理论批评的经典代表，其文学创作与辞赋理论是刘勰创作该书的重要取材对象。但在以往的"龙学"研究中，对司马相如的杰出贡献关注甚少[①]，故本部分内容对此略作探讨，以求抛砖引玉，揭示司马相如对《文心雕龙》成书所做出的巨大贡献。

第三节 文之枢纽：作为《文心雕龙》极力推崇的经典作家

在《辨骚》篇中，刘勰总结"文之枢纽"，提出指导全书文体论、创作论、批评论的总原则是："若能凭轼以倚《雅》《颂》，悬辔以驭楚篇，酌奇而不失其贞，玩华而不坠其实，则顾盼可以驱辞力，欬唾可以穷文致，亦不复乞灵于长卿，

① 直接论述到司马相如与《文心雕龙》的论文有：高林广先生《〈文心雕龙〉的司马相如辞赋批评》(《内蒙古师范大学学报(哲学社会科学版)》2012年第3期)、孙凌昱《〈文心雕龙〉中的司马相如评论》(《作家》2015年第14期)、王万洪《司马相如对〈文心雕龙〉成书的影响》(《地方文化研究》第十二辑)三篇论文。

假宠于子渊矣。”[①]这一原则折衷诗骚，推崇雅丽，坚守儒家经典准则，鼓励大胆创新，是《文心雕龙》“驱辞穷文”的指导思想和全书论述写作的“枢纽”所在。[②]司马相如是写作“枢纽”论中最重要的代表作家之一。

首先，在论述到屈原楚辞的重大影响时，刘勰指出：“自《九怀》以下，遽蹑其迹，而屈宋逸步，莫之能追。故其叙情怨，则郁伊而易感；述离居，则怆怏而难怀；论山水，则循声而得貌；言节候，则披文而见时。是以枚贾追风以入丽，马扬沿波而得奇：其衣被词人，非一代也。”[③]受屈原影响最深、习得楚辞精髓最成功的汉赋四家是枚乘、贾谊、司马相如和扬雄，蜀地作家占据两席；而且“马扬沿波而得奇”，体现了鲜明的巴蜀地域文化特征：奇思纵逸，精妙绝伦。[④]

其次，在阐释文章写作的枢纽论之后，刘勰认为只要注意到了雅丽结合、奇正结合的折衷原则，就可以很轻松地写作文章而不会出现差错，“若能凭轼以倚《雅》《颂》，悬辔以驭楚篇，酌奇而不失其贞，玩华而不坠其实，则顾盼可以驱辞力，欬唾可以穷文致，亦不复乞灵于长卿，假宠于子渊矣”[⑤]，表面上是在说不需要向司马相如和王褒学习写作了，实际上是在间接地告诉读者：司马相如和王褒是最优秀的作家之一，得向他们学习写作。这是对巴蜀作家的最高赞美。司马相如是《文心雕龙》在全书论文叙笔、剖情析采、笼圈条贯三部分展开论述后的经典楷模。其博通众体的文学创作、超越大众的写作技巧、在文学史上的杰出成就，是《文心雕龙》批评论述时取法的主要对象。

第四节　论文叙笔：博通众体的文学创作

司马相如在“论文叙笔”的二十篇文体论部分占据了非常重要的位置，在各类文体的创作上有突出的成就。

司马相如首先在《明诗》中出场。

汉初四言，韦孟首唱；匡谏之义，继轨周人。孝武爱文，《柏梁》

---

① 黄叔琳注，李详补注，杨明照校注拾遗：《增订文心雕龙校注》，第51页。

② 王运熙先生称这一原则为创作论的总纲。从全书来看，这一原则可以归纳为雅丽文学思想，在文体论、创作论、批评论中均居于主导地位，是《文心雕龙》一以贯之的基本文学思想，即全书之“枢纽”。

③ 黄叔琳注，李详补注，杨明照校注拾遗：《增订文心雕龙校注》，第51页。

④ 关于汉赋与巴蜀地域文化的关系，李天道先生《司马相如赋的美学思想与地域文化心态》、毕庶春先生《巴蜀与汉赋初探》、刘跃进先生《秦汉时期巴蜀文学略论》等专著或论文已经作过探究。本书限于论述主题，在此不再展开。

⑤ 黄叔琳注，李详补注，杨明照校注拾遗：《增订文心雕龙校注》，第51页。

列韵。严、马之徒，属辞无方。至成帝品录，三百余篇；朝章国采，亦云周备。[①]

汉武帝爱好文学，当时有严忌、司马相如等，他们写诗没有一定的程式。司马相如在汉初的四言诗歌创作中很有代表性，尽管其诗作水平不算高，但能作为代表作家被列出来，可反观他的诗歌水平绝不会低。

四言诗歌之外，司马相如的乐府声诗特色较为鲜明，《乐府》篇说：

暨武帝崇礼，始立乐府，总赵代之音，撮齐楚之气，延年以曼声协律，朱马以骚体制歌。《桂华》杂曲，丽而不经；《赤雁》群篇，靡而非典。河间荐雅而罕御，故汲黯致讥于《天马》也。至宣帝雅诗，颇效《鹿鸣》；迩及元、成，稍广淫乐：正音乖俗，其难也如此。[②]

“朱马以骚体制歌”中的“朱”指朱买臣，以精通楚辞著称，《汉书·艺文志》说他有赋三篇。“马”则指司马相如，相传汉武帝时的《郊祀歌》中有一部分是他的作品。“骚体”即《离骚》体，此处代指楚辞。司马相如的乐府声诗是以楚辞体裁写出来的，整体上“丽而不经”“靡而非典”，华丽过度，逾越雅正，不是经典之作，这与他的辞赋风格一脉相承。刘勰追求的是“靡丽而且经典”的雅丽之作，他认为楚辞体裁丽而不雅，需要批评对待。

在《哀吊》篇中，司马相如作为吊体文学的主要代表出场。

及相如之吊二世，全为赋体。桓谭以为其言恻怆，读者叹息；及卒章要切，断而能悲也。[③]

司马相如《吊秦二世文》，虽名为“吊”，实际上“全为赋体”，具有赋体文学“卒章显志”的特点，所以该文“卒章要切”，写作目的是委婉地规讽汉武帝以秦二世政亡人息之败为戒。所以，《吊秦二世文》一般称为《哀秦二世赋》，这是司马相如随汉武帝长杨打猎，归途经过宜春宫秦二世胡亥墓时，哀悼二世，委婉议政的文章。前半写景叙事，到宜春宫游览远眺，到秦二世坟前凭吊；后半抒情议论，

① 黄叔琳注，李详补注，杨明照校注拾遗：《增订文心雕龙校注》，第 64 页。
② 黄叔琳注，李详补注，杨明照校注拾遗：《增订文心雕龙校注》，第 82 页。
③ 黄叔琳注，李详补注，杨明照校注拾遗：《增订文心雕龙校注》，第 168 页。

借前车之鉴委婉讽谏汉武帝。

《子虚赋》《上林赋》等苑囿大赋是公认的司马相如留给后人的汉代长赋代表作品，实际上，司马相如的短赋也很出色，堪称绘景了然精当，抒情意蕴深长。如《哀秦二世赋》，虽不及《子虚赋》《上林赋》两赋的名气大，却不能否认是汉赋中之精美而微者。由此可知，司马相如不仅擅长大赋写作，在抒情小赋上也有独创之处，为后来王褒抒情小赋登上历史舞台奠定了基础。

司马迁说，司马相如写这篇文章，“相如奏赋，以哀二世行失也”。显示了他通过委婉方式表达儒家君臣职分的心态。

这表明司马相如的作品，始终是与政治活动密切相关的。除了这样的委婉方式，司马相如还曾经直接劝谏过汉武帝：

> （相如）常从上至长杨猎，是时天子方好自击熊彘，驰逐野兽，相如上疏谏之。其辞曰：
>
> 臣闻物有同类而殊能者，故力称乌获，捷言庆忌，勇期贲、育。臣之愚，窃以为人诚有之，兽亦宜然。今陛下好陵阻险，射猛兽，卒然遇轶材之兽，骇不存之地，犯属车之清尘，舆不及还辕，人不暇施巧，虽有乌获、逢蒙之伎，力不得用，枯木朽株尽为害矣。是胡越起於毂下，而羌夷接轸也，岂不殆哉！虽万全无患，然本非天子之所宜近也。
>
> 且夫清道而后行，中路而后驰，犹时有衔橛之变，而况涉乎蓬蒿，驰乎丘坟，前有利兽之乐而内无存变之意，其为祸也不亦难矣！夫轻万乘之重不以为安，而乐出於万有一危之涂以为娱，臣窃为陛下不取也。
>
> 盖明者远见於未萌而智者避危於无形，祸固多藏於隐微而发於人之所忽者也。故鄙谚曰“家累千金，坐不垂堂”。此言虽小，可以喻大。臣愿陛下之留意幸察。①

这篇文章被称为《谏猎疏》，也叫作《上书谏猎》。武帝看了司马相如的文章，认为写得不错，“上善之”。身为人臣，司马相如是因为文章写得好被汉武帝赏识、召见、重用、提拔起来的，成功之后，司马相如始终不忘自己写文章、为人臣的本职工作，这样的忠言直谏，显示了他性格耿直和深受儒家思想熏染的内在情操。

《文心雕龙》继续发展，《诏策》篇记载了司马相如书写诏书之事。

---

① 司马迁：《史记》（影印本），第 3053-3054 页。

是以淮南有英才，武帝使相如视草；陇右多文士，光武加意于书辞：岂直取美当时，亦敬慎来叶矣。[①]

司马相如有文采，是汉武帝“取美当时”所欣赏的文章妙手，委以制作诏书的重任。尽管现在我们看不到司马相如担任这一要职所撰写的诏文，但由此可见相如当时文才与地位之高，已经不是“辞赋小道”之属，而步入了“经国大业”的行列。

在《檄移》篇中对此有进一步地论述：“移者，易也；移风易俗，令往而民随者也。相如之《难蜀老》，文晓而喻博，有移檄之骨焉。”[②]司马相如作为朝廷安抚并聚集巴蜀大地人心的朝廷钦差，其《难蜀父老》言简意赅，深含大义，在历史上确实起到了“移风易俗，令往而民随”的政治功效，相如此作，是移体文学的经典。[③]

司马相如以其卓越的远见，运用外交辞令和文学才华，为汉代江山开疆拓土、巩固西南边防做出了巨大的历史贡献。[④]

《难蜀父老》是首篇论难文，开创了一种新文体，在文体发展史上意义重大。所谓“难”，即就一个具体现实事件而虚设论难写成一篇完整文章。[⑤]其后扬雄《解难》，则反其道而行之，通过主客问答的方式，将他人之“诘难”一一化解。二人对这一文体的开创与发展做出了突出贡献。

根据《史记》本传的记载，刘勰在写作本篇文章的时候，忽略了司马相如在“檄”体文学上的直接贡献。《史记》相如本传曰：

相如为郎数岁，会唐蒙使略通夜郎西僰中，发巴蜀吏卒千人，郡又多为发转漕万馀人，用兴法诛其渠帅，巴蜀民大惊恐。上闻之，乃使相如责唐蒙，因喻告巴蜀民以非上意。檄曰：

告巴蜀太守：蛮夷自擅不讨之日久矣，时侵犯边境，劳士大夫。陛下即位，存抚天下，辑安中国。然後兴师出兵，北征匈奴，单于怖骇，

① 黄叔琳注，李详补注，杨明照校注拾遗：《增订文心雕龙校注》，第 265 页。

② 黄叔琳注，李详补注，杨明照校注拾遗：《增订文心雕龙校注》，第 262 页。

③ 司马迁：《史记》（影印本），第 3049-3053 页。

④ 据史书记载：司马相如还是开边功臣，他两次奉命回巴蜀，第一次是因唐蒙强行筑道，引起各族叛离，巴蜀人惊恐，他来作安抚工作。回报汉武帝时他又提出了开边的意见，武帝再次派他出使西南。第一次的重点是南边，第二次的重点是西边。相如派出副使，说服夷人头目，拆除边关，拓宽道路，架设桥梁，置一都尉及十余县，属蜀郡。今天四川西南的边界，基本上是由司马相如固定下来的。

⑤ 刘勰之后，还有几家评论，明朝著名文学家王维桢说：“先叙事起，而后诡为问答之词。其事虽非，而其文则腴。”明朝著名文学家林云铭：“是文谓宣其使指则可。若谓以风天子，其事已成，不便中绝；且词中劝百讽一。”明朝著名文学家金圣叹：“瞌折顿挫，极尽文态。”清朝著名文学家王文濡：“表面虽是难蜀父老，说得堂皇正大，而其讽天子，好大喜功之意，却以隐约出之，此文之所以名贵也。”

交臂受事，诎膝请和。康居西域，重译请朝，稽首来享。移师东指，闽越相诛。右吊番禺，太子入朝。南夷之君，西僰之长，常效贡职，不敢怠堕，延颈举踵，喁喁然皆争归义，欲为臣妾，道里辽远，山川阻深，不能自致。夫不顺者已诛，而为善者未赏，故遣中郎将往宾之，发巴蜀士民各五百人，以奉币帛，卫使者不然，靡有兵革之事，战斗之患。今闻其乃发军兴制，

惊惧子弟，忧患长老，郡又擅为转粟运输，皆非陛下之意也。当行者或亡逃自贼杀，亦非人臣之节也。

夫边郡之士，闻烽举燧燔，皆摄弓而驰，荷兵而走，流汗相属，唯恐居後，触白刃，冒流矢，义不反顾，计不旋踵，人怀怒心，如报私雠。彼岂乐死恶生，非编列之民，而与巴蜀异主哉？计深虑远，急国家之难，而乐尽人臣之道也。故有剖符之封，析珪而爵，位为通侯，居列东第，终则遗显号於後世，传土地於子孙，行事甚忠敬，居位甚安佚，名声施於无穷，功烈著而不灭。是以贤人君子，肝脑涂中原，膏液润野草而不辞也。今奉币役至南夷，即自贼杀，或亡逃抵诛，身死无名，谥为至愚，耻及父母，为天下笑。人之度量相越，岂不远哉！然此非独行者之罪也，父兄之教不先，子弟之率不谨也；寡廉鲜耻，而俗不长厚也。其被刑戮，不亦宜乎！

陛下患使者有司之若彼，悼不肖愚民之如此，故遣信使晓喻百姓以发卒之事，因数之以不忠死亡之罪，让三老孝弟以不教诲之过。方今田时，重烦百姓，已亲见近县，恐远所谿谷山泽之民不遍闻，檄到，亟下县道，使咸知陛下之意，唯毋忽也。[①]

本文即著名的《喻巴蜀檄》[②]，是一篇政府文告，也是司马相如政治生涯的巅峰之作。文章的写作原因已经在本章第一节中交代清楚，于此不赘。

司马相如在“以文干政”之路名扬天下的是他为汉武帝封禅一事创作的《封禅文》，此文是司马相如遗作，阐明了请求封禅的主张及意义。在古代，封禅不是简单的祭祀天地的仪式，而是只有在历史上建立过重大功勋、享有极高威望的帝王才有资格进行的国家大事。司马迁在《史记·封禅书》中给出了帝王封禅所必需的条件：帝王贤明、天下太平、天降祥瑞。原始社会，只有像尧、舜、禹这样伟大的圣贤君王有资格；秦始皇则是第一个封禅泰山的封建帝王。有的帝王，

① 司马迁：《史记》(影印本)，第3044-3046页。
② 喻，《汉书》作“谕”。

念念不忘敬天法地，彰显盛德，结果虚伪蒙蔽，伪造祥瑞，以求达成封禅功绩。纵观历史，无论从主观条件或是客观成就方面，汉武帝显然具有这个资格！司马相如这篇文章，实际上顺应了汉武帝既要封禅祭祀天地、彰显治国政绩，又可以借此机会名垂青史并强调君权神授的内在心理。刘勰对司马相如这篇文章有着极高评价，《封禅》曰：

> 铺观两汉隆盛：孝武禅号于肃然，光武巡封于梁父；诵德铭勋，乃鸿笔耳。观相如《封禅》，蔚为唱首。尔其表权舆，序皇王，炳玄符，镜鸿业；驱前古于当今之下，腾休明于列圣之上；歌之以祯瑞，赞之以介丘：绝笔兹文，固维新之作也。……及扬雄《剧秦》，……影写长卿，诡言遁辞，故兼包神怪；然骨制靡密，辞贯圆通，自称“极思”，无遗力矣。……故称“《封禅》靡而不典，《剧秦》典而不实”，岂非追观易为明，循势易为力欤？①

“相如《封禅》，蔚为唱首”，司马相如是历代封禅文的首创者，此文“表权舆，序皇王，炳玄符，镜鸿业”，颂扬明君政教之功德，赞美汉武帝泰山封禅的伟绩，堪称“绝笔”；不仅如此，还是启发后代、垂范后世的“维新之作”，这是司马相如辞赋创作“劝而不止”、干政失效所无法起到的巨大政治作用。反观扬雄《剧秦美新》一文，尽管“影写长卿”，“骨制靡密，辞贯圆通”，但是名不正且言不顺，因此“典而不实”，内容被诟病。从封禅文体发展历史的角度看，汉代封禅文有相如、扬雄、班固三家，司马相如首创其例，为一代宗师。

综上：司马相如在文学创作上博通众体，是一个不多见的全面能手。他的文学作品绝非应景、奉迎之作，而是具有鲜明的政治功能性和独创新颖性。整体上讲，司马相如是汉代散文的一代大宗师，是一个以文干政、建功立业、实现宏愿的杰出政治家和对外拓张战略的实践家。

第五节 “致名辞宗”的辞赋创作与批评理论

在上述博通众体的文学创作之外，司马相如作为汉赋四大家②之首，被尊称

① 黄叔琳注，李详补注，杨明照校注拾遗：《增订文心雕龙校注》，第295-296页。

② 关于“汉赋四大家”，历来有两种说法：一是指司马相如、王褒、扬雄、班固，二是指司马相如、扬雄、班固、张衡。无论哪一种，均将司马相如视为汉赋第一作家。

为“赋圣”，刘勰以“致名辞宗”[①]称之，辞赋才是他名垂青史的最成功体裁。司马相如的辞赋创作成为刘勰征引论述、评价得失的第一选择，他的辞赋美学理论对刘勰有直接的影响。

《诠赋》篇认为辞赋“受命于《诗》人，而拓宇于《楚辞》”，是中和诗骚之后形成的文学新体裁，学者荀子是赋体文学的创造者。发展到西汉一朝时，赋体文学已有众多名家。

> 陆贾扣其端，贾谊振其绪，枚马播其风，王扬骋其势；皋朔已下，品物毕图。繁积于宣时，校阅于成世，进御之赋，千有馀首。讨其源流，信兴楚而盛汉矣。[②]

具体而言，这八大名家是陆贾、贾谊、枚乘、司马相如、王褒、扬雄、枚皋、东方朔。而从“讨其源流”的结论来看，辞赋与《诗经》显然并无源流关系，汉代辞赋与儒家经典的前后继承关系很不明显，更多的是对屈原楚辞的继承，这在《辨骚》篇中有清楚的论述：“枚贾追风以入丽，马扬沿波而得奇：其衣被词人，非一代也。”刘勰以为汉赋受《诗》之影响，主要是因为两点。一是《宗经》观念的支配，“赋颂歌赞，则《诗》立其本”，根据“文出五经”的观念，于是强行将辞赋体裁的本源认定为《诗经》，这就显得有些牵强附会。二是班固辞赋渊源观念的影响，班固《两都赋》序言说：辞赋是《诗经》支流，又以为辞赋乃《雅》《颂》之亚。[③]实际上，楚辞与战国纵横家、阴阳家虚辞滥说的语言艺术技法才是

---

① 《才略》。

② 黄叔琳注，李详补注，杨明照校注拾遗：《增订文心雕龙校注》，第96页。

③ 班固《两都赋》序言说：“或曰：赋者，古诗之流也。昔成、康没而颂声寝，王泽竭而诗不作。大汉初定，日不暇给。至于武、宣之世，乃崇礼官，考文章。内设金马、石渠之署，外兴乐府、协律之事，以兴废继绝，润色鸿业。是以众庶悦豫，福应尤盛，白麟、赤雁、芝房、宝鼎之歌，荐于郊庙。神雀、五凤、甘露、黄龙之瑞，以为年纪。故言语侍从之臣，若司马相如、虞丘寿王、东方朔、枚皋、王褒、刘向之属，朝夕论思，日月献纳。而公卿大臣御史大夫倪宽、太常孔臧、太中大夫董仲舒、宗正刘德、太子太傅萧望之等，时时间作。或以抒下情而通讽谕或以宣上德而尽忠孝，雍容揄扬，著于后嗣，抑亦《雅》、《颂》之亚也，故孝成之世，论而录之。盖奏御者千有余篇，而后大汉之文章，炳焉与三代同风。且夫道有夷隆，学有粗密，因时而建德者，不以远近易则，故皋陶歌虞，奚斯颂鲁，同见采于孔氏，列于《诗》、《书》，其义一也。稽之上古则如彼，考之汉室又如此。斯事虽细，然先臣之旧式，国家之遗美，不可阙也。臣窃见海内清平，朝廷无事，京师修宫室，浚城隍，起苑囿，以备制度。西土耆老，咸怀怨思，冀上之眷顾，而盛称长安旧制，有陋雒邑之议。故臣作《两都赋》，以极众人之所眩曜，折以今之法度。”其核心思想，在于将辞赋纳入儒家诗学体系之中。而在《汉书·艺文志》论述“诗赋略”时，班固则说：“春秋之后，周道浸坏，聘问歌咏不行于列国，学诗之士逸在布衣，而贤人失志之赋作矣。大儒孙卿及楚臣屈原离谗忧国，皆作赋以风，咸有恻隐古诗之义。其后宋玉、唐勒，汉兴枚乘、司马相如，下及扬子云，竞为侈丽宏衍之词，没其风谕之义。是以扬子悔之，曰：‘诗人之赋丽以则，辞人之赋丽以淫。如孔氏之门人用赋也，则贾谊登堂，相如入室矣，如其不用何！’自孝武立乐府而采歌谣，于是有代赵之讴，秦楚之风，皆感于哀乐，缘事而发，亦可以观风俗，知薄厚云。”准确地把握到了辞赋创作抒情性、描写性强的本质特点，但仍然不离讽喻之义的强弱，并以此为标准来衡量其优劣。

汉赋真正的源头，事见《时序》篇之论述[①]。因此，辞赋之丽与楚辞之丽具有前后相承的因果关系。

在具体讨论了京苑大赋与抒情小赋两类辞赋作品及其特征之后，刘勰又对先秦两汉赋体文学史进行了一次大阅兵。

> 观夫荀结隐语，事数自环；宋发夸谈，实始淫丽。枚乘《菟园》，举要以会新；相如《上林》，繁类以成艳；贾谊《鹏鸟》，致辨于情理；子渊《洞箫》，穷变于声貌；孟坚《两都》，明绚以雅赡；张衡《二京》，迅发以宏富；子云《甘泉》，构深玮之风；延寿《灵光》，含飞动之势：凡此十家，并辞赋之英杰也。[②]

引文中一共列出了十位最著名的辞赋作家：荀况、宋玉、枚乘、司马相如、贾谊、王褒、班固、张衡、扬雄、王延寿，刘勰称之为“辞赋之英杰也”，司马相如继续位居其中。

如此，不论是前文断代为西汉的诸家，还是先秦两汉赋体文学史的十家，司马相如均名列其间。司马相如《上林赋》开启了苑囿大赋的创作先河，从题材开创之功与创作成就来看，司马相如是历代公认的“赋圣”，汉赋第一作家，刘勰之论当之无愧。

在刘勰看来，司马相如辞赋成就最高，因此，相如辞赋创作的成败得失，也成为刘勰论述文学创作与文学批评的第一人选。有成必有失，司马相如也有其不足之处。《诠赋》总结出了“立赋之大体”。

> 原夫登高之旨，盖睹物兴情。情以物兴，故义必明雅；物以情睹，故词必巧丽。丽词雅义，符采相胜，如组织之品朱紫，画绘之著玄黄。文虽新而有质，色虽糅而有本，此立赋之大体也。[③]

作赋最根本的要求就是“丽词雅义，符采相胜”，雅而且丽，文质彬彬，不能脱

① 《时序》以为：“春秋以后，角战英雄，六经泥蟠，百家飙骇。方是时也，韩魏力政，燕赵任权；五蠹六虱，严于秦令；唯齐楚两国，颇有文学；齐开庄衢之第，楚广兰台之宫，孟轲宾馆，荀卿宰邑；故稷下扇其清风，兰陵郁其茂俗；邹子以谈天飞誉，驺奭以雕龙驰响；屈平联藻于日月，宋玉交彩于风云。观其艳说，则笼罩雅颂，故知炜烨之奇意，出乎纵横之诡俗也。”明确指出：作为“奇文”（《辨骚》语）的屈原楚辞，其直接源头是战国诸子语言艺术，特别是纵横家与阴阳家。这是紧密抓住了时代文学发展特色的准确论述。

② 黄叔琳注，李详补注，杨明照校注拾遗：《增订文心雕龙校注》，第96页。

③ 黄叔琳注，李详补注，杨明照校注拾遗：《增订文心雕龙校注》，第97页。

离“衔华佩实”的雅丽之风，这不仅是刘勰坚持的辞赋创作理论和鉴赏理论，也是《文心雕龙》全书对一切文章的最高审美要求，在文体论的其他篇章中反复提倡这一“丽词雅义”的原则，因此，单纯走向质朴或单纯追求华丽都是错误的。据此，刘勰针对文学发展由质趋文的靡丽繁缛趋势提出批评，在《情采》《比兴》《夸饰》《物色》等重要专题中均直接将诗骚对举，而把矛头对准辞赋“淫丽”之弊，意在回归雅丽之正采，不为讹滥之文，为当代文学的创作找到一条正确的发展途径。在这一过程中，司马相如赋作被指责甚多。

相如赋宏大巨丽，描写精彩生动，声色动人耳目，但弊在华丽过度，因此往往收不到想要的进谏结果。以《史记》本传全文抄录的《天子游猎赋》为例[①]，因其文多，不具。《史记》概述说：

> 相如以“子虚”，虚言也，为楚称；“乌有先生”者，乌有此事也，为齐难；“无是公”者，无是人也，明天子之义。故空藉此三人为辞，以推天子诸侯之苑囿。其卒章归之於节俭，因以风谏。奏之天子，天子大说。[②]

这段记载透露出三层信息。

> 第一，本篇继续了《子虚赋》言说子虚先生、乌有先生、无是公三人对话的问答形式，人物、内容、形式，均是《子虚赋》的下一步发展继承。这种内容上的衔接，是梁孝王时代《子虚赋》言说诸侯之事的续集。
>
> 第二，本篇赋作明确了言说天子游猎之事的写作初衷，他的阅读者只有一个特定的对象：汉武帝。是直接说明了写个他看的。所以，天子游猎之事，规模、级别、范围、状物、写景等内容，将远比诸侯之事更为宏侈巨丽，在只能虚拟言说的情况下，必然更加虚辞滥说，文采之华丽，想象之丰富，盖过《子虚赋》很多，这是为了特定对象写作特定文章必然的选择。因为相如表现的是文才，展示的是汉帝国富强宏大的国力，迎合的是汉武帝雄强宏大的政治抱负和治国功绩。
>
> 第三，本篇原本是想“卒章归之於节俭，因以风谏”，也就是说，

① 根据全文内容推断，本文实际上就是《子虚赋》《上林赋》合成一篇的作品。《子虚赋》是西汉辞赋家司马相如早期客游梁孝王时所作。此赋通过楚国之子虚先生讲述随齐王出猎，齐王问及楚国，极力铺排楚国之广大丰饶，以至云梦不过是其后花园之小小一角。乌有先生不服，便以齐之大海名山、异方殊类，傲视子虚。总的来看都是张扬大国风采、帝王气象。此赋与《上林赋》构成姊妹篇，都是汉代文学正式确立的标志性作品。

② 司马迁：《史记》（影印本），第3002页。

和以前的章表奏议等直接进谏的政论文在本质上是一样的，就是想以文干政，但是，“奏之天子，天子大说”，汉武帝高兴的是什么？不是讽谏之义，因为体裁、题材、写法、文采、辞藻的全新，导致了根本就没有达到这一目的的现实结果。这表明：辞赋文学的政治功能被大大弱化了。

《天子游猎赋》采用问答的体式，整齐排偶的句式，与屈原为代表的楚辞已经不甚相同，对楚国云梦和天子上林苑的辽阔，两处物产的丰富，特别是对天子畋猎的声势，作了极其夸张的描绘，使之超出事物的现实可能性。这样极度夸张的描写赋予作品以强烈的艺术感染力，使作品具有超乎寻常的巨丽之美。同时，在司马相如的笔下，夸张描绘的艺术渲染原则和严正的艺术旨趣紧密地结合在一起，对艺术巨丽之美的追求和对艺术社会意义即讽谏作用的依归，较好地融为一体。

在结构上，都是篇首几段用散文领起，中间若干段用韵文铺叙，篇末又用散文结尾。作品气势恢宏，波澜起伏，而又气脉贯通，一泻千里。这两篇作品句法灵活，用了许多排比句，并间杂长短句。在对各种景物进行描写时，司马相如不是像枚乘那样多用长句，而是大量采用短句，描写山水用四字句，描写游猎主要用三言，音节短促，应接不暇，文采斑驳陆离。

司马相如把畋猎作为主要描写对象，展开了全面的描写，并通过对客观事实的具体描写，形象地表现了作品的主题。《子虚赋》《上林赋》是歌颂的作品，作者所描写的是帝王贵族的生活，竭力宣扬的是汉天子的豪华和富有，这固然有揣摩帝王心理，投其所好的一面，但通过这些描写，可以使我们感受到统一的汉帝国在上升时期所具有的气象和面貌，其视野之恢弘、胸襟之开阔，是以前文学作品所没有的。

本文还是一篇讽喻性的作品，通过作品中三个人物递进式的描写及最后子虚、乌有先生俯首受教、态度的转变，表达了对诸侯的奢侈和僭越礼法行为的不满，以及维护中央王朝统一的政治态度，这与汉初政论家贾山、贾谊、晁错等论政所表达的认识是一致的。至于赋末作者通过天子之口所发表的抑制奢侈、崇尚节俭的议论，因为已经有了太多内容上的虚辞滥说，其社会效果则是十分微弱的。因此，司马相如本来想表达“其卒章归之於节俭，因以风谏”的写作目的并未达成，反而使得好神仙、喜玄幻的汉武帝“大悦”，封相如为郎官。

综合来看，《上林赋》无论在篇幅上，还是内容上，其巨丽之特征，均远远超过《子虚赋》。所以弊在华丽过度，因此收不到想要的进谏结果。这就必然为主张雅丽兼备标准的刘勰所批评。刘勰的理论来源，是最初羡慕相如而写作辞赋的扬雄。《史记·司马相如列传》载：

> 天子既美子虚之事，相如见上好仙道，因曰："上林之事未足美也，尚有靡者。臣尝为大人赋，未就，请具而奏之。"相如以为列仙之传居山泽间，形容甚癯，此非帝王之仙意也，乃遂就大人赋。[①]

正是这篇赋，不仅没有收到良好的婉转进言的效果，还被扬雄作为批评"文丽用寡"的典型代表。《汉书·扬雄传》：

> 雄以为赋者，将以风之也……既乃归之于正，然览者已过矣。往时武帝好神仙，相如上《大人赋》，欲以风，帝反缥缥有陵云之志。由是言之，赋劝而不止，明矣。[②]

赋的写作太过靡丽[③]，语词虚诞，不着边际，美则美矣，而主题被冲淡，到了"曲终奏雅"的时候，读者已经被那些奇思妙想与闳侈巨衍的夸饰描写完全吸引，不知道作者要说什么忠言建议了。司马相如苦心经营的《大人赋》，比《上林赋》更加绮靡虚诞，其用意本来是想借此提醒汉武帝不要铺张浪费，结果却适得其反。扬雄"文丽用寡"一说，真实地反映了相如赋巨丽而不实用的特点。从文学审美的角度看，相如赋最为壮丽；但从以文干政的角度看，扬雄也不无道理。

难能可贵的是，司马相如不仅在辞赋创作上引领诸家，而且还有辞赋理论流传下来，对《文心雕龙》的辞赋美学理论和写作思维学理论产生了直接影响。

> 司马相如为《上林》《子虚》赋。意思萧散，不复与外事相关。控引天地，错综古今，忽然如睡，焕然而兴，几百日而后成。其友人盛览字长通，牂牁名士，尝问以作赋。相如曰："合綦组以成文，列锦绣而为质；一经一纬，一宫一商，此赋之迹也。赋家之心，苞括宇宙，总览人物。斯乃得之于内。不可得而传览。"乃作《合组歌》《列锦赋》而退。终身不复敢言作赋之心矣。[④]

---

① 司马迁：《史记》（影印本），第3056页。

② 班固：《汉书》（影印本），第3575页。

③ "赋"在此处主要指相如赋与扬雄诸赋。扬雄青壮年时仰慕相如，于是模拟相如赋作，声名鹊起。其后因仕途不畅，又见赋家地位低下，赋作功能有限，遂有此说。事见《汉书·扬雄传》。

④ 葛洪辑，成林、程章灿译注：《西京杂记全译》，贵阳：贵州人民出版社，1993年，第66-67页。

这段话包含的美学思想与创作思维原理甚为重要。对刘勰创作《文心雕龙》而言，可资借鉴的主要有以下两点。

首先，阐明了对辞赋华丽特点的准确认识。司马相如以"丝织经纬"说解释"作赋之迹"，取法自然事物，以比喻批评的形式论述辞赋文学尚丽的特性。他重视辞赋"文质交加"的特点，尤其强调其"锦绣之质，宫商之声"的形式美与声韵美，这在《文心雕龙》中有鲜明的体现，《原道》有言：

> 傍及万品，动植皆文：龙凤以藻绘呈瑞，虎豹以炳蔚凝姿；云霞雕色，有逾画工之妙；草木贲华，无待锦匠之奇。夫岂外饰，盖自然耳。至于林籁结响，调如竽瑟；泉石激韵，和若球锽：故形立则章成矣，声发则文生矣。夫以无识之物，郁然有采，有心之器，其无文欤？[①]

自然界的动植物天然地具有外在形式美与声律音韵美，文章源于自然之道，故而必然兼备形式之美与声律之美。这一思想在《情采》篇中也有所体现。

> 圣贤书辞，总称文章，非采而何？夫水性虚而沦漪结，木体实而花萼振，文附质也。虎豹无文，则鞟同犬羊，犀兕有皮，而色资丹漆，质待文也。若乃综述性灵，敷写器象，镂心鸟迹之中，织辞鱼网之上，其为彪炳缛采名矣。故立文之道，其理有三：一曰形文，五色是也；二曰声文，五音是也；三曰情文，五性是也。五色杂而成黼黻，五音比而成韶夏，五情发而为辞章，神理之数也。[②]

将文章本源归结到自然"神理之数"，要达到文采华丽、音韵和谐的审美之境。《原道》《情采》的论述，为《文心雕龙》主张文学尚丽找到了哲学依据，是为"五经含文"所作的积极铺垫，司马相如是这一依据之先导者。同时，"经纬锦绣"说也是《诠赋》篇"如组织之品朱紫，画绘之著玄黄"的"立赋之大体"在尚丽一面的直接理论来源。

其次，"控引天地，错综古今"一说，成为《神思》篇创作思维论的直接来源。《神思》篇是古代文论史上最系统的写作思维专论。已有的研究成果指出：刘勰在继承庄子、陆机思维理论的基础上，系统地论述了文章写作思维的各方面

① 黄叔琳注，李详补注，杨明照校注拾遗：《增订文心雕龙校注》，第1页。
② 黄叔琳注，李详补注，杨明照校注拾遗：《增订文心雕龙校注》，第415页。

问题。笔者认为：刘勰对“神思”的定义和特征描述，其核心观点来自司马相如。《神思》开篇指出：“古人云：‘形在江海之上，心存魏阙之下。’神思之谓也。文之思也，其神远矣。故寂然凝虑，思接千载；悄焉动容，视通万里；吟咏之间，吐纳珠玉之声；眉睫之前，卷舒风云之色；其思理之致乎！故思理为妙，神与物游。神居胸臆，而志气统其关键；物沿耳目，而辞令管其枢机。枢机方通，则物无隐貌；关键将塞，则神有遁心。”[①]指出创作思维变化多端、不可方物的特点与写作构思“物—意—文”的基本模式。《西京杂记》的记载表明相如作赋的思维有三个特点：一是“意思萧散，不复与外事相关”，此即刘勰“寂然凝虑”“其神远矣”之谓；二是“控引天地，错综古今”，此即“思接千载”“视通万里”者也；三是“忽然如睡，焕然而兴”，完全投入，神随思转，此即“神与物游”时或“枢机方通”、或“关键将塞”之谓。因此，从真实的状态来论述文学构思，司马相如是刘勰取法的第一人选。

司马相如辞赋创作“几百日而后成”，迟缓以极！《神思》顺此提出并讨论了文章体裁与思维速度对写作的影响。刘勰认为“人之禀才，迟速异分；文之制体，大小殊功”，写文章不能只看快慢，因为人的思维速度本身就有快慢之分，所写文体不同，写作速度也会有差异。在《文心雕龙》中，司马相如与扬雄尽管创作上各体皆能，成就非凡，但“相如含笔而腐毫，扬雄辍翰而惊梦”，属于典型的慢节奏，所以“虽有巨文，亦思之缓也”。他们最后的成就与思维速度无关。《汉书·枚乘（附皋）传》：“（皋）为文疾，受诏辄成，故所赋者多。司马相如善为文而迟，故所作少而善於皋。”清人王先谦补注引沈钦韩曰：“《西京杂记》：‘皋文章敏疾，长卿制作淹迟，皆尽一时之誉。’”古人写作前常以口润笔，兼行构思，《文赋》有“或操觚以率尔，或含毫而邈然”之说，“含笔腐毫”形容相如写作时构思时间之长，相如作赋“忽然如睡，焕然而兴，几百日而后成”，这就说明相如赋之鸿篇巨制、神奇高迈、华丽虚诞，如果没有殚精竭虑地苦思冥想，是不可能写得出来的。刘勰对扬、马思维迟缓的论述，讲到了构思的艰巨性和写作劳心费神、“为文伤命”[②]的真实状态，所以《文心雕龙》将第四十二篇列为《养气》，专门讨论写作状态的养成与平时蓄养精神的问题。刘勰列举扬、马之例，是注意到了临案写作的真实思维状态，不是说有才就快，无才就慢。这种直面写作状态的讨论，才是最真实的写作研究。

---

① 黄叔琳注，李详补注，杨明照校注拾遗：《增订文心雕龙校注》，第369页。
② 《养气》。

第六节 剖情析采：对《文心雕龙》创作论的突出贡献

《文心雕龙》下篇共二十五篇，从《神思》到《总术》的十九篇一般被称为创作论，这些专题又可以划分为写作思维论、写作风格论、写作技法论等版块，涉及从前写作到后写作的方方面面。[①]司马相如对创作论做出了突出贡献，并成为刘勰论述创作得失的首选作家。

一、写作风格论

《神思》篇独论写作思维，司马相如的贡献已经在上一部分介绍过了。自《体性》到《情采》的五篇，一般称为写作风格论专题，是《文心雕龙》“剖情析采”的重要原理与范畴，司马相如在风格类型、“风骨”理想、文学“通变”三部分中出现，起到了重要的作用。

《体性》是古代文论史上第一篇写作风格论专篇，其理论迄今未被超越。刘勰在本篇中有一段话，专论作家情性风格，主张“文如其人”，以证明作品风格的多样性根源于作家个性的差异。

> 若夫八体屡迁，功以学成，才力居中，肇自血气；气以实志，志以定言，吐纳英华，莫非情性。是以贾生俊发，故文洁而体清；长卿傲诞，故理侈而辞溢……。触类以推，表里必符，岂非自然之恒资，才气之大略哉！[②]

引文中共论及汉魏文章十二名家，刘勰认为：文体风格的综合与变化，要依靠作者的学力。须知各人才力的不同，源于作者的不同血气。血气决定了情思的状态，情思决定了语言的风味，吐露文采，都是作者性情的表现。贾谊才思敏捷，所以他的文笔干净而文体清新。司马相如玩世不恭，所以他的文理支蔓而文采横溢。扬雄沉思静虑，所以他的文思远奥而文味深湛。刘向朴素平易，所以他的文风明朗而事例广博。班固温柔敦厚，所以他的文意绵密而文情富丽。张衡淹博通达，所以他的文思周到而文辞精炼。王粲恃才傲物，所以他的文锋外露而才气逼

---

① 当代写作学界将写作过程分为前写作、显写作与后写作三个大的阶段。前写作阶段主要指构思立意、谋篇布局阶段，显写作阶段主要指具体的行文操作阶段，后写作阶段主要指修改定稿阶段。从大的环节与线性写作特点来看，三阶段的划分是合理的。详见马正平著《写作行为论》（重庆：西南师范大学出版社，1995年）一书。

② 黄叔琳注，李详补注，杨明照校注拾遗：《增订文心雕龙校注》，第380页。

人。刘桢气度偏狭，所以他的文笔夸大而惊世骇俗。阮籍风流出众，所以他的文韵飘逸而文味深远。嵇康才情豪放，所以他的文旨高超而文采激烈。潘岳轻浮而聪敏，所以他的文笔锋利而韵调流畅。陆机矜持而庄重，所以他的文情繁褥而辞意隐伏。依此类推，文如其人。

对司马相如"傲诞"之说，《史记·司马相如列传》就有影子："相如口吃而善著书。常有消渴疾。与卓氏婚，饶于财。其进仕宦，未尝肯于公卿国家之事，称病闲居，不慕官爵。"司马相如口吃，富裕，有糖尿病，但这不成其为"未尝肯于公卿国家之事"的理由，根源还在于他的个性使然。又，《世说新语·品藻》注引嵇康《高士传·司马相如赞》："长卿慢世，越礼自放。犊鼻居市，不耻其状。托疾避官，蔑此卿相。乃赋《大人》，超然莫尚。"高傲的人总是倾向于夸诞，言过其实；司马相如的作品就是文理虚夸，而且辞采泛滥的。杨明照先生《校注》："按《文选》班固《典引》：司马相如污行无节，但有浮华之辞。"因为他有这样逾越规矩的个性，故而自由旷达，无所顾忌，为文"理侈而辞溢"。《才略》篇云："相如好书，师范屈、宋，洞入夸艳，致名辞宗。"《诠赋》篇："相如《上林》，繁类以成艳。"《物色》篇也说："及长卿之徒，诡势瓌声；模山范水，字必鱼贯：所谓诗人丽则而约言，辞人丽淫而繁句也。"《子虚赋》和《上林赋》就是过度夸张，"丽淫而繁句"的代表作。这就解释了为什么相如赋夸张铺排、奇思纵逸、常人莫及的根本原因，是由他的性格和审美倾向决定的。[①]

司马相如等对刘勰的启示在于：风格独特的文章背后，必定有一位个性鲜明的作家，文章风格是由作家情性所决定的。因此，刘勰认为：内在隐伏的作家情性，决定了外在显露的文章风格。《汉书·司马相如传》："《易》本隐以之显。"《文赋》："或本隐以之显。"王充《论衡·超奇》："有根株于下，有荣叶于上；有实核于内，有皮殼于外。文墨辞说，士之荣叶皮壳也。实诚在胸臆，文墨著竹帛，外内表里，自相副称。意奋而笔纵，故文见而实露也。"[②]刘勰认为，作家独特的情性并不仅指先天个性，它包含了才、气、学、习四个方面的内容，既与先天才气相关，又与后天习染有关，风格的本质是作家的创作个性。在齐梁时代，这样深入的文学风格阐释与原因探究是绝无仅有的。扬、马为刘勰提供了绝佳的论证案例。而在《体性》中提出已见，又在后文以《才略》对应拓展之，体现了《文

① 李天道先生著《文心雕龙审美心理学》及《司马相如赋的美学思想和地域文化心态》，对此有深刻而细致的解说，可参。

② 黄晖：《论衡校释》（附刘盼遂集解），北京：中华书局，第609页。

心雕龙》在全书体例设计上的过人之处。

《风骨》篇紧接《体性》篇"风趣刚柔"的刚柔风格类型论与"数穷八体"的八体风格类型论，是熔铸二者、化合为一的集成之说，主要倡导的是文学风格的共时审美理想，主张文章不仅要有风格，更要有"风骨"。司马相如《大人赋》文采过人，感染力极强，被刘勰征引在本篇之中，作为论述"风骨"感染力的唯一作品："昔潘勖《锡魏》，思摹经典，群才韬笔，乃其骨髓峻也；相如赋仙，气号凌云，蔚为辞宗，乃其风力遒也。"①《风骨》篇是四百年"龙学"研究史上最热门、最集中、最具争议的内容。②

潘勖《册魏公九锡文》原文颇长③，在此不具。刘勰以为："潘勖《锡魏》，思摹经典，群才韬笔，乃其骨髓峻也。"潘勖，字元茂，建安十八年（公元213年）汉献帝策命曹操为魏公，加九锡，策文为潘勖所作，载《文选》三十五及《三国志·魏志·武帝纪》。文中"思摹经典"一说，指的是潘勖这篇文章，是从正宗的儒家经典中模仿写作出来的。何义门评本文云："全仿《尚书》行文。"方伯海评云："褒辑《尚书》、《左》、《国》以成文，浑朴质穆。"

"韬笔"，指搁笔。群才搁笔，指压倒当时许多作者。《太平御览》卷五九三引《殷洪（应作芸）小说》："魏国初建，潘勗字元茂，为策命文，自汉武已来，未有此制，勗乃依商周宪章，唐虞辞义，温雅与典诰同风。于时朝士，皆莫能措一字。……及晋王為太傅，腊日大会宾客，勗子蒲时亦在焉。宣王谓之曰：尊君作《封魏君策》，高妙信不可及。吾曾闻仲宣亦以为不如。"

骨髓，是支撑人或动物身体骨架的内在支柱脊柱中的精华，作为人体内的造血组织，位于长骨的髓腔及所有骨松质内。峻，本义指山高而陡，引申为高大、

① 潘勖《册魏公九赐文》是作为有"风骨"的文章，具备言辞精约、摹写经典之特点，与相如赋功用不同。

② 据陈耀南先生统计，仅仅到1988年，关于"风骨"的理解就有六十多种，论文数百篇；经过二十多年的发展，又出现了更多的研究文章乃至研究专著，新说不少。回顾"风骨"研究史，论述"风骨"内涵的时候有两种主要的倾向：分论"风""骨"与合观"风骨"。将"风""骨"分论的意见主要有三种情况：一是"风即文意，骨即文辞"说（黄侃）；与之相反的意见是"风即文辞，骨即文意"说（刘永济）；还有一类意见是认为"风"与"骨"近义，均指内容与形式（张少康）。这三类意见中影响最大的是黄侃先生"风意骨辞"说，后人无论是赞成，是反对，或是改动此说，都逃不开将"风"与"骨"割裂开来分析的路数。强调"风骨"合观的研究意见主要有如下五种：一是认为"风骨"是阳刚的风格类型（詹锳、王小盾等），这是当前最主要的意见；二是认为"风骨"是集合"典雅、精约、显附、壮丽"等优良文风的"雅丽"风格（刘禹昌）；三是认为"风骨"是文质彬彬的中和之美（牟世金）；四是认为"风骨"内涵与"建安风骨"或"建安风力"近似（王运熙等）；五是认为"风骨"是儒家刚健中正的人格修养的表现（李凯）。有的研究者还讨论了"风骨"与文采的关系问题，主要的意见有三类：一是"风、骨、采"三者并列，与《宗经》"六义"相互对应（易中天）；二是认为"风骨"与文采分属文章的内容和形式，二者是相互对立的关系（张少康）；三是指出"风骨"与文采是并列关系，而不是从属关系或因果关系（曹顺庆）。刘永济先生从《镕裁》"三准"说角度提出解析"风骨"为"风、骨、采、情、事、辞"等要素的意见，也可以归入此类。更进一步，有的研究者从魏晋时风与人物品藻、书画理论、文学理论、时代风气之弊与文学创作之弊等角度提出了刘勰论述"风骨"的背景与目的，其代表有王运熙、汪涌豪先生等。

③ 转引自严可均辑《全后汉文》卷八十七。又载萧统《文选》，袁宏《后汉纪》卷三十，陈寿《三国志·魏志·武帝纪》。

严厉苛刻、深刻等义项，在这里用深刻义最佳。骨髓峻，是以比喻手法，点明此文思想很深刻、内容高大上的基本特点。王金凌："潘勖《册魏公九锡文》，今人多谓辞虽典雅，事不足录，但刘勰处齐梁之际，而六朝禅代，莫不如此。纵然刘勰不以为然，亦口不能言，而称其骨峻，是因为镕式经诰之故。"此文取法于儒家经典，雅正至极，但这篇文章缺少文采之美。

众所周知，《大人赋》又称《大人之颂》，是司马相如的代表作品之一，蕴含丰富的道家思想。[①]文章以"大人"隐喻天子，赋中描写"大人"遨游天庭，与真人相周旋，以群仙为侍从，过访尧舜和西王母，乘风凌虚，长生不死，逍遥自在，是迎合汉武帝喜好神仙，求长生不死的心理，也是借此来讽劝汉武帝好神仙之道的不当。此赋想象丰富，文字糜丽，但是其内容和形式都是模仿《楚辞·远游》，文学价值稍逊《远游》。

《西京杂记》："相如将献赋，未知所为，梦一黄衣翁谓之曰：可谓《大人赋》。遂作《大人赋》，言神仙之事以献之，赐锦四匹。"实际上，《大人赋》本是司马相如伤时与自伤之作，是作者仕进与退隐，出世与入世矛盾心理的流露。这篇赋是因武帝喜好求仙而作的，也可能是迎合武帝心理的游仙文章，收到让武帝读后非常高兴感到飘飘然乘云气遨游天地的效果。此赋用骚体赋形式，汉大赋的手法，虚构夸张地铺叙"大人"游仙，对跨乘的各种龙的想象描写得尤其生动形象。先写"大人"不满人生短促，人世艰难，于是驾云乘龙遨游仙界；然后分东南西北四方写遨游盛况；文末归于超脱有无，独自长存。有人说是"归于无为"来"讽谏"，可能是超越人生，摆脱人世，融于自然造化，得到长生的意思。写游西方见"西王母"几句，就是所谓用仙人居住山谷形貌很瘦来劝诫求仙的。

相如《大人赋》所言神仙之事虽然虚诞，但汉武帝炼金丹、求长生、望不死，故而大受感染，盼望神仙的出现，所以，汉武帝读后"飘飘有凌云之意"，刘勰以为《大人赋》感染力巨大，生动之气充盈满篇，这就是风力遒劲的优秀作品。

刘勰称赞相如赋"气号凌云，蔚为辞宗，乃其风力遒也"，这里的"风力"不是指绝对力量，而是指文章对读者巨大的感染力、吸引力，是从读者阅读角度提出来的"风骨"要素之一。王运熙先生认为："《大人赋》述游仙之事，汉武读后飘飘有凌云之气。刘勰认为这种强大的艺术感染力，来自作品具有飞动的风骨，因为作品骨气端翔，所以读后使人气概凌云。"又说："《大人赋》文接近《楚辞》，较为简练，风貌较为清明爽朗，有飞动之致，故刘勰举以为作品有风力之范例。"所以，《风骨》所论之"风力遒劲"，绝非劲健有力或刚健有力之意，主要是指文

① 司马迁：《史记》（影印本），第3056-3063页。

学作品的内容丰富、文气生动、感染力强的特征，故而“风骨”为阳刚风格之说不能成立。

刘勰引相如赋来论“风骨”，具有特殊的用意，这个用意在以往的“风骨”研究中被忽略了。[①]“风力”所指，有两个鲜明的特点：一是文学作品感染力的得来，需要作家具有相当丰富乃至神奇的想象力。以《大人赋》为例，本篇神奇巨丽，是司马相如丰富神奇的想象力的结果[②]，用《文心雕龙》的话说，是作家“才、气、学、习”化合熔铸的结果。主体写作才华的高妙，是文章风格独特，吸引读者的第一要素。二是本篇闳侈巨衍，主旨不显，是典型的“文丽用寡”的讹滥之文，为什么刘勰会说这篇文章“风力遒劲”呢？这就可见“风力”无关文章的思想倾向，而只关系到文章的内容丰富、技法高妙与语言精彩，文章的形式之美与内容之美触动了读者的心灵。因此，“风”的教化感染功能在脱离政教之后，“风力”即与雅正的思想无关，而是文章内容与外在语言结合生成的巨大感染力。所以，“风骨”所论，核心在于文章的语言表达与审美效果。

在《通变》篇中，司马相如与扬雄被刘勰视为完美体现了文学发展继承规律与文学新变规律的典型。在“斟酌质文、隐括雅俗”之后，刘勰认为汉赋的创作不仅体现了文学新变的规律，还具有继承前代、一脉相承的特点。

> 夫夸张声貌，则汉初已极。自兹厥后，循环相因，虽轩翥出辙，而终入笼内。枚乘《七发》云：“通望兮东海，虹洞兮苍天。”相如《上林》云：“视之无端，察之无涯；日出东沼，月生西陂。”马融《广成》云：“天地虹洞，固无端涯；大明出东，月生西陂”。扬雄《校猎》云：“出入日月，天与地沓”。张衡《西京》云：“日月于是乎出入，象扶桑于濛汜。”此并广寓极状，而五家如一。诸如此类，莫不相循。[③]

关于此段所引相如原作，历代以来认为其中存在有歧义的字句。杨明照先生《校注》云：“按当依《上林赋》作‘入乎西陂’。此盖写者涉下《广成颂》‘月生

---

① 在“风骨”研究中谈到司马相如《大人赋》的时候，主要有两种意见，一是指责刘勰引用不当，将虚辞滥说的汉代辞赋用到这里来，是笔误；二是认为刘勰引用很好，司马相如作品文采出众，与潘勖作品刚好形成一对相反风格的组合。这样，“风”与“骨”各自就是对立矛盾的一组范畴，一为形式，一为内容，矛盾对立。笔者认为这两种说法都是可以再作讨论的。

② 本篇因为字数太多，在此不录。相如以“大人”隐喻天子，赋中描写“大人”遨游天庭，与真人相周旋，以群仙为侍从，过访尧、舜和西王母，乘风凌虚，长生不死，逍遥自在，是迎合汉武帝喜好神仙，欲求长生不死的心理，而暗含规讽之旨，是“隐主旨，秀佳句”的典范作品。相如此赋想象丰富，文字糜丽，极尽夸饰之能事，但是其内容和形式都仿自屈原《远游》，故独创性稍逊。

③ 黄叔琳注，李详补注，杨明照校注拾遗：《增订文心雕龙校注》，第398页。

西陂’而误。”《文选》李善注：“张揖云：日朝出苑之东池，暮入于苑西陂中。善曰：《汉宫殿簿》曰：长安有西陂池、东陂池。”清孙志祖《文选考异》卷一：“《上林赋》入乎西陂：按……与马融《广成颂》‘大明出東，月生西陂’，辞旨自别。”汉赋五家描写海天日月的壮丽景象，尽管言辞有差异，但同时体现了“夸张声貌”的时代风气。淋漓尽致地表现了“汉赋巨丽”的夸饰特点。如此，文学需要继承前代因子，需要合理得法地创新变化——文学通变的共时规律就被揭示出来。司马相如在这一重要的篇章中再次出场，成为刘勰笔下的成功范例。

詹锳先生《文心雕龙义证》在论述到这里的时候，有一段深刻的见解，摘引如下：

> 按：在艺术形式方面，刘勰对辞的夸张描写，举出汉朝五位赋家的描绘作为例证，说明描写方式大都是继承前人而又有所变化。就他所举的对于大海和天地日月的描写来看，变化是不大的，所以他才得出“五家如一”、“莫不相循”的结论。他也说“参伍因革，通变之数也”，就是说通变的方术是有因袭、有革新，继承与创造交替运用，但在他举出的“五家如一”的例子里，并没有把创造的因素显示出来。他指出“虽轩翥出辙，而终入笼内”，意思是说虽然想高飞远驰越出轨辙，始终离不开固定的圈子。这种说法，实质上是抹煞了创造性。象曹操的《观沧海》，虽然以同类的文辞来描写大海和天地日月，却用来象征他博大的胸怀，不是单纯的写景，岂不就跃出圈子了吗！①

通，指继承，继承前人的写法；变，指创造，创造新的写法。二者的结合，是此段的核心观念。那么，怎样才能既继承前人，又能自我新变呢？刘勰实际上并没有告诉我们。司马相如等辞赋高手，主要是靠着自己的卓越才华在写作，写出来的日月景色也并非一致，只是在大体上有相似性而已。这本来就是有继承（日月等选材内容、景色特点、相似措辞）又有新变（措辞不同、具体景色不同、描述重点不同）的作品。

二、写作技法论

从《镕裁》到《附会》的十二个专题主要论述写作技法问题，属于微观层面的写作研究。司马相如在《丽辞》《夸饰》《事类》《练字》等篇章中继续扮演着

① 刘勰著，詹锳义证：《文心雕龙义证》，上海：上海古籍出版社，1989年，第1101-1102页。

经典作家的角色，其创作得失与文字小学水平，成为刘勰在这些篇章中立论或驳论的基本标准。

《丽辞》篇论述对偶修辞，诗赋皆用。“丽辞”技法是文学原道之“形文”的基本特点，刘勰从文学原道的哲学原理高度说：“造化赋形，支体必双；神理为用，事不孤立。夫心生文辞，运裁百虑；高下相须，自然成对。”[①]自然万物具有“支体必双”“事不孤立”的特点，因此，“心生文辞”一定具有“自然成对”的基本属性。在诗歌、辞赋成就已经很高且骈文大兴的汉魏六朝时代，刘勰此表述可谓是准确地把握住了文学发展的时代脉搏，《文心雕龙》主张“新变”“趋时”的文学发展观，“丽辞”理论就是一个显著成就。在刘勰看来，开启“丽辞”技法运用的是这样几个人：“自扬、马、张、蔡，崇盛丽辞，如宋画吴冶，刻形镂法，丽句与深采并流，偶意共逸韵俱发。”[②]范文澜先生注“宋画吴冶”曰：“扬雄、司马相如、张衡、蔡邕，两汉文人之首。《庄子·田子方》篇：‘宋元君将画图，众史皆至，受揖而立，舐笔和墨，在外者半。有一史后至者，儃儃然不趋，受揖不立，因之舍。公使人视之，则解衣般礴赢。君曰，可矣，是真画者也。’《吴越春秋·阖闾内传》：‘干将作剑，采五山之铁精，六合之金英，候天伺地，阴阳同光，百神临观，天气下降。而金铁之精不销沦流。……干将妻乃断发剪爪，投入炉中，使童女童男三百人鼓橐装炭，金铁乃濡，遂以成剑。’《淮南子·修务训》：‘夫宋画吴冶，刻刑镂法，乱修曲出。其为微妙，尧舜之圣不能及。’高诱注：‘宋人之画，吴人之冶，刻镂刑法，乱理之文，修饰之巧，曲出于不意也。’”“刻形镂法”，刻画形貌，雕镂法式、图样。这里用画图和冶炼的修饰提炼来比喻写作。司马相如与扬雄在对偶修辞技法上引领了新变潮流。

刘勰归纳的“丽辞之体”，共有“言对、事对、反对、正对”四种，这四种对偶法中，“言对为易，事对为难；反对为优，正对为劣”。“言对者，双比空辞者也”，其中“偶辞胸臆，言对所以为易也”，王力《中国古典文论中谈到的语言形式美》：“拿今天的话来说，言对就是不用典故，事对就是用典故，反对就是反义词或意义不同的词相对，正对就是同义詞或意义相近的词相对。刘勰轻视言对，这是跟骈体文的体裁有关的。从艺术观点说，这个作用不大。”也就是说，言对就是写作措辞不引用经典语句或典章故实，自创语句，显得没有学问，读书少，最多就是才气的显摆罢了——这是当时语境下的批判——但是“言对为美，贵在精巧”，要写好并非易事，并举司马相如为“言对”的代表：“长卿《上林》云：

① 黄叔琳注，李详补注，杨明照校注拾遗：《增订文心雕龙校注》，第447页。
② 黄叔琳注，李详补注，杨明照校注拾遗：《增订文心雕龙校注》，第447页。

'修容乎《礼》园，翱翔乎《书》圃。'此言对之类也。"[①]

《文选》李善注引郭璞曰："《礼》所以整威仪，自修饰也。……《尚书》所以疏通知远者，故游涉之。"司马相如《上林赋》中的"修容"，指的是在《礼》的规定范围内修饰容貌礼仪，所说的"翱翔"，是在《尚书》的范围内自由飞翔。这两句说的是学习礼仪和讲究学问的事，都是以经典苑囿为基础来学习或修饰。司马相如此句以儒家经典《仪礼》《尚书》为苑囿，表明学习感染儒家经典的惬意自由——既有经典基础，又有逍遥自由，是典型的"风力遒也"而深具感染力的作品——这就与他"双比空辞"的论断前后矛盾，截然不合。

发展到《夸饰》篇中，这种主张"丽则"而赞诗，反对"丽淫"而贬骚的观点特别明显。整体上看，《夸饰》篇的基本观点与《辨骚》《诠赋》《情采》《物色》等篇一脉相承，同时深含贯通《文心雕龙》全书的雅丽文学思想。在这一重要的篇章中，司马相如成为最主要的评论对象之一。刘勰在《宗经》《通变》等篇都谈到了"楚艳汉侈"的华丽之美与"夸张声貌"的夸饰技法，《丽辞》《比兴》篇也先后对辞赋夸饰过度进行了不同角度的分析，因此，《夸饰》就专为解决文学创作如何正确使用夸张手法而列，全文从哲学依据、诗骚创作、方法正误几个方面论述了这个意见。文章开篇就说："夫'形而上者谓之道，形而下者谓之器'。……故自天地以降，豫入声貌，文辞所被，夸饰恒存。"[②]刘勰认为，"形而上者"的自然之"道"决定了自然万物文采艳丽的特点，作为"形而下者"的文章之"器"也应该是"文辞所被，夸饰恒存"的。夸饰手法出自天地自然之属性，这就为文学的美丽精神[③]找到了坚实可信的哲学基础。于是，儒家经典与辞赋都是文采绚丽、具有夸饰特点的，但对于经典以外的夸饰现象，刘勰主要持批评的态度。针对的对象就是辞赋创作。

> 自宋玉景差，夸饰始盛；相如凭风，诡滥愈甚。故上林之馆，奔星与宛虹入轩；从禽之盛，飞廉与鹪鹩俱获。……莫不因夸以成状，沿饰而得奇也。[④]

辞赋崇尚夸饰，从战国到两汉皆循流而作，"诡滥愈甚"。以司马相如为代表的两

---

① 黄叔琳注，李详补注，杨明照校注拾遗：《增订文心雕龙校注》，第447页。

② 黄叔琳注，李详补注，杨明照校注拾遗：《增订文心雕龙校注》，第465页。

③ 文学的"美丽精神"一说，由王岳川先生"中国文化的美丽精神"一说演化而出。王先生是以汉字的书写之美看待中国文化（意蕴、视觉）之美；《文心雕龙》论述文学特质，重美尚丽，主张文学的美丽精神，这与当时"采丽竞繁"的齐梁时风也有密切的关联。

④ 黄叔琳注，李详补注，杨明照校注拾遗：《增订文心雕龙校注》，第466页。

汉辞赋创作，呈现出越来越严重的夸饰过度现象。不仅如此，汉赋“事义睽剌”，言说迂回虚诞的弊端则越来越明显。以至后世的模仿者与学习者误入歧途，“辞入炜烨”而“言在萎绝”。

刘勰所论，涉及战国楚辞到汉代大赋发展的数百年文学史，其中主要是针对写作对象、体裁特征与写作手法而言的。范先生注：“扬雄《法言·吾子》篇：或问：‘景差、唐勒、宋玉、枚乘之赋也益乎？’曰：‘必也淫。’‘淫则奈何？’曰：‘诗人之赋丽以则，辞人之赋丽以淫。’屈原，诗人之赋也，尚存比兴之义；宋玉以下，辞人之赋也，则夸饰弥盛矣。”据《史记·屈原列传》记载：“屈原既死之后，楚有宋玉、唐勒、景差之徒者，皆好辞而以赋见称；然皆祖屈原之从容辞令，终莫敢直谏。”杨明照先生《校注》云：“《文选》皇甫谧《三都赋序》：宋玉之徒，淫文放发，言过于实，夸竸之兴，体失之渐，风雅之则，于是乎乖。”屈原作品距离《诗经》时代比较近，所以尚存《诗经》比兴写法和现实主义色彩，有针对性；而从宋玉以下的辞赋作品，不敢揭露现实，采用的是空谈或夸张写作，比兴色彩消失了，也没有了针砭时弊的现实主义色彩，成了华丽而不实用的大赋。于是产生了脱离政治和讽谏的纯文学作品，审美色彩和写作手法上“夸饰弥盛”，这其实是楚辞传播的一大收获。

从宋玉《登徒子好色赋》原文来看：“天下之佳人，莫若楚国。楚国之丽者，莫若臣里。臣里之美者，莫若臣东家之子。东家之子增之一分则太长，减之一分则太短，著粉则太白，施朱则太赤，眉如翠羽，肌如白雪，腰如束素，齿如含贝。嫣然一笑，惑阳城，迷下蔡。然此女登墙窥臣三年，至今未许也。登徒子则不然。其妻蓬头挛耳，齞唇历齿，旁行踽偻，又疥且痔。登徒子悦之，使有五子。王熟察之，孰为好色者矣。”傅庚生《中国文学欣赏举隅》：“此言美丑皆似太夸，然愈夸乃愈見其文笔之可喜也。”黄春贵先生说：“此言夸饰文学之盛行，始於宋玉、景差之徒，彼二人者，上承屈原之流沫，下启汉赋之先鞭，张皇铺陈，崇尚淫丽，渐失诗人比兴之义。”

而司马相如，身逢盛世，凭借武帝好文学、喜辞赋的政治背景和汉帝国雄厚的国力与富强的政治局面，“凭风”依时，继承宋玉、景差之夸饰手法与瑰丽想象，自创雄文，吹嘘更甚。《史记·司马相如列传》：“无是公言天子上林，广大山谷水泉万物，及子虚言楚云梦所有甚众，侈靡过其实。”文学本就允许夸张，《诗经》《尚书》是正宗的儒家经典，有没有夸张？三皇五帝动辄活一两百岁、执政数十上百年，算不算夸张？孟子对牧野之战“流血漂杵”大大怀疑，算不算对夸张手法的质疑？更何况富强盛大的汉帝国时代，雄强博大的气象，本就需要远比屈原楚辞题材和宋玉美色内容更为博大的文体与手法来表达，夸张的本源，是有丰富的想象力和文字传达力，这一点，只有天赋出众的作家才能办得到。梁玉绳《史记志疑》卷三十四就有不同的声音："余谓上林地本广大，且天子以天下为家，故所叙山谷水泉，统形胜而言之。至其罗陈万物，亦惟麟凤蛟龙一二语为增饰。观《西京杂记》、《三辅黄图》，则奇禽异木，贡自远方，似不全妄。况相如明著其指，曰子虚、乌有、亡是，特主文谲谏之义尔。不必从地望所奠，土毛所产，而较有无也。"这是一种开明的态度：若要求文学作品所写事物与自然界的实物一一对应，便有吹毛求疵之嫌。

《文心雕龙》以宗经为第一要义，以雅正为第一批评准则。刘勰对辞赋的整体评价并不高，往往以"楚艳汉侈，流弊不还"[①]"楚汉侈而艳"[②]指责之，又以为学习辞赋，并非习染雅制，故称"效《骚》命篇者，必归艳逸之华"[③]，认为辞赋的影响也是不好的。《定势》篇引用桓谭"文家各有所慕，或好浮华而不知实核，或美众多而不见要约"的话，暗中指向的批评目标，同为辞赋夸饰艳丽的创作。因此，刘勰尽管积极主张文学创作尚丽尚美，但更主张丽而有度，夸而有则，追求"风归丽则"的雅丽之美。刘勰据此开出药方，认为拯救汉赋夸饰巨丽之弊端，应该这样来做：

> 酌《诗》《书》之旷旨，翦扬马之甚泰，使夸而有节，饰而不诬，亦可谓之懿也。[④]

《老子》第二十九章："是以圣人去甚、去奢、去泰。"《韩非子·杨权》："故去甚去泰，身乃无害。"泰，过甚。"《诗》《书》之旷旨"是要求雅正，"扬马之甚泰"是辞赋过于巨丽，要做到二者的结合，"使夸而有节，饰而不诬"，创作既雅且丽的作品，才是对夸饰手法的正确运用。纪昀评曰："文质相扶，点染在所不免，若字字摭实，有同史笔，实有难于措笔之时。彦和不废夸饰，但欲去泰去甚，持平之论也。"这一点，与《辨骚》篇主张的"凭轼以倚《雅》《颂》，悬辔以驭楚篇，酌奇而不失其贞，玩华而不坠其实"观点完全一致，都是在折衷诗骚、取法中和的基础上提出来的新观点。

在《事类》篇中，刘勰讨论了引事用典的修辞方法，司马相如之作，在用典

① 《文心雕龙·宗经》。
② 《文心雕龙·通变》。
③ 《文心雕龙·定势》。
④ 黄叔琳注，李详补注，杨明照校注拾遗：《增订文心雕龙校注》，第466页。

修辞上是最好的范例之一。本篇首先提出儒家经典有用典之举，继而将历代文学家对用典的态度和程度罗列出来。

> 观夫屈、宋属篇，号依《诗》人；虽引古事，而莫取旧辞。唯贾谊《鹏赋》，始用鹖冠之说；相如《上林》，撮引李斯之书：此万分之一会也。[①]

司马相如《大人赋》仿自屈原《远游》，这是他辞赋创作模仿借鉴的一面。具体到《上林赋》中，有“建翠华之旗，树灵鼍之鼓”的句子，刘勰认为是从李斯《谏逐客书》中“建翠凤之旗，树灵鼍之鼓”征引而来的。成语“万分之一”，见于《战国策·韩策三》及《史记·张释之列传》等，指非常偶然的会合。司马相如《上林赋》开启了辞赋文学用典的先河，为后来扬雄、班固等在辞赋写作中引经据典，运用这种手法做出了榜样示范，难能可贵。

但因为相如少年时好武，早岁为侍卫，课学不多，所以相如赋尽管才思纵逸，在用典上却有错讹，刘勰举出了一个著名的例子。

> 凡用旧合机，不啻自其口出；引事乖谬，虽千载而为瑕。陈思，群才之英也,《报孔璋书》云:“葛天氏之乐，千人唱，万人和，听者因以蔑《韶》、《夏》矣。”此引事之实谬也。按葛天之歌，唱和三人而已。相如《上林》云:“奏陶唐之舞，听葛天之歌，千人唱，万人和。”唱和千万人，乃相如接人。然而滥侈葛天，推三成万者，信赋妄书，致斯谬也。[②]

刘勰将曹植笔下“葛天氏之乐，千人唱，万人和”的引用错误归结于司马相如《上林赋》“葛天之歌，千人唱，万人和”之夸饰描写，因为据原书记载，“葛天之歌，唱和三人而已”，司马相如夸张为千万人唱和，以至曹植将错就错，谬误千载。

《吕氏春秋·古乐》篇:“昔葛天氏之乐，三人操牛尾，投足以歌八阙。”相如《上林赋》:“奏陶唐氏之舞，听葛天氏之歌，千人唱，万人和，山陵为之震动，川谷为之荡波。”纪昀评论说:“千人万人，自指汉时之歌舞者，不过借陶唐葛天点缀其事，非即指上二事也。子建固误，彦和亦未详考也。”认为司马相如的意思，是讲后世宫廷奏歌，有千万人唱和，并不是指原来的葛天氏歌的体制。

---

① 黄叔琳注，李详补注，杨明照校注拾遗:《增订文心雕龙校注》，第473页。
② 黄叔琳注，李详补注，杨明照校注拾遗:《增订文心雕龙校注》，第474页。

梁玉绳《史记志疑》卷三十四“《司马相如传》听葛天氏之歌，千人唱，万人和”条附案：“余谓千唱万和，此赋乃总承上文，非专言葛天，谬在陈思，不在相如。”梁章钜《文选旁证》卷十一“千人倡万人和”条：“按此赋千倡万和，乃总承上文，非专属葛天。当由陈思误用，不得以此讥相如矣。”牟世金先生注曰：“这里，刘勰不论《上林赋》之误，而评曹植之论，当于文学描写与论述文不同有关。曹植的‘信赋妄书’，正是忽略了这种区别。”

不管司马相如和陈思王曹植谁对谁错，笔者对此一分为二地看待之：一方面，刘勰笔下的儒家经典具有绝对崇高的地位，经典无误，引事就该实事求是，不得篡改；另一方面，汉赋本就以夸饰为基本手法而呈现巨丽的风格特征，没有夸饰，哪里来的汉赋？刘勰以经典之实，衡量汉赋之丽，当然会得出“辞赋丽淫，经典丽则”的结论。对文学创作而言，这种桎梏与自设之藩篱是错误的，与赞美楚辞“惊采绝艳”之说也前后矛盾，这是《文心雕龙》文学指导思想——绝对宗经的一个缺陷。

《练字》篇论述到作家的文字小学功夫与写作中词语选择的问题，是一篇别开生面的专论。将写作措辞具体化到一个字词的选择运用，是写作进入微观操作层面最小的环节。据班固《汉书·艺文志》与许慎《说文解字·序》等古籍记载，我们可以简略地知晓古代文字发展的基本线索，可以为本篇的解读打下一点基础。班固《汉书·艺文志》论述“六艺略”时，于六经及《论语》《孝经》之后，专列“小学”，所记录的小学名家凡十家，汉代小学的第一家就是“《凡将》一篇，司马相如作”。十家之后，总结其说曰：

> 《易》曰：“上古结绳以治，后世圣人易之以书契，百官以治，万民以察，盖取诸夬。”“夬，扬于王庭”，言其宣扬于王者朝廷，其用最大也。古者八岁入小学，故周官保氏掌养国子，教之六书，谓象形、象事、象意、象音、转注、假借，造字之本也。汉兴，萧何草律，亦著其法，曰“太史试学童，能讽书九千字以上，乃得为史。又以六体试之，课最者以为尚书御史史书令史。吏民上书，字或不正，辄举劾。”六体者，古文、奇字、篆书、隶书、缪篆、虫书，皆所以通知古今文字，摹印章，书幡信也。古制，书必同文，不知则阙，问诸故老，至于衰世，是非无正，人用其私。故孔子曰：“吾犹及史之阙文也，今亡矣夫!”盖伤其濅不正。《史籀篇》者，周时史官教学童书也，与孔氏壁中古文异体。《苍颉》七章者，秦丞相李斯所作也；《爰历》六章者，车府令赵高所作也；《博学》七章者，太史令胡母敬所作也：文字多取《史籀篇》，而篆体复

颇异，所谓秦篆者也。是时始造隶书矣，起于官狱多事，苟趋省易，施之于徒隶也。汉兴，闾里书师合《苍颉》、《爰历》、《博学》三篇，断六十字以为一章，凡五十五章，并为《苍颉篇》。武帝时司马相如作《凡将篇》，无复字。元帝时黄门令史游作《急就篇》，成帝时将作大匠李长作《元尚篇》，皆《苍颉》中正字也。《凡将》则颇有出矣。至元始中，征天下通小学者以百数，各令记字于庭中。扬雄取其有用者以作《训纂篇》，顺续《苍颉》，又易《苍颉》中重复之字，凡八十九章。臣复续扬雄作十三章，凡一百二章，无复字，六艺群书所载略备矣。《苍颉》多古字，俗师失其读，宣帝时征齐人能正读者，张敞从受之，传至外孙之子杜林，为作《训故》，并列焉。①

在班固所记载的文字发展简史中，西汉的司马相如是一个很特别的文字学专家，他的文字创作与《仓颉》篇文字重合的简易的写作方式不同，与之“颇有出矣”，所作《凡将篇》，全书“无复字”，充分显示了司马相如精深的文字学功夫与蜀中学术根植于中原、且能独立于汉代的实际情况。往后，扬雄不仅有文字学著作，更担任西汉一朝文字学总编纂一职，采摘各家所长，单独汇聚成《训纂》一书，共 89 章之多，不仅接续了《仓颉篇》，而且特立独行地将其中的重复字全部换掉。这两位大师均是了不起的文字学专家学者。班固在扬雄基础上接续 13 章，共 102 章。从司马相如，扬雄，到班固，汉代文字学发展风生水起，名家辈出。上述三人，之所以能成为当时最著名的辞赋大家，位居汉赋四大家之列，与他们精深的文字学造诣是密不可分的。因为当时的官书都是篆书，包含先秦各体篆书文字，通晓各体文字，才会有丰富的辞赋遣词造句的能力。

汉末许慎曾师事贾逵攻古文经学，为更正秦汉以来书体错乱和今文经派臆解经义之谬，积二十年之力撰写了《说文解字》，为我国古文字学的开山之作。其《序》文篇幅较长，大致讲了五层意思：一是阐述文字起源问题，二是介绍周秦文字的演变历史，三是介绍汉代文字学发展，四是指出东汉今文经学尊崇隶书反对古文的错误，五是说明作书的态度、意义和体例。其中心，是站在古文经学的立场上，阐述汉代书体与古文的联系，要求人们不要忘记古文，不要忘记文字象形的特点，这样才能正确理解文字的内涵，懂得作书的意义。这篇《序》，既是对《说文解字》提纲挈领的概述，对书法、传统文字学的研究也有着重要的意义

① 班固：《汉书》（影印本），第 1720-1721 页。

和价值。与本文所述有关的内容如下：

《周礼》：八岁入小学，保氏教国子先以六书。一曰指事。指事者，视而可识，察而见意，上下是也。二曰象形，象形者，画成其物，随体诘诎，日月是也。三曰形声。形声者，以事为名，取譬相成，江河是也。四曰会意。会意者，比类合谊，以见指撝，武信是也，五曰转注。转注者，建类一首，同意相受，考老是也。六曰假借。假借者，本无其字，依声托事，令长是也。及宣王太史籀著《大篆》十五篇，与古文或异。至孔子书《六经》，左丘明述《春秋传》，皆以古文，厥意可得而说。其后诸侯力政，不统于王，恶礼乐之害己，而皆去其典籍。分为七国，田畴异亩，车途异轨，律令异法，衣冠异制，言语异声，文字异形。秦始皇初始天下，丞相李斯乃奏同之，罢其不与秦文合作者。斯作《仓颉篇》，中车府令赵高作《爰历篇》，太史令胡毋敬作《博学篇》，皆取史籀大篆，或颇省改，所谓小篆者也。是时秦烧灭经书，涤除旧典，大发隶卒，兴役戍，官狱职务日繁，初有隶书，以趣约易，而古文由此绝矣。自尔秦书有八体：一曰大篆，二曰小篆，三曰刻符，四曰虫书，五曰摹印，六曰署书，七曰殳书，八曰隶书。

汉兴有草书。尉律：学童十七以上始试，讽籀书九千字乃得为吏；又以八体试之。郡移太史并课，最者以为尚书史。书或不正，辄举劾之。今虽有尉律，不课，小学不修，莫达其说久矣。孝宣时，召通《仓颉》读者，张敞从受之；凉州刺史杜业、沛人爰礼、讲学大夫秦近，亦能言之。孝平时，征礼等百馀人令说文字未央廷中，以礼为小学元士，黄门侍郎扬雄采以作《训纂篇》。凡《仓颉》以下十四篇，凡五千三百四十字，群书所载，略存之矣。及亡新居摄，使大司空甄丰等校文书之部，自以为应制，作颇改定古文。时有六书：一曰古文，孔子壁中书也；二曰奇字，即古文而异者也；三曰篆书，即小篆，秦始皇帝使下杜人程邈所作也；四曰佐书，即秦隶书；五曰缪篆，所以摹印也；六曰鸟虫书，所以书幡信也。①

根据许慎的记载，周代官方贵族教育即有六书：指事、象形、形声、会意、转注与假借，这是从造字法、识读法的角度分出来的。秦国书有八体：大篆、小

① 许慎：《说文解字》，北京：九州出版社，2001年，第876-883页。

篆、刻符、虫书、摹印、署书、殳书、隶书，这是从书写历史与发展变形角度来说的。东汉时有六书：“一曰古文，孔子壁中书也；二曰奇字，即古文而异者也；三曰篆书，即小篆，秦始皇帝使下杜人程邈所作也；四曰佐书，即秦隶书；五曰缪篆，所以摹印也；六曰鸟虫书，所以书幡信也”，这是从形态与功能角度来说的。在周代至汉代整个的文字学历史上，扬雄是汉代最杰出的代表学者。根据前文所述，我们知道，扬雄的学术与司马相如一样，根植于蜀中，这解释了为什么司马相如、王褒、扬雄三人集体涌现于蜀地的一大原因：精通文字学，独立于汉代学术界。

以上是古代文字演变的简略历史线索，截至东汉许慎止。蜀中名家司马相如之所以能在辞赋创作中引领风尚，成为一代俊杰，一个重要的原因是他是西汉著名的文字小学专家，学术水平一流，在其辞赋创作中运用了大量的古文字或方言文字，这种修养是东汉与魏晋作家群所不具备的。刘勰说：

> 汉初草律，明著厥法：太史学童，教试“六体”；又吏民上书，字谬辄劾。……至孝武之世，则相如譔《篇》。及宣、成二帝，征集小学：张敞以正读传业，扬雄以奇字纂《训》，并贯练《雅》、《颂》，总阅音义。鸿笔之徒，莫不洞晓；且多赋京苑，假借形声。是以前汉小学，率多玮字；非独制异，乃共晓难也。暨乎后汉，小学转疏；复文隐训，臧否太半。及魏代缀藻，则字有常检；追观汉作，翻成阻奥。故陈思称：“扬、马之作，趣幽旨深，读者非师传不能析其辞，非博学不能综其理。”岂直才悬，抑亦字隐。①

刘勰在继承班固、许慎意见的基础上指出：在汉武帝时代，司马相如编写了《凡将篇》，他精通《尔雅》《仓颉》等古文字书籍，全面掌握了文字的音义。当时的辞赋大家，无不通晓文字之学。加之他们的作品主要是描写京都苑囿的，常用假借字来状貌形声，因此，西汉时期擅长文字学的作家，大都好用奇文异字，这并非他们特意要标新立异，而是当时的作家都通晓难字，这其中，司马相如就是最著名的代表人物之一。

骆鸿凯先生曾说：“（相如赋）好用连语双声叠韵诸联绵字也。此盖因扬马之流，精通小学，故能撮字书之单词，缀为俪语，或本形声假借之法，自铸新词。”这就指出了汉赋大家的一个重要基本功——文字小学工夫的修为，司马相如是汉

① 黄叔琳注，李详补注，杨明照校注拾遗：《增订文心雕龙校注》，第484页。

代著名文字学家，他的大赋创作当然体现了他的学术修养，这是时代的必然，也是汉赋创作的一大特色。自相如始，扬雄、班固、张衡等著名汉赋大家，无一不是精通小学的高手。

简而言之，在刘勰深入探讨文学作品的语言文字问题之时，司马相如又在小学水平与文献编纂成就上成为他取材立论的最重要对象。

第七节　笼圈条贯：司马相如与《文心雕龙》批评论

从《时序》到《程器》这五篇一般被称为批评论，主要是宏观地对文学发展史、文学鉴赏、作家才略、道德修养等问题进行整体探讨，巴蜀三杰在这部分内容中也有突出的贡献。

《时序》篇是我国第一篇文学史论，对先秦至齐梁“九代文学”的“文质之变”作出了从现象到本质的深度阐释。在汉代，司马相如引领时代风尚，成为著名的文学家。

《物色》篇是《文心雕龙》的第四十六篇，就自然现象对文学创作的影响，来论述文学与现实的关系。全篇分三个部分。第一部分论自然景色对作者的影响。刘勰从四时的变化必然影响万物的一般道理，进而说明物色对人的巨大感召力量；不同的季节也使作者产生不同的思想感情。根据这种现象，刘勰提炼出一条基本原理：“岁有其物，物有其容；情以物迁，辞以情发。”相当精辟地概括了文学创作和自然景物的关系。第二部分论述怎样描写自然景物。必须对客观景物进行仔细的观察研究，再进而结合物象的特点来思考和描写。刘勰从《诗经》中描绘自然景色的具体经验中，概括出“以少总多”的原则，认为这是值得后人学习的。对汉代辞赋创作中堆砌辞藻的不良倾向，刘勰提出了批评，要文学创作避免这种“繁而不珍”的罗列。第三部分总结了晋宋以来“文贵形似”的新趋向，提出一些具体的写作要求：首先是要密切结合物象，“体物为妙，功在密附”；其次强调“善于适要”，能抓住物色的要点；再次是要继承前人并加以革新，做到“物色尽而情有余”；最后强调“江山之助”，鼓励作者到取之不尽的大自然中去吸取营养。

在展开具体论述的时候，刘勰将《诗经》与屈原《离骚》对比论述：

> 《诗》人感物，联类不穷。流连万象之际，沉吟视听之区。写气图貌，既随物以宛转；属采附声，亦与心而徘徊。故“灼灼”状桃花之鲜，

> “依依”尽杨柳之貌，“杲杲”为出日之容，“瀌瀌”拟雨雪之状，“喈喈”逐黄鸟之声，“喓喓”学草虫之韵。“皎日”、“嘒星”，一言穷理；“参差”、“沃若”，两字连形：并以少总多，情貌无遗矣。虽复思经千载，将何易夺？及《离骚》代兴，“触类而长”；物貌难尽，故重沓舒状：于是“嵯峨”之类聚，“葳蕤”之群积矣。[①]

刘勰以为《诗经》对自然景物的描写属于言简意赅的类型，使用不同的拟声词写声音、不同的形容词摹状貌，整体的特点是“以少总多，情貌无遗”，刘勰征引的大量例子都是以少量的文字来表达出丰富的内容，并把事物的神情形貌纤毫无遗地表现出来了，所以很精炼。及至《楚辞》继《诗经》而起，所写事物触类旁通而有所发展，所以屈原楚辞最大的特点是“触类而长，物貌难尽”，反复描写，“重沓舒状”，词汇便复杂繁富起来。

《诗经》言简意赅的精炼描写是历代公认的，任举例证如下。

（1）写水中植物：蒹葭苍苍，白露为霜。

（2）写水中鸟儿：关关雎鸠，在河之洲。

（3）写路堤杨柳：昔我往矣，杨柳依依；今我来思，雨雪霏霏。

（4）写天气炎热：七月流火，九月授衣。

笔者以为：《诗经》的景物描写以简约为主要特色，这是与它采用四言为主的句型和当时文学发生的质朴状态有很大关系的。如果将《诗经》的内容用后来的辞赋手法或今天的白话文翻译渲染，必然不再简约若是。

而屈原楚辞中的景物描写比《诗经》则更进一步，体现在几个方面：一是增加了景物描写的渲染、抒情功能；二是增加了隐喻、象征的含义；三是增加了情景交融的审美成分。任举例证如下。

（1）《离骚》写陆上草木句：余既滋兰之九畹兮，又树蕙之百亩。畦留夷与揭车兮，杂杜衡与芳芷。

这些植物、花卉的描写，表面上是在说屈原本人的生活状态与心情，实则含有隐喻及象征意义，这是《诗经》写景起兴手法的大大拓展，文字内容的增多与景物名称的增加，必然带来反复描写，“重沓舒状”的感受。

（2）《湘夫人》写水中草木句：袅袅兮秋风，洞庭波兮木叶下。桂栋兮兰橑，辛夷楣兮药房。

---

① 黄叔琳注，李详补注，杨明照校注拾遗：《增订文心雕龙校注》，第566页。

《湘夫人》中的“帝子”，表面上是神话中的湘夫人[1]，然而，实际上隐喻屈原自己心中日夜关注着的楚国国君；自然地，湘君这一神话人物，象征的是身遭流放的屈原本人。湘君为了迎接湘夫人的降临所做的种种努力，预示着屈原为了重新见到楚国国君所做的种种事情，其间，多种多样的植物、花卉、江景、洲渚，一系列的迎神、降神、娱神行为与细腻而惶恐的心理描写，婉转曲致，言不由衷，想直接表达，又放不下被流放的脸面与内心的愤恨，然而忠君报国的情怀与楚国日渐衰败的实情，又逼迫屈原不得不放下身段，期待乃至哀求楚王能够不计前嫌，重新召见自己，让自己能够再次为国出力。这样现实而残酷的背景，与瑰丽神奇的艺术传达，二者之间的共鸣，是一般读者体会不到的。因此，楚辞的艺术色彩，与直白朴实的《诗经》整体上是相异的。

在以上描写陆地、水中草木的两则例证之外，屈原楚辞作品中还有大量描写山川、河流、风云、动物的例证，在此不一一列举。

综上，楚辞多是借景抒情，借物喻人，抒发志向，借现场身边之物以代其心意，所以求其真意，知其事实，知其人物，是读懂楚辞的关键。

因此，《诗经》与楚辞，前者简约，后者繁缛，这是二者在景物描写方面最大的不同。

顺流而下，汉代大赋不仅吸收了楚辞写景的内容和繁缛的写法，还加入了许多作者主观的虚构、想象与夸张，不仅不再是《诗经》精炼准确的样子，甚至于不是楚辞从多角度反复描写景物的样子，而是走向了华丽过度、虚辞滥说的不当状态，刘勰说：

> 及长卿之徒，诡势瓌声；模山范水，字必鱼贯：所谓诗人丽则而约言，辞人丽淫而繁句也。[2]

“长卿之徒，诡势瓌声”，指的是以司马相如为代表的汉赋作家群体，写作中追求诡奇的声势。“模山范水，字必鱼贯”指的是对山水等自然景物的描写，犹如游鱼，有自然先后的顺序。这里实际上说的是汉赋大力使用铺排的写作手法，而且“繁类成艳”，以至雄文涛涛，不可抑制。范文澜先生注：“司马相如《上林赋》：荡荡兮八川分流，相背而异态。……汩乎浑流，顺阿而下，赴隘陕之口。触穹石，

① 《湘君》《湘夫人》分别以湘水男神和湘水女神为咏诵主体，互相表达思慕之情。王逸以为湘君是水神，湘夫人是舜之二妃。有学者认为湘夫人是娥皇、女英，湘君是舜帝。

② 黄叔琳注，李详补注，杨明照校注拾遗：《增订文心雕龙校注》，第566-567页。

激堆埼，沸乎暴怒，汹涌滂㴆，滭弗宓汩，湢测泌瀄，……于是乎崇山巃嵸，崔巍嵯峨，深林钜木，崭岩㟥嵳，……状貌山川，皆连接数十百字，汉赋此类极多，所谓字必鱼贯也。”

骆鸿凯先生则从另一个角度指出：“字必鱼贯者，谓好用连语双声叠韵诸连绵字也。此盖因扬马之流，精通小学，故能撮字书之单词，缀为俪语，或本形声假借之法，自铸新词。”这就指出了汉赋大家的一个重要基本功——文字小学工夫的修为，司马相如是汉代著名文字学家，他的大赋创作当然体现了他的学术修养，这是时代的必然，也是汉赋创作的一大特色。自相如始，扬雄、班固、张衡等著名汉赋大家，无一不是精通小学的高手。

扬雄《法言·吾子》篇：“诗人之赋丽以则，辞人之赋丽以淫。”“丽以则”指美丽典雅，“丽以淫”指侈丽放荡。这是扬雄在反思自己早年追随相如赋作，大力创作辞赋，人到中年时分，终于感觉到辞赋虽美，但是讽谏功能相当有限，于是幡然悔悟，首先声明写作辞赋是“童子调查篆刻”一样的小把戏，不值得有追求的人大力投入精力，然后提出了上述著名的“丽淫丽则”说。简言之，《诗经》之丽，是简约而符合规范的，辞赋之丽，是繁缛而过度的。

班固《汉书·艺文志》记载说：“大儒孙卿及楚臣屈原，离谗忧国，皆作赋以风，咸有恻隐古诗之义。其后，宋玉、唐勒，汉兴枚乘、司马相如，下及杨子云，竞为侈丽闳衍之词，没其讽喻之义，是以扬雄悔之，曰：‘诗人之赋丽以则，辞人之赋丽以淫。’”①对此，黄海章先生认为，从屈原楚辞开始，之所以要大力展开景物描写，主要的目标，还在曲尽事物的情态，用以寄托作者的心情。等到司马长卿一般辞赋家出来，便一味铺张扬厉，对事物作夸大的描写，而无真实的情感存乎其间，就不免“淫丽而繁滥”了。

所以，扬雄批判的，还不只是辞赋景物描写过度方面的问题，更在于其思想内容已经被冲淡到读者几乎无法觉察的地步，没有了讽谏乃至充实的思想内容，汉赋的政治功能几乎可以忽略不计。

《才略》篇既是对《体性解字》篇风格类型理论的补充，也是对历代著名作家的一次全面比较，司马相如在刘勰点评的七十多位“九代文学”作家中地位极为显赫。

相如好书，师范屈、宋，洞入夸艳，致名“辞宗”；然核取精意，

① 班固：《汉书》（影印本），第1756页。

理不胜辞，故扬子以为“文丽用寡者长卿”，诚哉是言也！[①]

司马相如以其开天下先的大赋创作，被尊称为“赋圣”，但是文采扬厉过度，有丽而不雅之嫌。在评论完两汉数十位著名作家之后，刘勰将相如进一步上升为两汉文学的断代标志。

然自卿、渊已前，多役才而不课学；向、雄以后，颇引书以助文：此取与之大际，其分不可乱者也。[②]

本句中论述到的“卿、渊、向、雄”，分别指的是长卿司马相如、子渊王褒、刘向、扬雄四人，刘勰以四人为两汉文学最重要的经典作家。在西汉，司马相如与王褒“多役才而不课学”，才华横溢，独步当世；在两汉之交，自刘向与扬雄“引书以助文”开始，汉代作家才逐渐改变了仗气使才而欠缺学习的不足。这既是巴蜀文学在汉代的前后变化，也是整个汉代文学在创作上的分水岭——司马相如、王褒、扬雄是两汉断代文学史上最优秀的代表。

《知音》篇是古代文论史上最出名的一篇文学鉴赏专文。扬、马二人各自以创作与理论成就位列其中。刘勰认为“知音”甚难，贵古贱今的现象很多，比如：“昔《储说》始出，《子虚》初成，秦皇、汉武，恨不同时；既同时矣，则韩囚而马轻，岂不明鉴同时之贱哉？”[③]刘勰以司马相如为汉武帝贵古贱今的牺牲品，这个说法与事实不符。据《史记》记载：

（相如初）事孝景帝，为武骑常侍，非其好也。会景帝不好辞赋，是时梁孝王来朝，从游说之士齐人邹阳、淮阴枚乘、吴庄忌夫子之徒，相如见而说之，因病免，客游梁。梁孝王令与诸生同舍，相如得与诸生游士居数岁，乃着子虚之赋。……蜀人杨得意为狗监，侍上。上读子虚赋而善之，曰：“朕独不得与此人同时哉！”得意曰：“臣邑人司马相如自言为此赋。”上惊，乃召问相如。相如曰：“有是。然此乃诸侯之事，未足观也。请为天子游猎赋，赋成奏之。”上许，令尚书给笔札。[④]

① 黄叔琳注，李详补注，杨明照校注拾遗：《增订文心雕龙校注》，第574页。
② 黄叔琳注，李详补注，杨明照校注拾遗：《增订文心雕龙校注》，第575页。
③ 黄叔琳注，李详补注，杨明照校注拾遗：《增订文心雕龙校注》，第591页。
④ 司马迁：《史记》（影印本），第2999-3002页。

这段记载清楚地表明汉武帝对相如赋“善之”的态度，也记载了相如借机再作大赋、取悦武帝之事实。《史记·司马相如列传》在本段之后并未言及武帝轻慢相如之事。这是《文心雕龙》征引失误的瑕疵之一。刘勰深以为赏鉴之难，发出“见异，唯知音耳”的感叹，他认为鉴赏者必须要有主观的公正态度和具体可操作的方法，于是提出了客观公正的“六观”说[①]，作为文学鉴赏的客观标准，迄今仍然是文学评论的重要原则，司马相如为此奠定了一定的基础。

《程器》篇论述历代知名作家的道德瑕疵，这些作家中有文士与武将之分。刘勰先论著名文人十六人，打头阵的还是司马相如：“略观文士之疵：相如窃妻而受金，……诸有此类，并文士之瑕累。”[②]司马相如在穷困潦倒之中设计引诱卓文君，最终凭婚姻关系而大富大贵；在为中郎将出使西南夷安抚边疆少数民族时又接受贿赂，以至丢官赋闲，声名狼藉。然后，刘勰又列著名武将十六人，证明文武均有瑕疵，不止文士一类。难能可贵的是，刘勰不只是简单地罗列现象，而是深入探寻为什么这些人名声不好、德行不高的原因：第一是“将相以位隆特达，文士以职卑多诮”，文人地位不如将相，所以被讥讽也就最多；第二是“士之登庸，以成务为用”，士人必须要有强烈的进取心，“安有丈夫学文，而不达于政事哉”？因此，文人要参政。如果只是立言而不能立德立功，是没有出路的，“彼扬、马之徒，有文无质，所以终乎下位也”。根本原因在于文以人传，名随位尊。据史书记载，司马相如个性孤傲，不好做官，所以尽管文才过人，但终因官位不显而声名毁誉参半。这一论述间接地彰显了刘勰本人身为文士而地位不高、学成文术意欲树德建言的进取雄心。

合观本篇，与论“文”实无关联，而与论“文人之用”关联颇多，是刘勰创作《文心雕龙》一书内在动力的真实反映。[③]刘勰提出自己对文士修养与作用的看法，并在此基础上归纳出“摛文纬军国，负重任栋梁”的人生奋斗目标，照应“贵器用而兼文采”的中心观点，显示了他思想宗法《左传》“不朽”说与孔子“名德”论的痕迹。为文致用，这是《文心雕龙》全书反复主张的一个观点，这一观

---

① 刘勰主张的“六观”说是：“是以将阅文情，先标六观：一观位体，二观置辞，三观通变，四观奇正，五观事义，六观宫商。斯术既行，则优劣见矣。”

② 黄叔琳注，李详补注，杨明照校注拾遗：《增订文心雕龙校注》，第598-599页。

③ 刘永济先生《文心雕龙校释》注解此篇，以为刘勰还有向时代等级门阀制度发难的用意，刘先生引用了《颜氏家训·涉务》等篇目中贬斥齐梁时风的一些论述，指出当时官僚无能、虚伪腐败、政治垄断的严重弊端，这些弊端为刘勰所深恶痛绝。类似的意见，曹顺庆先生《中西比较诗学》则用于对刘勰提出文学“风骨”的论述中。齐梁时风孱弱，决定了文风不振，两位先生的意见很有可取之处。笔者认为，在上述意见基础上还可增加《文心雕龙》的“写作动力”一说：刘勰写这本书来干什么？仅仅论述写作吗？这些显然属于他写作此书的表层用意，其真实心意是借此留名求誉，借《文心》致用，结合《序志》《诸子》等文来看，“内在动力”一说可资成立。

点集中地体现在《征圣》的“贵文”主张中。文能用，则为文之人也可得用，这是《文心雕龙》全书最深层的写作动力。雅丽思想之“雅”，除去雅正之思想与雅正之文采，还有“为文求用”的含义，本篇借批评扬、马诸家瑕疵的机会，表现的正是这个意思。[①]

① 早在《孟子》一书中论述圣人时即以“致用”为标准。《文心雕龙》受“为文致用”影响，大力主张“政化贵文”“事迹贵文”“修身贵文”“摛文必在纬军国，负重必在任栋梁”“五礼资之以成文，六典因之致用；君臣所以炳焕，军国所以昭明”等文学功用观念。据杨明照、张少康、王元化等先生考论，刘勰有借书晋身、以期入仕的目的。为此，他托身上定林寺，依附僧佑十余年，是想借用僧佑的宗教地位及与王室宗亲的特殊关系来实现自己的政治理想。包括后来负书拦道、求誉沈约的行为；及托身寺庙十几年不出家，而一旦出仕，就三十多年宦游官场不回寺庙的行为，如此等等，证明了刘勰本人所持的经世致用、建功立业的思想不仅非常浓厚，而且占据了他本人思想的主导地位。儒家思想不仅是《文心雕龙》文学思想的主导，更是他人生观、价值观的主导。

第四章 “乐赋之祖”王褒

王褒是西汉著名辞赋家、音乐家、诗人。他位于司马相如与扬雄之间，有承上启下的衔接作用，更有开创新风的独特贡献，其《洞箫赋》开创了辞赋写作音乐器材题材的先河，在文学史上有“历代音乐赋之祖”的美誉，对后代马融、嵇康等创作的音乐赋有重大影响。王褒的代表性作品《洞箫赋》，抒情细腻，描写生动，真挚感人，标志着汉代大赋向抒情小赋的转变，也使王褒成为是汉代最具有文学情趣的赋家。他的赋往往并不追求政治上的讽喻规诫，而是辟如“女工有绮縠，音乐有郑卫”，显现出唯美的“辩丽可喜”，娱悦耳目，“有鸟兽草木多闻之观”的纯文学属性，因此不符合当时儒家言志尚用的标准，但却更具作为语言艺术陶冶性情的审美价值。这从《汉书》本传所载汉宣帝的评价与“太子体不安，苦忽忽善忘，不乐。诏使褒等皆之太子宫虞侍太子，朝夕诵读奇文及所自造作。使得太子疾平复”的功能方面可见一斑。随着社会文明的不断发展，人类的精神需求、美感享受也必定趋向更加丰富的多元化。从这一意义上讲，王褒所作之赋所自觉表现出的唯美意识，不仅在当时赋坛独树一帜，而且符合文学自身发展的客观规律。明代杨慎不仅在他编辑的《全蜀艺文志》里选有王褒的作品，还专门作了《王子渊祠》诗，诗云：“伟晔灵芝发秀翘，子渊擒藻谈天朝。汉皇不赏贤臣颂，只教宫人咏洞萧。”该诗用比喻的手法，赞誉了王褒的才华：文采秀发，擅长辞赋，谈耀一代；全诗对王褒表示惋惜，对汉主予以讽刺。

作为一个著名赋家，王褒没有司马相如那种磅礴的气势和批判精神，无法达到相如“广博宏丽，卓绝汉代”的巨大成就；但他善于观察生活，善于描写那些独具特色的事物。在汉赋的题材开拓、手法创新、语言锤炼和创作转向等方面，都做出了自己的贡献，在文学史上有着不可忽视的影响。

本书四位大家中，对大禹、司马相如、扬雄三人的研究已经产生了很多成果，相应的研究学会、研究活动正在轰轰烈烈地展开；唯有王褒，在资阳地方民众的自发祭祀、洞箫爱好者的不定期聚会纪念活动之外，其宣传、文保、研究等活动尚未有力展开。本章是从文学写作角度展开的王褒批评工作，愿为王褒研究贡献一点绵薄之力。

第一节 生平简介

王褒，西汉辞赋家，字子渊。蜀地资中（今四川省资阳市雁江区昆仑乡墨池坝）人，资阳三贤[①]之一，是我国历史上著名的辞赋家，官至谏大夫。生卒年不详，在巴蜀文学史上，王褒是继司马相如之后的又一位大家。他的生卒年失载，只知他的文学创作活动主要在汉宣帝（公元前73—前49年在位）时期，约卒于汉宣帝晚年。工歌诗，善辞赋。汉宣帝提倡歌诗音律，王褒受益州刺史王襄推荐，被召入朝。常从帝游猎。所幸宫馆，则令歌颂。不久，擢为谏议大夫。后方士言益州有金马碧鸡之宝，宣帝命他前往祭祀，病死道中。后葬于家乡，今资阳市雁江区墨池坝。虽为文物保护单位，实已破坏殆尽。

《汉书·艺文志》著录有王褒辞赋十六篇，今存《洞箫赋》《九怀》《圣主得贤臣颂》《甘泉宫颂》《碧鸡颂》《责须髯奴辞》等，另有《僮约》等名文。《隋书·经籍志》有《王褒集》五卷，已佚；明代张溥辑有《王谏议集》，收入《汉魏六朝百三家集》。

因为王褒在历史上的名声没有司马相如等显赫，所以，为了更好地介绍他，且《汉书》所载王褒本传篇幅并不算长，故选择性地摘录于下。

> 王褒字子渊，蜀人也。宣帝时修武帝故事，讲论六艺群书，博尽奇异之好，征能为《楚辞》九江被公，召见诵读，益召高材刘向、张子侨、华龙、柳褒等待诏金马门。神爵、五凤之间，天下殷富，数有嘉应。上颇作歌诗，欲兴协律之事，丞相魏相奏言知音善鼓雅琴者渤海赵定、梁国龚德，皆召见待诏。于是益州刺史王襄欲宣风化于众庶，闻王褒有俊材，请与相见，使褒作《中和》《乐职》《宣布》诗，选好事者令依《鹿鸣》之声习而歌之。时，汜乡侯何武为僮子，选在歌中。久之，武等学长安，歌太学下，转而上闻。宣帝召见武等观之，皆赐帛，谓曰："此盛德之事，吾何足以当之！"
>
> 褒既为刺史作颂，又作其传，益州刺史因奏褒有轶材。上乃征褒。既至，诏褒为圣主得贤臣颂其意。褒对曰：……是时，上颇好神仙，故

① 资阳三贤：指孔子老师苌弘，资阳市忠义镇高岩山人；西汉著名辞赋大家王褒，资阳市雁江区昆仑乡墨池坝人；汉代著名经学大师董钧，资阳市雁江区保和镇东安乡桐子坝人。王褒、董钧故居与坟墓，隔沱江而望，可惜均已被毁，仅存残破墓碑而已。

褒对及之。

上令褒与张子侨等并待诏，数从褒等放猎，所幸宫馆，辄为歌颂，第其高下，以差赐帛。议者多以为淫靡不急，上曰：“‘不有博弈者乎，为之犹贤乎已！’辞赋大者与古诗同义，小者辩丽可喜。辟如女工有绮縠，音乐有郑、卫，今世俗犹皆以此虞说耳目，辞武比之，尚有仁义风谕，鸟兽草木多闻之观，贤于倡优博弈远矣。”顷之，擢褒为谏大夫。

其后太子体不安，苦忽忽善忘，不乐。诏使褒等皆之太子宫虞侍太子，朝夕诵读奇文及所自造作。疾平复，乃归。太子喜褒所为《甘泉》及《洞箫》颂，令后宫贵人左右皆诵读之。

后方士言益州有金马碧鸡之宝，可祭祀致也，宣帝使褒往祀焉。褒于道病死，上闵惜之。[①]

根据传记原文可知：王褒一生的遭遇都与汉宣帝直接相关，他是顺应时代文化背景而诞生的著名辞赋大家。我们来做以下的梳理。

（1）宣帝时修武帝故事，讲论六艺群书，博尽奇异之好，征能为《楚辞》九江被公，召见诵读。

因武帝发动的“巫蛊之祸”，厉太子死难，汉宣帝是在监狱中长大的，流散民间十余年，后突然之间就当上了皇帝。在西汉所有帝王中，他的治国功绩、个人修养都是能排在前几名的。汉宣帝强力推行外圣内王的王霸之道与高度中央集权的强权政治，为了宣示自己文武双全的一面，遂大力向祖父汉武帝学习，尊崇儒家经典，雅好辞赋，赞美楚辞，召集民间能人诵读、写作，并广泛蓄养文学待诏人才。这就为西汉辞赋文学的兴盛发展提供了最为坚实的软环境保障，上行下效，辞赋大兴。

（2）神爵、五凤之间，天下殷富，数有嘉应。

汉宣帝信鬼神，好神仙，追思汉武帝长生不老之术与频繁更改年号的做法，对天降祥瑞、谶纬神学极为重视。于是，写作这类题材的作品与作家，开始获得巨大的生存空间。

（3）上颇作歌诗，欲兴协律之事。

与汉武帝只喜好而不创作不同，汉宣帝本身就会创作，还是一个喜欢音乐文学的高手。

（4）益州刺史王襄欲宣风化于众庶，闻王褒有俊材，请与相见，使褒作《中

---

① 班固：《汉书》（影印本），第2821-2830页。

和》《乐职》《宣布》诗，选好事者令依《鹿鸣》之声习而歌之。

在中央王庭熏染之下，地方官员纷纷附和，益州刺史王襄为宣扬政绩，给予了本土文学青年王褒以成长空间，对他极为信任。命令王褒写出了《中和》《乐职》《宣布》等乐府诗歌，依照古乐《鹿鸣》的曲谱演唱，不间断地进行训练。他的目的，就是要在地方上造势，争取进京表演，以求获得皇帝的赏识。当时，从今成都市郫都区走出去的著名政治家何武，还曾在王襄手下读书求学，接受声乐训练。而王褒则是这类声乐作品的第一作词高手。其后，王褒又为王襄作了传记和赞词，深得王襄欢心。于此可知：王褒是一个才华横溢、深谙世事、洞察人情、情商很高的人，他非常懂得利用有利条件，促进自己的成长和发展。

（5）汜乡侯何武……学长安，歌太学下，转而上闻。宣帝召见武等观之，皆赐帛，谓曰："此盛德之事，吾何足以当之！"

后来，王襄继承了前代蜀郡太守文翁兴学的做法，选派蜀地优秀子弟到京师学习深造，何武被选中，在太学中演唱了王褒作词、王襄指导的蜀地乐府歌谣，传到了汉宣帝耳中。汉宣帝很高兴，召见何武等，赏赐优渥。实际上，这正是王襄策划，王褒、何武等实施的凭借音乐艺术敬献皇帝的好戏。何武后来名垂青史，成为西汉政治体制改革的第一人；王褒后来进京扬名，成为西汉辞赋代表作家，都是这一次成功营销的结果。

（6）益州刺史因奏褒有轶材。上乃征褒。既至，诏褒为圣主得贤臣颂其意。褒对曰：……是时，上颇好神仙，故褒对及之。

这是顺理成章、水到渠成的好事。王襄趁机向汉宣帝推荐蜀地原创作家王褒，王褒早已对汉宣帝作了充分地接受对象考察，预见了创作空间，一到京都，立刻写作了《圣主得贤臣颂》。这是一篇深知汉宣帝心意的好文章：人称圣主，广得贤臣，盛世再造。此乃汉宣帝之功劳也！汉宣帝自己不能说，而其他人也窥不破这个机密，只有王褒洞察到了这一点，一下就抓住了汉宣帝"好神仙"并好大喜功的心理。王褒"对及之"，从此迈入仕途，大红大紫。

（7）上令褒与张子侨等并待诏，数从褒等放猎，所幸宫馆，辄为歌颂，第其高下，以差赐帛。议者多以为淫靡不急，上曰："'不有博弈者乎，为之犹贤乎已！'辞赋大者与古诗同义，小者辩丽可喜。辟如女工有绮縠，音乐有郑、卫，今世俗犹皆以此虞说耳目，辞赋比之，尚有仁义风谕，鸟兽草木多闻之观，贤于倡优博弈远矣。"顷之，擢褒为谏大夫。

首先，王褒是文学待诏，为汉宣帝亲近侍臣，从游、出猎、巡行，处处都有王褒的身影和笔法，汉宣帝需要他，需要他不断写出美文、雄文、颂文，来迎合自己，赞美自己！《甘泉宫颂》《洞箫赋》等著名文章，就是这一阶段写出来的。汉宣帝还主动为王褒等文学侍臣作挡箭牌，他自己以围棋、戏剧作比较，抬高文学雅俗共赏的地位，其辞赋审美论、功能论、移风易俗论，是汉代帝王中论述最清楚、理论最深刻、态度最鲜明的。不只是王褒升官为谏大夫，整个汉代辞赋文学的大发展，都离不开汉宣帝的积极提倡、亲自实践和审美批评。《文心雕龙·时序》篇总结出“崇替在选”的文学发展规律，指出：帝王的雅好与支持，是某一时代文学发展的重要动力。

（8）其后太子体不安，……，诏使褒等皆之太子宫虞侍太子，朝夕诵读奇文及所自造作。疾平复，乃归。太子喜褒所为《甘泉》及《洞箫》颂，令后宫贵人左右皆诵读之。

这就是汉宣帝说的辞赋“小者辩丽可喜”的直接证明，辞赋的功能之一是“世俗皆以此虞说耳目”，是深受上至帝王将相、下至普通大众喜欢、接受的娱乐方式之一。王褒等“朝夕诵读奇文及所自造作”于太子宫中，“虞侍太子”，竟然治好了太子的病！深得太子欢喜，命令后宫贵人左右皆诵读王褒所为之《甘泉》及《洞箫》颂，达到了风靡宫廷、不可或缺的地步。王褒的作品，在文学受众与普及程度方面的把握比任何人都精准。

（9）后方士言益州有金马碧鸡之宝，可祭祀致也，宣帝使褒往祀焉。褒于道病死，上闵惜之。

王褒在京中任职了一段时期后，汉宣帝听信方士之言，要他回益州去祭祀传闻之中的“金马碧鸡之宝”。不料竟在途中染病，未得医治即死于旅途之中。结束了自己起于文学、终于政治的一生。

综上，王褒的仕宦经历比较简单，主要是充当皇帝的文学侍从，未见有大的政治作为。这种经历，使他很难具备司马相如那种独立不羁、超凡脱俗的胸襟和气魄；但他毕竟摆脱了拘守一隅的局限，走出了巴山蜀水，因而眼界还是比较开阔的。比较一下：司马相如能最终成名，是因为汉武帝赏识他的作品，在杨得意的推荐下，相如来到长安，可以直接见到皇帝，并随侍左右；王褒能最终成名，也是因为汉宣帝在益州刺史王襄的推荐下赏识王褒的文学才华，王褒进京之后，深受重视。由此可知，一个地方性的文人，本领再大，影响也有限；如果进京，得到皇帝赏识，身份、地位、影响等，立刻就大大提升了。司马相如和王褒都是如此。《时序》篇曰：“歌谣文理，与世推移，风动于上，而波震于下者也。”指出了文学发展必须具备帝王喜好、提倡的深刻规律。同篇又说：“越昭及宣，实继武绩，驰骋石渠，暇豫文会，集雕篆之轶材，发绮縠之高喻；于是王褒之伦，底禄待诏。”王褒最大的幸福，是遇到了喜好、提倡辞赋并给予文人生存空间的汉宣帝。他是特殊时代的特殊文学作家代表。

在辞赋方面，王褒最著名的作品是《洞箫赋》，这是历史上第一篇描写音乐的辞赋作品，有“历代音乐赋之祖”的美誉，它代表着汉代辞赋创作的转向：从枚乘、司马相如等开创的巨丽大赋，转向抒情小赋。正是因为《洞箫赋》卓越的艺术成就及其在赋体文学发展史上的独特贡献，《文心雕龙》才将王褒作为汉赋划时代的杰出作家来看待和评论，给予了王褒最崇高的礼赞，与司马相如、扬雄等大赋名手相提并论，等论齐观。

王褒还创作有著名的楚辞组歌《九怀》，模拟屈原《九歌》《九章》而作，带有强烈的追思屈原的意味。王褒与屈原，加上宋玉《九辩》、刘向《九叹》、王逸《九思》等杰出作品，共同组成了号称“九体”的系列楚辞作品①，成为先秦两汉组诗歌词中的经典代表，王褒则是西汉第一家。王褒对伟大的爱国诗人屈原是崇敬的，对其不幸遭遇是同情的，所以《九怀》写得既有情感又有文藻，颇有《离骚》的风格。后来刘向编定《楚辞》、王逸作《楚辞章句》，都收入了此文，杨慎《全蜀艺文志》也著录了全文。

在《汉书》本传全文记载的名作《圣主得贤臣颂》外，王褒还写有著名散文《四子讲德论》，也是歌颂当时朝廷的作品，文采富丽，有“鸿均之世，何物不乐”等句，意指天下太平。韩国东国大学中文系白承锡先生发表论文《王褒〈四子讲德论〉之探讨》指出王褒的散文名篇《四子讲德论》虽以“论”为名题，尤《文选》归入论类，但这篇是沿用楚辞司马相如的问答方式，且采用纵横家的口气而写作的典型赋作。王褒假设微斯文学，虚仪夫子，浮游先生，陈丘子四人。王褒居于掌握全局的地位，充分运用四个虚构人物的讨论之妙，达到“宣风化于众庶”之效果。这篇虽然不能摆脱为禄而写的清客文学之讥，但是在修辞造句上，下了极大的工夫；内容上，于歌功颂德之中表现讽喻之义，可谓用心良苦。在当时是属于较少见的长篇说理赋。②可惜《文心雕龙》并未征引以上两篇名文，故不在本章中作专门研究。

---

① 在贾谊之后，出现了一系列以吊念屈原为主题的骚体赋，诸如严忌的《哀时命》、东方朔的《七谏》、王褒的《九怀》、刘向的《九叹》、王逸的《九思》等。尤其是《九怀》《九叹》《九思》等作品，一脉相承，九章成篇，体制固定，主题相类，作为骚体赋的一种体制，虽然规模不大，却具备了独有的格局，与大赋的“七体”互相辉映，是为“九体”。

② 白承锡：《王褒〈四子讲德论〉之探讨》，《辽东学院学报（社会科学版）》2004年第3期。

第二节 《文心雕龙》的王褒评论

王褒在文体创作的多样性、作品数量及辞赋理论和辞赋影响上都不如司马相如，入选《文心雕龙》的作品主要是《洞箫赋》和《责须髯奴辞》（按：实则为《僮约》，后文将有所论及），所以书中对他的论述不多，前后共计 7 次。但他作为向前继承司马相如、向后衔接扬雄的蜀地著名作家，其承前启后的过渡作用是非常明显的，而且，王褒作品的独特性极为鲜明，在文学史上的地位非常高。《文心雕龙》论述王褒的内容如下。

《辨骚》：若能凭轼以倚《雅》、《颂》，悬辔以驭楚篇，酌奇而不失其贞，玩华而不坠其实，则顾盼可以驱辞力，欬唾可以穷文致，亦不复乞灵于长卿，假宠于子渊矣。

《诠赋》：观夫荀结隐语，事数自环；宋发夸谈，实始淫丽。枚乘《菟园》，举要以会新；相如《上林》，繁类以成艳；贾谊《鹏鸟》，致辨于情理；子渊《洞箫》，穷变于声貌；孟坚《两都》，明绚以雅赡；张衡《二京》，迅发以宏富；子云《甘泉》，构深玮之风；延寿《灵光》，含飞动之势：凡此十家，并辞赋之英杰也。

《书记》：券者，束也。明白约束，以备情伪，字形半分，故周称判书。古有铁券，以坚信誓；王褒“髯奴”，则券之谐也。

《比兴》：夫“比”之为义，取类不常：或喻于声，或方于貌，或拟于心，或譬于事。宋玉《高唐》云：“纤条悲鸣，声似竽籁”，此比声之类也；枚乘《菟园》云：“猋猋纷纷，若尘埃之间白云”，此则比貌之类也；贾生《鹏赋》云：“祸之与福，何异纠纆”，此以物比理者也；王褒《洞箫》云：“优柔温润”，“如慈父之爱子也”，此以声比心者也；马融《长笛》云：“繁缛络绎，范、蔡之说也”，此以响比辩者也；张衡《南都》云：“起郑舞”，“茧曳绪”，此以容比物者也。若斯之类，辞赋所先；日用乎“比”，月忘乎“兴”：习小而弃大，所以文谢于周人也。

《时序》：越昭及宣，实继武绩：驰骋石渠，暇豫文会；集雕篆之轶材，发绮縠之高喻。于是王褒之伦，底禄待诏。

《才略》：王褒构采，以密巧为致，附声测貌，泠然可观。

《才略》：然自卿、渊已前，多役才而不课学；向、雄以后，颇引书以助文：此取与之大际，其分不可乱者也。

总体上看，王褒的作品体裁和数量远不及司马相如和扬雄，也没有被刘勰直接征引的写作理论，但是，刘勰对王褒极为推崇，不仅在《才略》篇中将其视为汉代文学“役才而不课学”与“引书以助文”的前后分界的四位代表作家之一，更在《辨骚》篇中将其与司马相如并列，作为整个文学史上著名的代表作家看待。因此，王褒在《文心雕龙》中的地位甚高！

第三节　王褒对《文心雕龙》成书的具体贡献

一、《辨骚》论枢纽，王褒为模范

“文之枢纽”的五篇专论，以《宗经》为核心，确立了“道—圣—经”的文学发展脉络，提出了“正纬”“辨骚”的辩证新变观念。五篇结束，必然有一个文学基本观念的总结，否则“枢纽”之说无法成立。笔者以为，具体到写作实践层面，“文之枢纽”在《辨骚》篇中总结提出。

刘勰在《辨骚》篇中极力赞美楚辞，指出：“固知《楚辞》者，体宪于三代，而风杂于战国，乃《雅》、《颂》之博徒，而词赋之英杰也。观其骨鲠所树，肌肤所附，虽取镕《经》旨，亦自铸伟辞。”[①]楚辞是折衷诸家、文学新变的产物，最大的特点是自成一体，伟辞惊艳，“故能气往轹古，辞来切今，惊采绝艳，难与并能矣”。因此，看《文心雕龙》论述文学的基本态度，应该特别注意《辨骚》。刘勰对楚辞的看法有三：一是“取镕《经》旨”，以儒家经典为创作思想指导；二是“风杂于战国”，受战国时代纵横家与阴阳家思想及其奇诡富丽之言说的影响，绝非儒家雅正之作[②]；第三，最重要的是，楚辞能够不受诸家限制，文学新变，从而“自铸伟辞”“惊采绝艳”。刘勰在此表明了自己在雅正基础上的崇丽文学观念。在此基础上，他总结“文之枢纽”，提出指导全书文体论、创作论、批评论的总原则是：“若能凭轼以倚《雅》、《颂》，悬辔以驭楚篇，酌奇而不失其贞，

① 黄叔琳注，李详补注，杨明照校注拾遗：《增订文心雕龙校注》，第51页。

②《文心雕龙·才略》篇对此有较为细致的界说：“春秋以后，角战英雄；六经泥蟠，百家飙骇。方是时也，韩魏力政，燕赵任权；五蠹、六虱，严于秦令；唯齐、楚两国，颇有文学。齐开庄衢之第，楚广兰台之宫；孟轲宾馆，荀卿宰邑：故稷下扇其清风，兰陵郁其茂俗。邹子以谈天飞誉，驺奭以雕龙驰响；屈平联藻于日月，宋玉交彩于风云：观其艳说，则笼罩《雅》、《颂》。故知暐烨之奇意，出乎纵横之诡俗也。”笔者曾就此写作过长篇读书笔记，结论以为除刘勰所论，楚辞之奇诡与荆楚地域文化密不可分。汉代巴蜀辞赋创作领衔全国，与巴蜀地域文化奇思纵逸、巫道盛行同样密不可分。

玩华而不坠其实，则顾盼可以驱辞力，欬唾可以穷文致。”[①]这一原则折衷诗骚，推崇雅丽，坚守思想准则，鼓励大胆创新，是《文心雕龙》“驱辞穷文”的指导思想，是全书的“枢纽”所在。[②]

王褒与司马相如、扬雄三位蜀地作家一起，成为“枢纽”论中举证的最重要的经典作家。首先，在论述到屈原楚辞的重大影响时，刘勰指出：“枚贾追风以入丽，马扬沿波而得奇：其衣被词人，非一代也。”受屈原影响最深、学楚辞最成功的汉赋四家中，蜀占其二；而且“马扬沿波而得奇”，体现了鲜明的巴蜀地域文化特征：奇思纵逸，精妙绝伦。其次，在阐释完文章写作的“枢纽”论之后，刘勰认为只要注意到了雅丽结合、奇正结合的折衷原则，就可以很轻松地写作文章而不会出现差错，“亦不复乞灵于长卿，假宠于子渊矣”，表面上是在说不需要向司马相如和王褒学习写作了，实际上是在间接地告诉读者，司马相如和王褒是历代最优秀的作家之一，写文章需向他们的作品学习。这是对王褒，也是对巴蜀作家的最高赞美！王褒也是《文心雕龙》在全书展开论述后的标杆作家。

笔者以为，汉代辞赋主要有骚体赋和散体赋两大类，前者继承屈原作品并融入新意，后者则可分为大赋与小赋两类：大赋的成熟是以司马相如《子虚赋》为代表，小赋的成熟是以王褒《洞箫赋》为代表。所以说，刘勰的评价是极为准确的。整个汉赋，无论大赋还是小赋，最杰出的代表人物，都是巴蜀文学家。

二、论文叙笔：文学创作与文献价值

文体论部分从《明诗》到《书记》，共计二十篇，每一篇均按照“原始以表末，释名以章义，选文以定篇，敷理以举统”的结构原则构成。王褒在这一部分中占据了重要的位置，除了在《诠赋》篇中为刘勰的辞赋评论提供创作支持与理论支撑，在《书记》篇中的文体创造和文学理论也有精彩的表现，特别是《僮约》一篇，对我国古代茶叶贸易的史学研究具有十分重要的文献价值。

（一）《诠赋》高峰，辞赋三杰

《诠赋》篇中王褒与司马相如、扬雄三位蜀中辞赋名家联袂出场，星光灿烂，

① 黄叔琳注，李详补注，杨明照校注拾遗：《增订文心雕龙校注》，第 51 页。

② 王运熙先生称这一原则为创作论的总纲。从全书来看，这一原则可以归纳为雅丽文学思想，在文体论、创作论、批评论中均居于主导地位，是《文心雕龙》一以贯之的基本文学思想，即全书“文之枢纽”。

影响至今。

刘勰以为辞赋“受命于《诗》人，而拓宇于《楚辞》”，是中和诗骚之后形成的文学新体裁，学者荀子是赋体文学的创造者。发展到西汉时，赋体已有八大名家：“陆贾扣其端，贾谊振其绪，枚马播其风，王扬骋其势；皋朔已下，品物毕图。繁积于宣时，校阅于成世，进御之赋，千有馀首。讨其源流，信兴楚而盛汉矣。”[①]具体而言，这八大名家是陆贾、贾谊、枚乘、司马相如、王褒、扬雄、枚皋、东方朔，巴蜀三杰赫然在列。而从“讨其源流，兴楚而盛汉矣”的结论来看，辞赋与《诗经》显然并无源流关系，楚辞才是汉赋真正的源头，因此，辞赋之丽与楚辞之丽具有前后相承的因果关系。在具体讨论了京苑大赋与抒情小赋两类辞赋作品及其特征之后，刘勰又对先秦两汉赋体文学史进行了一次大阅兵。

> 观夫荀结隐语，事数自环；宋发夸谈，实始淫丽。枚乘《菟园》，举要以会新；相如《上林》，繁类以成艳；贾谊《鹏鸟》，致辨于情理；子渊《洞箫》，穷变于声貌；孟坚《两都》，明绚以雅赡；张衡《二京》，迅发以宏富；子云《甘泉》，构深玮之风；延寿《灵光》，含飞动之势：凡此十家，并辞赋之英杰也。[②]

引文中一共列出了十位最著名的辞赋作家：荀况、宋玉、枚乘、司马相如、贾谊、王褒、班固、张衡、扬雄、王延寿，刘勰称之为“辞赋之英杰也”，巴蜀三杰继续位居其中。如此，不论是前文断代为西汉的八家，还是通观赋体文学史的十家，三杰均名列其间，司马相如《子虚赋》《上林赋》开启了京苑大赋的创作，扬雄模仿学习之后，《蜀都赋》等名作继往开来，在这一题材上继续发扬光大；王褒作为上承司马相如、下接扬雄的名家，其代表作《洞箫赋》则开创了汉代抒情小赋的先河。

王褒与司马相如和扬雄的不同在于：除了辞赋的题材差异外，王褒没有留下辞赋理论，实为憾事。

（二）《髯奴》《僮约》，散文经典

《书记》篇是《文心雕龙》文体论中的大杂烩，与其他篇章主要论述一种或

---

① 黄叔琳注，李详补注，杨明照校注拾遗：《增订文心雕龙校注》，第96页。
② 黄叔琳注，李详补注，杨明照校注拾遗：《增订文心雕龙校注》，第96页。

两种文体及其变体不同，本篇涉及三十余种具体的应用文体裁。刘勰首先对其中主要的体裁进行了应用对象与体裁归属的分类说明。

> 夫书记广大，衣被事体；笔札杂名，古今多品。是以总领黎庶，则有谱、籍、簿、录；医历星筮，则有方、术、占、式；申宪述兵，则有律、令、法、制；朝市征信，则有符、契、券、疏；百官询事，则有关、刺、解、牒；万民达志，则有状、列、辞、谚：并述理于心，著言于翰；虽艺文之末品，而政事之先务也。[①]

在具体展开对每一种文体的介绍和例证说明时，刘勰认为：“券者，束也。明白约束，以备情伪，字形半分，故周称判书。古有铁券，以坚信誓；王褒‘髯奴’，则券之谐也。”[②]他论述到王褒的《髯奴》一文，并以之为幽默谐趣的代表。《髯奴》，全称《责须髯奴辞》[③]，首载于《古文苑》，本篇署名黄香。但为嘲谑俗赋，且嘲谑对象为髯奴，与《僮约》类似，则本篇亦出王褒无疑。《初学记》收载署“汉王褒”，故后人多从之，认为是同出于王褒的姊妹篇。《责须髯奴辞》，由《僮约》“买夫时户下髯奴便了”一语来看，本文“须髯奴”疑即髯奴便了。文分二段，先扬一般人须髯之美为反衬，再抑而诮责须髯奴须髯之丑“曾不如犬羊之毛尾，狐狸之毫氂”，但同时认为这是“劬劳辛苦，汚秽泥土”所致，故亦从侧面反映了奴隶的生活命运。结构上似受启发于宋玉《风赋》“雄风”“雌风”之对比，修辞上善用比喻，描写时动静结合，虽亦谐谑之作，然文字较《僮约》文雅，清丽可诵。“王侯须若缘坡竹，哦诗清风起空谷”，黄庭坚不仅受《僮约》启发而为《跛奚移文》，又爱本文而用其典实。

王褒虽是宫廷赋家，但能注意到底层人民的生活，不仅在汉赋作家中仅见，即在所有古代赋家中也属少有，他的贡献是值得重视的。

但是，刘勰在这里犯了一个错误：《责须髯奴辞》不是“券”体，真正的“明白约束，以备情伪”的王褒著作，是“以坚信誓”的《僮约》。《僮约》，在历史上是一篇有名的应用文。[④]《僮约》虽是游戏性的文字，但由于它选材的独特，生动形象的描写，尤其是刻画奴仆形象非常成功，使它同当时其他文人的作品相

---

① 黄叔琳注，李详补注，杨明照校注拾遗：《增订文心雕龙校注》，第 374 页。

② 黄叔琳注，李详补注，杨明照校注拾遗：《增订文心雕龙校注》，第 374 页。

③ 转引自严可均辑：《全汉文》卷四十二（北京：商务印书馆，1999 年）。内收王褒传世作品十余篇。本文又载《古文苑》卷一七，《四部丛刊》本。学友梁启勇发表有《责须髯奴辞校注》一文，载《湖北成人教育学院学报》2010 年第 4 期，可参。

④ 转引自严可均辑：《全汉文》卷四十二。唐欧阳询辑《艺文类聚》卷三十五录此文，文句多有不同之处。

比有着自身不可忽视的价值。茶为贡品、为祭品，已知在周武王伐纣时、或者在先秦时就已出现。而茶作为商品，西汉时才出现。

两千年前的书生王褒，根本没有想到，他为中国茶业和中国茶文化史留下了最早、最可靠的文字史料。《僮约》中有两处提到茶，即“脍鱼炰鳖，烹茶尽具”和“武阳买茶，杨氏担荷”。武阳，可能是中国历史上第一个被文字记载的买卖茶叶的市场。美国茶学权威威廉·乌克斯在其《茶叶全书》中说：“5世纪时，茶叶渐为商品”，但《僮约》的写作时间是在公元前59年，从“武阳买茶”可看出，那时候茶就是一种商品了，这比威廉·乌克斯的说法整整提前了五个世纪。

王褒所作之《僮约》，记奴婢契约事，后以“僮约”泛称主奴契约或对奴仆的种种约束规定。《僮约》是王褒的作品中最有特色的文章之一，在繁琐冗杂的条款规定中颇具诙谐之趣，刘勰以之为信誓旦旦之铁券中的另类，“券之谐也”，在明文约束中不乏生动。他所描述的当时奴仆们的劳动生活，奴伴关系，是研究汉代四川社会情况的极为重要的材料，从中可以了解到西汉社会生活的一个侧面。但本文冗杂繁琐，非常死板，却有冷幽默之谐趣在，故而清赵翼《僮约》诗曰：“僮约虽颁十数条，守门奴已出游遨。”梁实秋先生《雅舍小品·仆人》也讽刺其繁琐古板所带来的反面幽默。

三、《洞箫》抒情，乐赋之祖

《文心雕龙》下篇共二十五篇，从《神思》到《总术》的十九篇一般称为创作论，主要探讨文学写作思维、风格、审美、通变、情采、写作技法、主体修养等问题，这些专题又可以划分为写作思维论、写作风格论、写作技法论等专题版块，涉及从前写作到后写作的方方面面。王褒在创作论中做出了突出的贡献，并成为刘勰论述创作得失的重要作家。

《比兴》篇集中论述比喻和起兴的修辞方法，《文心雕龙》认为：

> 比者，附也；兴者，起也。附理者切类以指事，起情者依微以拟议。起情故“兴”体以立，附理故“比”例以生。“比”则畜愤以斥言，“兴”则环譬以托讽。观夫“兴”之托谕，婉而成章；“称名也小”，“取类也大”。何谓为“比”？盖写物以附意，飏言以切事者也。[①]

① 黄叔琳注，李详补注，杨明照校注拾遗：《增订文心雕龙校注》，第456页。

比、兴二法是《诗经》“六义”中最常用的两种句子写作手法。刘勰认为比喻方法共有四个大类：“或喻于声，或方于貌，或拟于心，或譬于事。”具体到辞赋作品中，又可以分为“比声之类、比貌之类、以物比理、以声比心、以响比辩、以容比物”六个小类，其中，“王褒《洞箫》云：‘优柔温润’，‘如慈父之畜子也’，此以声比心者也”，是汉代抒情小赋的代表作。[①]

现录其文曰：

原夫箫干之所生兮，于江南之丘墟。洞条畅而罕节兮，标敷纷以扶疏。徒观其旁山侧兮，则岖嵚岿崎，倚巇迤，诚可悲乎其不安也。弥望傥莽，联延旷荡，又足乐乎其敞闲也。托身躯于后土兮，经万载而不迁。吸至精之滋熙兮，禀苍色之润坚。感阴阳之变化兮，附性命乎皇天。翔风萧萧而径其末兮，回江流川而溉其山。扬素波而挥连珠兮，声礚礚而澍渊。

朝露清冷而陨其侧兮，玉液浸润而承其根。孤雌寡鹤，娱优乎其下兮，春禽群嬉，翱翔乎其颠。秋蜩不食，抱朴而长吟兮，玄猿悲啸，搜索乎其间。处幽隐而奥屏兮，密漠泊以獭。惟详察其素体兮，宜清静而弗喧。幸得谥为洞箫兮，蒙圣主之渥恩。可谓惠而不费兮，因天性之自然。

于是般匠施巧，夔妃准法。带以象牙，其会合。锼镂里洒，绛唇错杂；邻菌缭纠，罗鳞捷猎；胶致理比，挹抐擫。于是乃使夫性昧之宕冥，生不睹天地之体势，闇于白黑之貌形；愤伊郁而酷，愍眸子之丧精；寡所舒其思虑兮，专发愤乎音声。

故吻吮值夫宫商兮，和纷离其匹溢。形旖旎以顺吹兮，瞋以纡郁。气旁迕以飞射兮，驰散涣以逫律。趣从容其勿述兮，骛合遝以诡谲。或浑沌而潺湲兮，猎若枚折；或漫衍而络绎兮，沛焉竞溢。惏栗密率，掩以绝灭，霵晔踕，跳然复出。

若乃徐听其曲度兮，廉察其赋歌。啾咇而将吟兮，行鍖銋以和啰。风鸿洞而不绝兮，优娆娆以婆娑。翩绵连以牢落兮，漂乍弃而为他。要复遮其蹊径兮，与讴谣乎相和。

故听其巨音，则周流氾滥，并包吐含，若慈父之畜子也。其妙声，则清静厌瘱，顺叙卑达，若孝子之事父也。科条譬类，诚应义理，澎濞

① 严可均辑：《全汉文》卷四十二。

慷慨，一何壮士，优柔温润，又似君子。

故其武声，则若雷霆輘輷，佚豫以沸。其仁声，则若飙风纷披，容与而施惠。或杂遝以聚敛兮，或拔摋以奋弃。悲怆怳以恻惐兮，时恬淡以绥肆。被淋灑其靡靡兮，时横溃以阳遂。哀悁悁之可怀兮，良醰醰而有味。

故贪饕者听之而廉隅兮，狼戾者闻之而不怼。刚毅强暴反仁恩兮，啴唌逸豫戒其失。钟期、牙、旷怅然而愕兮，杞梁之妻不能为其气。师襄、严春不敢窜其巧兮，浸淫、叔子远其类。嚚、顽、朱、均惕复惠兮，桀、跖、鬻、博儡以顿悴。吹参差而入道德兮，故永御而可贵。时奏狡弄，则彷徨翱翔，或留而不行，或行而不留。愺恅澜漫，亡耦失畴，薄索合沓，罔象相求。

故知音者乐而悲之，不知音者怪而伟之。故闻其悲声，则莫不怆然累欷，撇涕抆泪；其奏欢娱，则莫不惮漫衍凯，阿那腲腇者已。是以蟋蟀蠖，蚑行喘息；蝼蚁蝘蜒，蝇蝇栩栩。迁延徙迤，鱼瞰鸟睨，垂喙转，瞪瞢忘食，况感阴阳之和，而化风俗之伦哉！

乱曰：状若捷武，超腾逾曳，迅漂巧兮。又似流波，泡溲泛，趋巇道兮。哮呷喚，躋躓连绝，淈殄沌兮。搅搜捎，逍遥踊跃，若坏颓兮。优游流离，踌躇稽诣，亦足耽兮。颓唐遂往，长辞远逝，漂不还兮。赖蒙圣化，从容中道，乐不淫兮。条畅洞达，中节操兮。终诗卒曲，尚馀音兮。吟气遗响，联绵漂撇，生微风兮。连延络绎，变无穷兮。①

《洞箫赋》对后来马融《长笛赋》、嵇康《琴赋》诸作均有一定的影响。马融在《长笛赋》序文中阐述其创作动机时说："追慕王子渊、枚乘、刘伯康、傅武仲等箫、琴、笙颂，唯笛独无，故聊复备数，作长笛赋。"由此可见其影响。谈到《洞箫赋》必然要提到枚乘，据《文选》记载枚乘应是最早写音乐赋的作者，但他的《笙赋》早已亡佚，所以无从考证。而他的《七发》第一部分就描写了音乐，结构上主要是从琴的取材、制器、乐声等方面来展开的。王褒的《洞箫赋》基本上可以看作对《七发》中相关的片断的扩充，但《七发》并不以音乐命名，而且音乐也只是其一部分，所以《洞箫赋》应是现存最早的、以音乐为题材的作品。

《洞箫赋》的结构布局具有相对的完整性，作者详细地叙述了箫的制作材料

① 严可均辑：《全汉文》卷四十二，第58-61页。

的产地情况，然后写工匠的精工细作与调试，接着写乐师高超的演奏，随后写音乐的效果及其作用。基本上通过“生材、制器、发声、声之妙、声之感、总赞”的顺序来写洞箫这件乐器，这也成为后来音乐赋的一个固定模式。汉代以前，横吹、竖吹的管乐器统称为笛或篴，所称箫者应该是排箫，所以《洞箫赋》之箫应为排箫。从赋中“吹参差而入道德兮，故永御而可贵”的“参差”也可知此处洞箫为排箫，因为古时洞箫又有别称“参差”。排箫即洞箫或箫，据《尔雅·释乐》郭璞注曰大箫“编二十三管”，小箫“十六管”。

汉武帝在思想文化界首开“罢黜百家，独尊儒术”的政策，确立了儒家思想的正统与主导地位，使得专制“大一统”的思想作为一种主流意识形态成为定型。结合作者的生平来看，作者比较注重对儒家音乐思想的阐发，以儒家所推崇的君子仁人之德来比拟音声，展现了作者的儒家意识，这是对儒家音乐思想的发挥。从文章中读者时时能够感受到儒家文化对他的影响。

总的来说《洞箫赋》开音乐赋固定写作模式的先河，在他以后，其他赋家纷纷效仿，从而使这种模式的地位得以确立。另外，《洞箫赋》的这种“取材、制器、发声……”的模式基本囊括了此乐器所能涉及的诸多方面，这与武帝确立的“大一统”的思想不无吻合之处，而从以下的细节方面，读者同样可以看到儒家思想的影响。

（1）取材方面：在描写这一部分时，作者强调了箫竹所处环境的险峻、凄寒，即“江南丘墟”“岖嵚岿崎”，同时也写到了选材的要求，在文中则体现为“洞条畅而罕节兮”的描述，这些正与儒家推崇逆境造才、唯才是用的思想相吻合。当然作者也没有忘记“圣主”的作用，从而体现了阶级观念。

（2）制器方面：要求做到“挹抐擫㩎”，即中制、符合礼制规格，这与礼乐制度的等级观念不无关系，而且从洞箫的外形来看，它也是非常符合礼制的。

（3）声音的描述方面：在描述不同的声音时，特别是描写巨声和妙声时，用“慈父畜子”和“孝子事父”的仁义道德表现来形象地展现其声音的特点。

（4）声音作用方面：这一部分集中地体现了儒家音乐思想中的所推崇的教化作用。“嚚、顽、朱、均惕复惠兮，桀、跖、鬻、博儡以顿顇”此句说顽固凶残的丹朱、商均、夏桀、盗跖、夏育、申博听了以后都受到震动而醒悟过来，改变自己的恶性而陷入自我反省之中。“吹参差而入道德兮，故永御而可贵”则说吹奏洞箫就能把人引入感化之道，所以长久地使用它，其作用就显得很可贵了。可以说此部分所体现的儒家音乐思想的教化作用还是很明显的。

《洞箫赋》还很好地体现了汉代“以悲为美”的社会审美趣向，“悲”据蔡仲德先生的论断来说汉代所说的悲应该是指“悲乐”，而不是说音乐感动人而使人产生撇泪流涕的表现。首先取材方面，通过“孤雌寡鹤”“秋蜩不食”“玄猿悲啸”这些物象以说明箫竹生长环境的悲，从而为箫的制作奠定了悲的基调。其次又提到了盲乐师的因为生下来就不见光明，心中郁结了很多忧愁悲愤，只有通过音乐表现出来，所以才会有“寡所舒其思虑兮，专发愤乎音声”的表现。对于乐声的感受和作用，文中提到“故知音者，乐而悲之；不知音者，怪而伟之”，即认为只有那些体会到悲乐感情的人才能称之为“知音者”，说明作者以能欣赏悲乐为其音乐审美的标准，这也是汉代音乐审美的一大特色。

总之，《洞箫赋》为后来音乐赋的写作提供了一个很好的典范，在描写方面它运用多种手法，为读者展现了一幅色彩鲜艳的图画，其中既有高山流水，也有乐师尽情的表演，更有对于乐声的生动的描述，给读者以美的享受。音乐思想方面，此赋涉及很多儒家音乐思想的内容，这也是汉代“大一统”思想影响的表现。文中有很多内容涉及“声音”的描写，凸现出了音乐固有的娱乐性，这一点也是他的赋作的一个很重要的特点。文中体现的汉代“以悲为美”的审美趣向，更加全面地展现了汉代大文化背景对作者的影响。

王褒的创作标志着汉赋由京苑大赋向抒情小赋的转变与过渡。因为辞赋“日用乎比，月忘乎兴”，崇盛铺排比喻，语言铺张扬厉，外向激荡之风远胜含蓄比兴之义，刘勰评论其“习小而弃大，所以文谢于周人也”。《骚》不如《诗》，后不及前，今不如古，这在《情采》《夸饰》《物色》等篇中有多层次多角度的论述，比如，《情采》认为“诗人什篇，为情而造文；辞人赋颂，为文而造情”，《物色》以为“诗人丽则而约言，辞人丽淫而繁句”，刘勰所持之论，是扬雄“丽淫丽则”说的反复体现。这既有《文心雕龙》以儒家思想为主导的指导思想限制，也有辞赋壮丽华美而雅正不足、规讽有限的功能限制。

四、断代名家：王褒与批评论

一般称从《时序》到《程器》这五篇为批评论，其主要是宏观地对文学发展史、文学鉴赏、作家才略、道德修养等文题进行整体探讨。创作论与批评论的二十四个专题，涉及从前写作到后写作的方方面面，王褒在这一部分内容中有突出的贡献。

《时序》篇是古代文论史上的第一篇文学史论，对先秦至齐梁“九代文学”的“文质之变”作出了从现象到本质的深度阐释。在汉代，巴蜀三杰引领时代风尚，是著名的文学家。

越昭及宣，实继武绩：驰骋石渠，暇豫文会；集雕篆之轶材，发绮縠之高喻。于是王褒之伦，底禄待诏。……亦已美矣。[①]

西汉一朝，文学发展昌盛，作家作品灿如星汉，王褒跻身于当时最著名的文学家之列，作为巴蜀文学的杰出代表，在全国居于第一流作家的行列。西汉文学的创作整体上以辞赋为主，包括王褒，根源主要是在《楚辞》，所以刘勰准确地指出："爰自汉室，迄至成、哀，虽世渐百龄，辞人九变，而大抵所归，祖述《楚辞》：灵均馀影，于是乎在。"文学发展有自身继承前代的规律性特征，汉赋对楚辞的继承就体现了这一特征。不同时代的文学体裁与创作时尚，又鲜明地体现出当时的社会风尚与哲学思潮，乃至与帝王政治关系的密切，汉赋兴盛的背后，与汉王朝气象雄浑、富庶强盛、文治武功冠绝天下密切相关，与汉武帝尊崇儒术、好大喜功也有直接的关系。这又是汉赋于继承前代之外，当下新变的一面，所以刘勰说"质文沿时，崇替在选"，汉赋巨丽，因为时代气象之巨丽。

《才略》篇既是对《体性》篇风格理论的补充，也是对历代著名作家的一次全面比较，王褒在刘勰点评的历代著名作家中的地位极为显赫。

王褒构采，以密巧为致，附声测貌，泠然可观。[②]

王褒开汉代抒情小赋之先河，其作品精美可观，独立于世，是汉赋最优秀的代表之一。

在点评完两汉数十位著名作家之后，刘勰将王褒等巴蜀三杰进一步上升为两汉文学的断代标志。

然自卿、渊已前，多役才而不课学；向、雄以后，颇引书以助文：此取与之大际，其分不可乱者也。[③]

① 黄叔琳注，李详补注，杨明照校注拾遗：《增订文心雕龙校注》，第540页。
② 黄叔琳注，李详补注，杨明照校注拾遗：《增订文心雕龙校注》，第574页。
③ 黄叔琳注，李详补注，杨明照校注拾遗：《增订文心雕龙校注》，第576页。

王褒与司马相如“多役才而不课学”，才华横溢，独步当世，主要凭借的是先天天赋，在后天学习方面，特别是向经典的学习还不够；自刘向与扬雄“引书以助文”、征引经典开始，汉代作家改变了仗气使才而欠缺学习的不足。这既是巴蜀文学在汉代的前后变化，也是整个汉代文学在创作上的分水岭，王褒作为刘勰举证的四位最著名作家中的一员，是历史上最优秀的辞赋大家之一。

第五章　“西道孔子”扬雄

扬雄被誉为汉代孔子、西道孔子，是杰出的历史学家、哲学家、文学家、语言学家、文字学家、音乐学家，汉代儒学思想家代表，魏晋玄学儒道合流的理论始祖，通才性质的大学者。扬雄不仅阐释了许多为《文心雕龙》所直接接受的文论主张，同时，他的辞赋创作与学术著作，为《文心雕龙》的作家作品批评提供了极好的实践对象。扬雄明道、征圣、宗经、辞赋评论所论述的若干思想标准、创作理论、鉴赏理论，归纳起来，主要有以下两点。

第一，立体的文论思想。扬雄具体提出的文质论、华实说、修养论、新变论、自然之道、五经含文、辞赋致用等，在继承了先秦儒家“文质彬彬”“尽善尽美”的论人论诗之说，而直接用于评价文学内容与形式、文学内外发展因素、作家修养、审美评价的基础上，还重视探索文学丽淫丽则的审美特点、臧否历代名人名家、提出五经新变损益的主张、取法自然的创作感物说等，这些新变理论的提出，是刘勰“圣文雅丽，衔华佩实”的雅丽思想的哲学依据、美丽精神、文学新变、独尊儒家等内涵的直接来源。扬雄著名的“心声心画”说，为刘勰“文如其人”的风格论奠定了理论基础；“弸中彪外”说，为《文心雕龙》作家修养论作出了示范；“尚中执中”的中道的思想，为刘勰尚雅贬俗、中和之美的理论主张与折衷方法论的运用提供了成功的示范；求实疾虚、求真疾伪的态度，上承孟子、下启王充，为《文心雕龙》主张情深、义贞、事信、批判纬书奠定了理论基础；而对于来自荀子尚法论术的思想，扬雄对其进行了拓展论术，使得刘勰为文之道尚法论术的思想基础更为牢靠。

第二，审美上主张“丽则”。扬雄评价辞赋尚丽尚美的文学思想，是文论史上第一次明确地自觉探寻文学本质的追求，这是建立在儒家与道家美丽思想基础上的集合产物。自此，沿着扬雄、王充、曹丕、陆机而下，文学尚丽尚美之势锐不可当；文学理论的自觉、创作的兴盛、学术思潮的自觉意识不断加强。因此，扬雄在这个“自觉”的萌芽、发展、兴盛的历史脉络中扮演了一个重要的中介角色，承上启下，继往开来。刘勰《文心雕龙》一方面肯定文学尚丽尚美的本质与文学由质趋文的发展趋势，高赞文学的美丽精神；同时也看到了尚丽主张、创作、批评的不良动向，提出雅丽的古今折衷的新标准，对魏晋文学的自觉，进行了反思与规范的再次自觉。这个思想的产生与发展，是得益于扬雄的。

扬雄是巴蜀学者在全国产生重大影响的第一人，也是迄今为止在历史上影响最大的四川思想家之一。2017年6月，四川省人民政府隆重推出四川十大历史文化名人，分别是：大禹、李冰、落下闳、扬雄、诸葛亮、武则天、李白、杜甫、苏轼、杨慎。被誉为汉代孔子、西道孔子的扬雄，是巴蜀文化史上最杰出的文宗之一！

2017年11月12日，以笔者所在的西华大学为牵头单位，四川省委宣传部、四川省社会科学界联合会、四川省历史学会、成都市社会科学界联合会、郫都区人民政府、郫都区扬雄研究会等联合倡议、发起并正式成立了"四川省扬雄研究学会"，同时召开第一届学术研讨会暨会员代表大会，海内外学者一百余人与会[①]，盛况感人。

因为扬雄是一个综合性的大学者，在今天学科分类越来越细密、范围越来越狭窄的情况下来对扬雄作整体研究，是本书四位作者合力也无法完成的事情，于是我们选择了部分内容，即以其儒家哲学思想与文学创作方面的内容作为主要研究对象，这两部分在《文心雕龙》书中被广泛征引、评论，是刘勰得以写成本书的主要思想渊源之一，是孔子之后，儒家诸子中对该书影响最大的一家；而扬雄，是《文心雕龙》全书论及的综合性、全面性、深刻性、方法性、理论性无所不备的大作家。

第一节　生平简介

扬雄（公元前53—公元18年），本名杨雄，因生性孤傲，自己改姓扬。字子云，西汉蜀郡成都（今四川省成都市郫都区友爱镇）人。根据班固《汉书》本传记载：扬雄先祖避祸入蜀，溯江而上，至于蜀郡，其家五代单传，耕读为业。扬雄少时家贫，不慕富贵；口吃，不善言谈，而好深思；好学，博览多识，酷好辞赋。扬雄四十岁前主要活动于成都，拜大学者严遵等为师，打下了坚实的学术功底，在史学、《易》学、文字学等方面特别突出；仰慕乡人司马相如之盛名与鸿文，作辞赋若干，达到很高的水平，其中写于三十七八岁时的《蜀都赋》，开创了汉大赋中的京都题材，具有深远的历史影响。四十岁后，始游京师长安，大司马王音召为门下史，推荐为文学待诏。后经蜀人杨庄引荐，以文见召，奏《甘泉》《河东》等大赋，被喜爱辞赋的汉成帝召入宫廷，侍从祭祀游猎，任给事黄门郎，与王莽、刘歆等是同事。但因为扬雄性格孤傲，不善言辞，加上经济困难，

① 会上，本书第一作者顺利加入学会。

日常以深度思虑、著述文章为业，导致官职一直很低微，历成、哀、平“三世不徙官”。王莽推翻西汉政权称帝后，安排扬雄校书于天禄阁，大学者刘歆也将儿子送到他门下读书学习。后受他人谋反之事牵累，即将被捕，于是跳楼自杀，未遂。后转大中大夫。天凤五年卒，年七十一。

扬雄虽然在政治仕途上无法和司马相如与王褒相提并论，但在文学创作、思想著作、文字学、语言学、哲学、史学、文艺美学批评等方面远远超过上述二人，是汉代著名的大学者、大文豪、大思想家。其学说折衷儒道，不仅是汉代儒家思想最杰出的代表人物，桓谭及其他后人对其有“西道孔子”“汉代孔子”的尊称，还成为后来魏晋玄学思想始祖。扬雄著述丰富，有语言学著作《方言》十三卷，文字学著作《训纂》一卷，历史学著作《蜀王本纪》一卷，哲学著作《法言》十三卷、《太玄经》九卷，音乐学著作《琴清英》一卷，文学著作若干，后人合为文集五卷，包含四大赋、《蜀都赋》等著名辞赋与其他散文。

扬雄是继司马相如之后西汉最著名的辞赋家。所谓“歇马独来寻故事，文章两汉愧杨雄”。在刘禹锡著名的《陋室铭》中“西蜀子云亭”的西蜀子云即为扬雄。扬雄曾撰《太玄》等，将源于老子之道的玄作为最高范畴，并在构筑宇宙生成图式、探索事物发展规律时，以玄为中心思想，是汉朝道家思想的继承和发展者，对后世意义可谓重大，特别是魏晋玄学，在儒道结合的基础上对道家经典进行新解新诠，即以扬雄为理论起始点。

扬雄逝世后，被安葬在故乡。据《扬雄家谍》记载：天凤五年（公元18年）扬雄去世，他的弟子侯芭为其负土起坟。千年以来，受到人们的追思和祭奠。扬雄墓在今郫都区[1]西南十一千米三元场友爱镇。墓为圆形，高数米，直径10米，封土若小丘。墓地开旷，东西有农舍竹林环抱。墓前里许竹林间，为子云亭旧址。

第二节 《文心雕龙》的扬雄评论

扬雄是汉赋“四大家”之一，又是西汉末年的一代大儒，身兼文学家、思想家两种身份。扬雄早期以辞赋闻名，晚年对辞赋的看法却有所转变。他评论辞赋创作是欲讽反劝，认为作赋乃是“童子雕虫篆刻”“壮夫不为”。他在《法言》中还主张文学应当宗经、征圣，以儒家经书为典范。这些思想深刻地影响到了《文

① 2016年12月7日，四川省政府官网发布文件《四川省人民政府关于同意撤销郫县设立成都市郫都区的批复》，内容显示，经国务院批准，同意撤销郫县，设立成都市郫都区，以原郫县的行政区域为成都市郫都区的行政区域，郫都区人民政府驻郫筒街道望丛中路998号。

心雕龙》的成书。

扬雄思想丰富深刻，整体上呈现出儒家为主而儒道结合的特点。在他的辞赋创作实践与学术著作中，我们可以梳理出许多对《文心雕龙》产生了直接影响的哲学、文学、美学思想，这些思想集中在其代表作《法言》之中，并表现于《报刘歆书》《反离骚》《太玄经》《汉书·扬雄传》等文献之中。自孔子以后，对《文心雕龙》雅丽思想建构影响最大的就是扬雄，这可以从《文心雕龙》全书三十八次直接论述扬雄所出现的重要位置、若干次化用其“丽淫丽则”主张的运用情况清楚地看出来。这三十八次论述分别如下。

（1）《宗经》：扬子比雕玉以作器，谓“五经”之含文也。

（2）《辨骚》：扬雄讽味，亦言“体同《诗》雅”。

（3）《辨骚》：马、扬沿波而得奇。

（4）《诠赋》：王、扬骋其势。

（5）《诠赋》：子云《甘泉》，构深玮之风。

（6）《诠赋》：扬子所以追悔于雕虫，贻诮于雾縠。

（7）《颂赞》：子云之表充国，孟坚之序戴侯，武仲之美显宗，史岑之述熹后，或拟《清庙》，或范《駉》《那》，虽浅深不同，详略各异，其褒德显容，典章一也。

（8）《铭箴》：至扬雄稽古，始范《虞箴》，作《卿尹》《州牧》二十五篇。

（9）《诔碑》：扬雄之诔元后，文实繁秽。

（10）《哀吊》：扬雄吊屈，思积功寡，意深反《骚》，故辞韵沈膇。

（11）《杂文》：扬雄覃思文阁，业深综述，碎文琐语，肇为《连珠》。

（12）《杂文》：扬雄《解嘲》，杂以谐谑，回环自释，颇亦为工。

（13）《杂文》：子云所谓“犹骋郑卫之声，曲终而奏雅”者也。

（14）《诸子》：扬雄《法言》，归乎诸子。

（15）《封禅》：扬雄《剧秦》，班固《典引》，事非镌石，而体因纪禅。观《剧秦》为文，影写长卿，诡言遁辞，故兼包神怪；然骨制靡密，辞贯圆通，自称“极思”，无遗力矣。《典引》所叙，雅有懿采，历鉴前作，能执厥中；其致义会文，斐然馀巧。故称“《封禅》靡而不典，《剧秦》典而不实”，岂非追观易为明，循势易为力欤？

（16）《书记》：扬雄曰：“言，心声也；书，心画也。声画形，君子小人见矣。”

（17）《书记》：史迁之《报任安》，东方之《谒公孙》，杨恽之《酬会宗》，子云之《答刘歆》：志气槃桓，各含殊采；并杼轴乎尺素，抑扬乎寸心。

（18）《神思》：扬雄辍翰而惊梦……：虽有巨文，亦思之缓也。

（19）《体性》：子云沈寂，故志隐而味深……触类以推，表里必符。

（20）《通变》：桓君山云：“予见新进丽文，美而无采；及见刘、扬言辞，常辄有得。”

（21）《通变》：夫夸张声貌，则汉初已极。自兹厥后，循环相因，虽轩翥出辙，而终入笼内。……扬雄《校猎》云：“出入日月，天与地沓。”……此并广寓极状，而五家如一。

（22）《丽辞》：自扬马张蔡，崇盛丽辞。

（23）《比兴》：至于扬班之伦，曹刘以下，图状山川，影写云物，莫不织综“比”义，以敷其华。

（24）《夸饰》：及扬雄《甘泉》，酌其馀波：语瑰奇则假珍于玉树；言峻极则颠坠于鬼神。

（25）《夸饰》：子云《羽猎》，鞭宓妃以饷屈原。

（26）《夸饰》：酌《诗》《书》之旷旨，翦扬马之甚泰。

（27）《事类》：及扬雄《百官箴》，颇酌于《诗》《书》。

（28）《事类》：以子云之才，而自奏不学；及观书石室，乃成鸿采：表里相资，古今一也。

（29）《事类》：夫经典沉深，载籍浩瀚，实群言之奥区，而才思之神皋也。扬、班以下，莫不取资。

（30）《练字》：扬雄以奇字纂《训》。

（31）《练字》：陈思称：“扬、马之作，趣幽旨深，读者非师传不能析其辞，非博学不能综其理。”

（32）《时序》：乐毅报书辨以义，范睢上书密而至，苏秦历说壮而中，李斯自奏丽而动：若在文世，则扬、班俦矣。

（33）《时序》：越昭及宣，实继武绩：驰骋石渠，暇豫文会；集雕篆之轶材，发绮縠之高喻。于是……子云锐思于千首，子政雠校于六艺：亦已美矣。

（34）《才略》：扬子以为“文丽用寡者长卿”，诚哉是言也！

（35）《才略》：子云属意，辞人最深：观其涯度幽远，搜选诡丽，而竭才以钻思，故能理赡而辞坚矣。

（36）《知音》：扬雄自称：“心好沉博绝丽之文。”其不事浮浅，亦可知矣。

（37）《程器》：扬雄嗜酒而少算。

（38）《程器》：彼扬马之徒，有文无质，所以终乎下位也。

上述论述全面、均衡地分布于《文心雕龙》从“文之枢纽”到“论文叙笔”再到“剖情析采，笼圈条贯”的前后始终，扬雄不仅是兼备众体的卓越作家，在各体文学创作中都占据了一流大家的位置，贡献了许多著名的作品、创新了许多新兴的文体，而且是卓有建树的理论家，在辞赋理论、经学理论、创作评论、写作理论、审美批评等方面，都是《文心雕龙》极力推崇的一流理论大家。因此，归纳上述论述，其重点有三：一是在《宗经》《事类》等篇目中论述扬雄的宗经观点；二是引用扬雄的文学理论见解，为论述作论据；三是以扬雄的作品为对象，进行审美与创作的评价。整体上看，扬雄具有经学家、文学家、理论家的数重身份，刘勰论述扬雄，褒赞非常之多。而对于扬雄辞赋评论“丽淫丽则”的借鉴运用，更是雅丽思想直接取法的对象，书中若干次运用或化用之。总而言之，扬雄是继孔子之后，对雅丽思想影响最大的儒家人物。

具体而言，扬雄对《文心雕龙》成书的影响体现在以下几个方面：第一当然是众体兼备的卓越文学创作，特别在论文叙笔部分占据了最主要的位置；第二是提倡明道、征圣、宗经的思想，这是对孔子、孟子、荀子一脉相传的儒家“德义雅正”正统思想的继续强调，而且有所发展新变，理论阐释更加深刻，提出了“在则人，亡则书”“五经含文”“自然之道”等主张，打通儒道，为刘勰直接所用；同时，扬雄受先秦儒家影响，贬斥诸子而独尊儒学，甚至对荀子也大加刁难，表现出绝对征圣的态度；第三是对儒家文艺美学思想的极大丰富，在“雅正”基础上大力提倡尚丽的文学主张，提出“丽淫丽则”的辞赋审美标准、“华实相副”的尚礼观念、“文质兼美”的圣人修养说、“心声心画”的表里合一的探讨、“弸中彪外”的修养观念等，这些观念成为《文心雕龙》雅丽思想的直接取法对象；第四是扬雄思想受《周易》阴阳刚柔、天地自然、日新变化、感物取材等理论学说影响很深，《法言》体现了许多这样的影响痕迹，这对《文心雕龙》的文学原道、物色理论、自然之道、文学尚丽等学术思想取法有着榜样示范的作用。

第三节　扬雄对《文心雕龙》成书的立体影响

一、序论：树德建言，取法扬雄

刘勰在《序志》篇中批评近代文学发展不良，“饰羽尚画，文绣鞶帨”，直接引用了庄子中的评论和扬雄《法言》中的原话[①]，意在说明近代文学文采过度，是不对的。与此之外，还明确告诉读者，《文心雕龙》的写作动机有三：一是求得令名，二是选择“文章”而不再解经，三是写成写作理论著作，其根本目的是借文章而彰令名、求不朽。刘勰以为生命脆弱，为了“树德建言”，一定要写书留传下来，这是古人“名德”思想直接影响的结果，蜀中学者扬雄是刘勰取法的重要对象。据《左传·襄公二十四年》记载：

> 二十四年春，穆叔如晋。范宣子逆之，问焉，曰：“古人有言曰，‘死而不朽’，何谓也？”穆叔未对。宣子曰：“昔匄之祖，自虞以上，为陶唐氏，在夏为御龙氏，在商为豕韦氏，在周为唐杜氏，晋主夏盟为范氏，其是之谓乎？”穆叔曰：“以豹所闻，此之谓世禄，非不朽也。鲁有先大夫曰臧文仲，既没，其言立。其是之谓乎！豹闻之，大上有立德，其次有立功，其次有立言，虽久不废，此之谓不朽。若夫保姓受氏，以守宗祊，世不绝祀，无国无之，禄之大者，不可谓不朽。”[②]

鲁国大夫叔孙豹到了晋国，范宣子“逆之”，和他讨论一个非常高大上的话题：什么叫做死而不朽？叔孙豹在回答中所提出的“大上有立德，其次有立功，其次有立言，虽久不废，此之谓不朽”的立德、立功、立言之“三不朽”说，这三者是虽久不废，流芳百世的。孔子则认为“君子疾没世而名不称焉”，在立德立功不成的情况下，述而且作，编次《春秋》，删《诗》正乐，名德俱彰。司马迁身遭宫刑，因为《史记》未完而坚持“退而论书策”，他希望自己的著作能“藏之名山，传之其人”，“通邑大都”均有《史记》，“则仆偿前辱之责，虽万被戮，岂有悔哉?”司马迁认为，令名的追求是很困难的，一般人想的是如何享受富贵，轻身安乐，所以这种“发愤著书”以求令名的精神“可为智者道，难为俗人言”，一般人做不到。上述诸人之外，扬雄论“名”最多，集中体现在他的学术著作《法言》之中，对刘勰的影响也最大。扬雄在《法言》中认为，圣人之所以被后人尊敬，是因为德行政教样样兼备，因此留下来美好的名声。《重黎》篇提出“令名”一说，韩信、黥布因为叛逆汉室，名声虽有，但不足为法。《学行》论述学习，

---

① 饰羽，亦作“餙羽”。修饰羽毛。比喻刻意追求文采。《庄子·列御寇》：“仲尼方且饰羽而画，从事华辞。”王先谦集解引宣颖曰：“羽有自然之文采，饰而画之，则务人巧。”鞶帨，指腰带和佩巾。汉扬雄《法言·寡见》：“今之学也，非独为之华藻也，又从而绣其鞶帨，恶在《老》不《老》也。”李轨注：“鞶，大带；帨，佩巾也。衣有华藻文绣，书有经传训解也。文绣之衣，分明易察；训解之书，灼然易晓。”

② 杜预注，孔颖达等正义：《春秋左传正义》，第1979页。

以为“名誉以崇之”是学者的必然追求。《孝至》篇则说：“不为名之名，其至矣乎！为名之名，其次也。”要求在追求美名声誉的时候，不能一味只想着出名，而要有道义精神，扬雄主张通过德义精神的修养来完善自我，修得令名。《渊骞》篇对蜀中名家李仲元极为推崇，显示了扬雄征圣不仅崇古，也法则近代的新变意识，其主要原因，就是李仲元名德昭彰，榜样感化力量十分巨大。同时，扬雄还主张以实际行动来彰显令名，《先知》篇论述“为政日新”的重要一环，就是“乐其义，厉之以名，引之以美，使之陶陶然”，重视美言美行，感化教育。《君子》篇提出实际行动对建立美名的重要作用：“人必先作，然后人名之”，要求在行动上有过人之处，美名才会得到彰显。在此基础上，扬雄对君国将相、功臣名卿有自己辩证的看法，《渊骞》篇论述“近世名将”、“近世名卿”、外交大臣、著名作家几十人，在赞美他们功德的同时，也批评他们不合儒家教义之处。上述汉代名人大量出现于《文心雕龙》书中，对刘勰论述“文士将相”与“九代英才”有直接影响。扬雄不仅倡导名德思想，更在立言不朽方面作出了实践表率。《汉书·扬雄传》说他：

> 实好古而乐道，其意欲求文章成名于后世，以为经莫大于《易》，故作《太玄》；传莫大于《论语》，作《法言》；史篇莫善于《仓颉》，作《训纂》；箴莫善于《虞箴》，作《州箴》；赋莫深于《离骚》，反而广之；辞莫丽于相如，作四赋；皆斟酌其本，相与放依而驰骋云。[①]

诚然，没有写成那么多著名的京都大赋和学术著作，扬雄之名不可能如此卓著。而扬雄晚年轻鄙辞赋，转向学术研究，主要的用意，仍然是“意欲求文章成名于后世”，也就是立言不朽之心在推动他的著述研究工作，使他在哲学思想、文字小学、应用文体等方面取得了很高的成就。

刘勰重视名德，并且深感生命脆弱：“形同草木之脆，名逾金石之坚，是以君子处世，树德建言。岂好辩哉？不得已也！”因此，《文心雕龙》根本的写作目的是“树德建言”，至于成书后所产生的巨大影响，以及当前“龙学”研究的学术热潮，并不在他预设的创作动机之内。刘勰不仅渴求令名，而且以此为本，作为《文心雕龙》品评作家作品的基本标准，并极力在书中树立儒家思想的主导地位，所以，在评论作家作品的时候，刘勰除了从文章体裁、写法技巧、风格特点、修辞技法、影响作用方面来论述写作，还往往以儒家经典的思想标准来衡量历代作家

① 班固：《汉书》（影印本），第3583页。

作品思想是否雅正，有无违背经典、有无奇谈怪说。跳出《文心雕龙》，考察刘勰的生平可知，从他托身定林寺、博通经纶、写作《文心雕龙》、拦道沈约到出仕梁代、做官三十多年的大半生，都是在令名功德思想的支配下走过来的。刘勰毕生所坚持的令名功德心态，也是《文心雕龙》以儒家思想为主导的重要证据。

二、枢纽论：五经含文，扬雄首倡

在《文心雕龙》的序论中，扬雄立言不朽的理论与实践对刘勰产生了重要的影响。但《文心雕龙》的性质毕竟是写作理论著作而不是伦理学著作，因此，发展到“文之枢纽”的五篇专论时，就必须对写作的“枢纽”问题展开深入的讨论。这一部分最重要的问题有两个：一是树立儒家思想的指导地位和儒家经典的理论主导地位，二是从哲学高度提出人文尚丽的文学观念并在具体作家作品的比较中落实到具体的写作实践上来。在这两个问题中，扬雄均有重要的地位和影响。

（一）扬雄《法言》与“圣文雅丽”

《文心雕龙》的枢纽论部分共有五个专题：《原道》《征圣》《宗经》《正纬》与《辨骚》。《原道》篇从哲学高度阐释了自然之道的华丽特点、人文原道必定“郁然有采”的基本属性、儒家圣人与儒家经典在人文历史上的主导作用等问题，其核心是人文有采，为后两篇论述儒家经典的文采之美打下理论基础。《征圣》篇指出儒家圣人具有最高的美言美行，其政化、事迹、修身均以“贵文”为要，在这样的前提条件下，儒家经典就具有了“繁略殊形，隐显异术，抑引随时，变通适会”的特征与写作技法，是学习写作的最高范本，而且“圣文雅丽，衔华佩实”，具有雅而且丽的审美风格，笼罩或雅或丽的一切文章。《宗经》篇具体提出“文出五经”的观点，认为《诗》《书》《礼》《易》《春秋》衍生出了后代所有的文章体裁类型，事实上，从《明诗》到《书记》的二十篇文体论正是按照“五经发其源”的体例来设计安排的；同时，本篇指出五经有“一则情深而不诡，二则风清而不杂，三则事信而不诞，四则义贞而不回，五则体约而不芜，六则文丽而不淫”的“六义”特点，学习五经，可以养成“六义”中优良的写作技能，改正不良写作弊端。[①]《正纬》篇通过比较指出纬书具有丽而不雅的特点，这个特点于解经

① 对于“六义”的研究意见颇多。易中天先生将“六义”与风、骨、采二合一地对接观照，得出“风骨”就是雅丽之文审美理想的看法；王志彬先生认为单看“六义”尚属片面，还应该结合《知音》篇“六观”说，二者的结合，才是《文心雕龙》批评论的整体意见；还有的研究者以为这是《文心雕龙》的创作论。实际上，“六义”的排列顺序是由情到文（采），转化来看，就是《情采》篇论述的文质关系说，以及如何正确创造彬彬“正采”的方法论。“雅丽”是一个整体的概念，分而为六是对雅丽的细化，合六为一是对雅丽的整合。雅丽即“六义”，不仅是创作原则，同时是审美原则与批评原则。

无益，但“有助文章”，写作可以借鉴，刘勰开始承认文章写作与儒家经典的区别。《辨骚》篇详论了对楚辞的历代评价，提出自己独到的看法，刘勰认为楚辞和经典相比较具有“四同”与“四异”，屈原楚辞体现了最高的文采之美，是历代文学中最杰出的代表作品，影响后世，泽被千秋。①

通过上面的简单分析，我们可以发现，“枢纽论”的五篇专题以《宗经》为核心，确立了儒家思想和儒家经典在全书的理论与创作主导地位。②但这只是从指导思想角度来说的，落实到具体的写作问题上来，这五篇有一个共同的基本特点：极力主张文学尚丽。《原道》指出人文有采，这一基本属性为典而不美的儒家经典提供了具有文采之美的哲学依据，纬书与楚辞本就华美异常。这样，作为“人文”的经、纬、骚共有尚丽的属性，“文出五经”在审美特点上不会被动摇。但是儒家雅正的文学观念与文学尚丽的基本属性交汇融合，必然会激荡出两个相反方向的基本观念：尚雅贬丽与雅丽结合，这一对矛盾互现的基本文学观念贯通于《文心雕龙》全书之中。

刘勰的主要选择是折衷经典之雅与纬骚之丽，选择雅丽结合的方式。在《宗经》篇论述经典“六义”之后，刘勰引用扬雄的话来证明自己的论断：“故扬子比雕玉以作器，谓五经之含文也。”据此可知，刘勰提出经典之“六义”，经典具有的文采之美，除了《原道》的哲学依据，在具体写作理论层面上的根源，正是扬雄“五经含文”的主张。

扬雄的《法言》一书折衷儒道，在坚持儒家思想的前提下，大力提倡“自然之道”“日新”观念与物色美丽之说，是传统儒家向道家取材后新变的产物。曾有论者直接从道家思想入手探索《文心雕龙·原道》篇的论说，大多不得要领，而从扬雄《法言》入手，这个问题可迎刃而解。所以，扬雄的明道思想，是《文心雕龙》的《原道》、《物色》、文学新变的重要渊源。《法言》中有丰富精彩的征圣美圣言论，提出“文质丹青”“弸中彪外”“如莹如玉”“君子美玉”等一系列的歌颂言论，对圣人的美德令名、美言美行、内在修养、文采之美进行了崇高的赞美，从这个角度看，《文心雕龙》的征圣思想与作家修养理论，扬雄又是一个重要的源头。从《宗经》篇尊奉五经与五经含文的论述来看，刘勰均直接取法于

① 有的研究者认为《辨骚》篇应该归属于文体论部分，这是从文体归类的角度来看的，其说不妥：一则因为刘勰自述是将本篇列于枢纽论；二则《辨骚》篇在论述《离骚》特点的同时，还有一个重要的目的是总结枢纽论五篇的核心内容，即：文学创作应该在经典雅正得法的基础上进一步突出华丽之美，雅丽结合。从这个角度讲，纬书与《离骚》在本质上都是“丽而不经”的作品，《辨骚》以归入枢纽论为宜。

②“文之枢纽”以《宗经》篇为核心，这是近年来《文心雕龙》研究的一个新的探究发现。一般认为，枢纽论部分应该以《原道》篇为核心，詹福瑞、孙蓉蓉、李建中等研究者认为应该以《宗经》篇为核心，因为全书的指导思想是儒家文艺思想。笔者认同此说，同时认为《辨骚》篇专论文学创造的新变范例与诗骚结合、奇正结合的创作原则，这才是真正阐释文学写作之枢纽的篇目。

扬雄。

扬雄在《法言》中论述了精彩的宗经思想。一方面，儒家经典在扬雄这里不仅是“不刊之鸿教”，而且散发着迷人的文采之美，这与古板的传统看法截然不同。扬雄以其复古与新变交织的观念而辩证宗经，对于经典蕴含的华美之义进行了深刻地论证与阐释。扬雄关于“五经含文”的论述，成为刘勰直接采用的“六义”说的证据，更是《文心雕龙》“圣文雅丽”思想的直接来源。扬雄对五经特点的理解超越了前人，其学说为《文心雕龙》所全盘继承。主要体现在以下几个方面。

第一，全面论述了“五经”在内容上的特点。《寡见》篇说：

> 或问：“五经有辩乎？”曰：“惟五经为辩。说天者莫辩乎《易》，说事者莫辩乎《书》，说体者莫辩乎《礼》，说志者莫辩乎《诗》，说理者莫辩乎《春秋》。舍斯，辩亦小矣。”①

扬雄所说到的“惟五经为辩”，全面涉及了五经“《易》说天”“《书》说事”“《礼》说体”“《诗》说志”“《春秋》说理”的内容特点。②在扬雄看来，五经是最能够体现“辩”的特点的，据此，论辩之士，“伎数之子”，都应该归入儒家五经的统摄范围中来。这个思想包含的内容有如下几层：一是儒家最高；二是儒家统摄各家；三是五经内容丰富，囊括万有；四是五经各自特点不同，每一经都有涉及自身领域内的新东西。《文心雕龙》的《宗经》篇全面继承了扬雄的说法，曰：“象天地，效鬼神，参物序，制人纪，洞性灵之奥区，极文章之骨髓者也。”③经典在内容上极为丰富，是人情与文章的最高表现形式。在具体的各自特点上，《文心雕龙》关于“《易》惟谈天”“《书》实记言”“《诗》主言志”“《礼》以立体”“《春秋》辨理”的说法，与扬雄“《易》说天”“《书》说事”“《礼》说体”“《诗》说

---

① 王以宪、张广保注释：《法言·潜夫论》（注释本），北京：华夏出版社，2002年，第56页。

② 先秦道家《庄子》书中曾谈到儒家六经的特点，《天下》篇：“古之人其备乎！配神明，醇天地，育万物，和天下，泽及百姓，明于本数，系于末度，六通四辟，小大精粗，其运无乎不在。其明而在数度者，旧法世传之史尚多有之。其在于《诗》《书》《礼》《乐》者，邹鲁之士搢绅先生多能明之。——《诗》以道志，《书》以道事，《礼》以道行，《乐》以道和，《易》以道阴阳，《春秋》以道名分。——其数散于天下而设于中国者，百家之学时或称而道之。”其后，儒家的荀子谈到过五经的特点，《儒效》篇说：“诗言是其志也，书言是其事也，礼言是其行也，乐言是其和也，春秋言是其微也”；汉代司马迁在《史记·太史公自叙》中也曾评价六经：“易著天地阴阳四时五行，故长於变；礼经纪人伦，故长於行；书记先王之事，故长於政；诗记山川谿谷禽兽草木牝牡雌雄，故长於风；乐乐所以立，故长於和；春秋辩是非，故长於治人。是故礼以节人，乐以发和，书以道事，诗以达意，易以道化，春秋以道义。”三家之中，荀子不曾谈《易》，而郭沫若先生以为《易传》最终成于荀子。扬雄对五经特点的理解，显然有以上述诸子所发议论为其依据。

③ 黄叔琳注，李详补注，杨明照校注拾遗：《增订文心雕龙校注》，第26页。

志”“《春秋》说理”的总结几乎完全一致。

第二，扬雄对“五经美玉”的论述，使刘勰建立起“五经含文”的尚丽主张。《寡见》篇以美玉为喻，认为经典应该是文采华丽的。

> 或曰：“良玉不雕，美言不文，何谓也？”曰：“玉不雕，玙璠不作器。言不文，典谟不作经。”①

“玉不琢，不成器”，表明了璞玉需要雕琢打磨，使之更美；“美言不文”的说法，则是《老子》“信言不美，美言不信”的同义命题。扬雄认为，语言不美则不能动人，不能显示经典的美好深刻，“典谟”也不能再作经书了，意在说明经典是文采华美的。扬雄主张的圣人“文质彬彬”与“心声心画”二论，认为圣人君子的修养内外皆美，文质相符，依据他“言如其人”与“文如其人”的理论可知，经典本是记载圣人言行的“亡则书”的作品，是华实相副的，故而五经含文，自然华美。《君子》篇说：

> 或问：“君子言则成文，动则成德，何以也？”曰：“以其弸中而彪外也。般之挥斤，羿之激矢。君子不言，言必有中也；不行，行必有称也。”②

屈原在《离骚》中说自己兼有“内美与修能”，即文质皆备，扬雄在此也尚内美。“弸中彪外”的提出，指出了内在修养的充实对外在文采“辉光”之美的意义。因此，圣人之文一定是华实相符的。扬雄的这一说法，是《文心雕龙》论述“圣文雅丽，衔华佩实”的最直接理论依据。《征圣》篇认为圣人文章文采焕然：“远称唐世，则焕乎为盛；近褒周代，则郁哉可从。”“焕乎为盛”，用的是孔子赞美尧帝时代文学发展繁荣的话；“郁哉可从”则直接引用的是孔子论述周代文学“郁郁乎文哉”的评价与“吾从周”的史学主张。二者的核心意思，都是指向“圣文美丽”这一主导内容。又说，圣文是“志足而言文，情信而辞巧，乃含章之玉牒，秉文之金科”，是文采华美的作品。同篇还记载了一个“颜阖以为，仲尼‘饰羽而画’，徒事华辞”的“訾圣弗得”的故事，这个故事的核心，也是指向圣人孔子的华丽言辞。作为最伟大经典作家的孔子，其言辞华丽，则其文章必然华丽。

① 王以宪、张广保注释：《法言·潜夫论》（注释本），第57页。
② 王以宪、张广保注释：《法言·潜夫论》（注释本），第119页。

《征圣》篇赞语说：“精理为文，秀气成采。”圣文是精义坚深而且文采华美的作品。正是在这样的理论铺垫基础上，刘勰才在最后推出了“圣文之雅丽，衔华而佩实”这一总结性的论述。《宗经》篇说：

> 故扬子比雕玉以作器，谓“五经”之含文也。①

比照扬雄《法言》，我们可以看到，扬雄是经典雅丽理论的第一发现者。《文心雕龙》的研究者普遍认为，五经之中，除了《诗经》，要说其他四经“含文”，是不太对头的，其他四经主要是“含雅”“含质”“含理”“含奥”，而不是“含文”。为了解决这个难题，刘勰不仅站在哲学的高度提出“文源于道，郁然有采”的依据，从根本上阐述“五经含文”一说；还在实践理论中取法扬雄，指出“五经含文”的先行论述者的意见，来充实、支撑自己的雅丽理论主张。这就从原理上、论据上两个角度证明了五经为什么“含文”这一难题，使得雅丽思想逾越了五经“雅而不丽”的事实障碍，成为全书中贯穿前后的文学尚美、文学正采主张的理论红线，并为矫正魏晋齐梁文学新变不当的不良倾向服务。

第三，刘勰关于《宗经》“六义”的界说，在扬雄《法言》中可以找到直接的理论论据。《法言》是刘勰《宗经》篇提出“六义”说，得出“风清”“文丽”等说法的直接来源，刘勰全盘继承了扬雄对经典与圣人的评价。所谓“六义”，是指经典的六大写作特点。

> 一则情深而不诡，二则风清而不杂，三则事信而不诞，四则义贞而不回，五则体约而不芜，六则文丽而不淫。②

刘勰主张“情深、风清、事信、义贞、体约、文丽”的六条标准，可以简单地归入属于文学内容的“情、事、义”三体与属于形式的“风、体、文”三体。刘勰论述的意见，实际上是扬雄已经讲过的话。《学行》：

> 或曰：“猗顿之富以为孝，不亦至乎？颜其馁矣。”曰：“彼以其粗，颜以其精；彼以其回，颜以其贞。颜其劣乎？颜其劣乎？”③

---

① 黄叔琳注，李详补注，杨明照校注拾遗：《增订文心雕龙校注》，第27页。
② 黄叔琳注，李详补注，杨明照校注拾遗：《增订文心雕龙校注》，第27页。
③ 王以宪、张广保注释：《法言·潜夫论》（注释本），第15页。

“六义”说中的“义贞而不回”，出自《吾子》：

> 或问：“君子尚辞乎？”曰：“君子事之为尚。事胜辞则伉，辞胜事则赋，事、辞称则经。足言足容，德之藻矣！”①

扬雄认为君子尚辞好辩，“事胜辞则伉，辞胜事则赋，事、辞称则经”的说法，直指“六义”说中的“事信而不诞”。《问神》则说：

> 或曰：“《玄》何为？”曰：“为仁义。”曰：“孰不为仁？孰不为义？”曰：“勿杂也而已矣。”②
>
> 或曰：“淮南、太史公者，其多知与？何其杂也。”曰：“杂乎杂，人病以多知为杂。惟圣人为不杂。”③

对比可以发现，刘勰关于五经“风清而不杂”与“体约而不芜”的论述，取法扬雄“惟圣人为不杂”一说。因为圣人“文质皆美”，《先知》篇说：“圣人，文质者也。车服以彰之，藻色以明之，声音以扬之，诗书以光之。”诗书对于圣人文质的彰显与修养濡染作用很大，圣人要穿着藻色华美的车服来彰显美德，是华实相副的，故而“风清而不杂”。《吾子》中关于“诗人之赋丽以则，辞人之赋丽以淫”的论述，则显然是最重要的“文丽而不淫”的理论渊源。至于“情深”一条，《法言》论情不多，论道德仁义美则不少，“心声心画”说重视“情动”，情动于中，归根结底，还是内在修养的德义精神在起支配作用，所以“情深而不诡”，扬雄虽然没有明言，也能找到依据。

第四，具体评论五经，比如《诗》《书》《春秋》《礼》《易》等。《孝至》：

> 或问“泰和”。曰：“其在唐、虞、成周乎？观《书》及《诗》温温乎，其和可知也。”④

“泰和”一说，与孔子“尽善尽美”大体一致，是一种充实愉悦的中和之美，含有道德政教的意味，这就是儒家经典的特点。扬雄以文观政，指出文学反映时代

① 王以宪、张广保注释：《法言·潜夫论》（注释本），第17页。
② 王以宪、张广保注释：《法言·潜夫论》（注释本），第40页。
③ 王以宪、张广保注释：《法言·潜夫论》（注释本），第40页。
④ 王以宪、张广保注释：《法言·潜夫论》（注释本），第130页。

政治的面貌，这就是刘勰《时序》篇的基本观点。同时，儒家经典风格“泰和”，是其主张的中和美的最好载体。刘勰化用此说，在风格八体的“得其环中”“雅丽黼黻”“正采彬彬”等中和美上大力提倡这个说法。《修身》论《仪礼》则曰：

> 《礼》多仪。或曰：“日昃不食肉，肉必干；日昃不饮酒，酒必酸。宾主百拜而酒三行，不已华乎？”曰：“实无华则野，华无实则贾，华实副则礼。”①

有人问：敬酒的礼节是不是太过于繁琐了呢？“宾主百拜而酒三行”，酒肉都不能食用了。扬雄说出了“华实副则礼”的话，来告诉对方，礼仪就是有这么重要。其实不是礼仪重要，而是礼仪是经典规定了的，必须如此。“华实副则礼”一说，与孔子“文胜质则史，质胜文则野，文质彬彬，然后君子”一说极为相似。虽然扬雄与孔子论述的是礼仪问题、修养问题，但是在后来的发展变化中，文质彬彬与华实相符都指向了文学作品内在美与外在美的和谐统一。《文心雕龙》的雅丽文学思想，出自孔子文质观与扬雄华实论，是儒家文艺美学思想的直接产物。《问明》篇：

> 孟子疾过我门而不入我室。或曰：“亦有疾乎？”曰：“摭我华而不食我实。”②

扬雄的华实观念主张内外双修、文质皆备。对于“摭我华而不食我实”的形式主义者，扬雄“疾”之，并指斥之。推论而下，写文章不能只是追求文采之美，还要追求内容之充实、思想之健康、主旨之积极等。做到形式美与内容美、思想美与艺术美的统一为最好，所以雅丽思想的提出，正是为主张丽而且雅的写作之美寻找到了文质皆备的操作原理。

依据经典为支撑，扬雄评价了不少的著名作家作品。《君子》：

> 淮南说之用，不如太史公之用也。太史公，圣人将有取焉；淮南、鲜取焉尔。③

---

① 王以宪、张广保注释：《法言·潜夫论》（注释本），第26页。
② 王以宪、张广保注释：《法言·潜夫论》（注释本），第47页。
③ 王以宪、张广保注释：《法言·潜夫论》（注释本），第120页。

史书实录，取法圣人；淮南之说，取法道家。暗含儒家胜过道家的意见。同篇又说：

> 必也儒乎！乍出乍入，淮南也；文丽用寡，长卿也；多爱不忍，子长也。仲尼多爱，爱义也；子长多爱，爱奇也。[①]

扬雄论述的司马相如、刘安、司马迁等著名作家，其点评都非常准确。《文心雕龙》的《才略》篇与《史传》篇直接运用到了“文丽用寡，长卿”与“子长多爱，爱奇”的说法。《风骨》篇主张“翔集子史之术”，文学写作要向史书取法；同时谈到司马相如《大人赋》，“乃其风力遒也”，仙道之说感染力巨大，但是讽谏之旨不达。《汉书·扬雄传》：

> 雄以为赋者，将以风之也，必推类而言，极丽靡之辞，闳侈巨衍，竞于使人不能加也，既乃归之于正，然览者已过矣。往时武帝好神仙，相如上《大人赋》，欲以风，帝反缥缥有陵云之志。由是言之，赋劝而不止，明矣。[②]

“文丽用寡”一说，即对此而发。“极丽靡之辞，闳侈巨衍，竞于使人不能加也”论说的是汉代辞赋“巨丽”之美，这个美有其时代背景的原因，更有司马相如树立榜样而扬雄“追风入丽”的创作实践作为实证。“赋劝而不止”的“用寡”说，就是由“丽靡之辞”的“文丽”原因造成的。赋的优点、特点，也成为其弱点、缺点。事物的发展充满了辩证法的影子。由此，再拓展到具体地评论历代典籍。《重黎》：

> 或问“《周官》”？曰：“立事。”“《左氏》”？曰：“品藻。”“太史史迁”？曰：“实录。”[③]

扬雄对儒家经典与史书的评价言简意赅，非常准确。刘勰《风骨》篇主张写作之道应该“熔铸经典之范，翔集子史之术”，是向扬雄取法得来的经验之谈。

① 王以宪、张广保注释：《法言·潜夫论》（注释本），第120页。
② 班固：《汉书》（影印本），第3575页。
③ 王以宪、张广保注释：《法言·潜夫论》（注释本），第86页。

经典为思想规范，子书与史书为操作技法，二者结合，可以囊括古代的重要典籍，尤其是百家争鸣环境下的子书，作为后代学术思想的渊源，文章写作的法与术均来自此。

因此，《文心雕龙》在“文之枢纽”部分提出的“道—圣—经”的理论脉络，无一不受扬雄学术思想的影响。

（二）《辨骚》论枢纽，扬雄为模范

“文之枢纽”的五篇专论，以《宗经》为核心，确立了“道—圣—经”的文学发展脉络，提出了“正纬”“辨骚”的辩证新变观念。五篇结束，必然有一个文学基本观念的总结，否则“枢纽”之说无法成立。笔者以为，具体到写作实践层面，“文之枢纽”在《辨骚》篇中总结提出。

《文心雕龙》专门列出《辨骚》篇，对历史上各家评论楚辞的意见进行了综述，罗列了汉武帝、淮南王刘安、王逸、汉宣帝、班固等的不同批评意见。之后指出：扬雄讽味，亦言“体同《诗》雅”。将扬雄的评论意见与前述诸人相提并论，表明扬雄是汉代楚辞评论中的重要一员，他的意见是：楚辞同于《诗经》，其手法与雅正的歌诗一致。这表明扬雄是站在儒家立场上来评论楚辞的。

之后，刘勰在《辨骚》篇中指出了楚辞与经典比较的四同与四异，表明楚辞是有着独立文学审美特征的独创性作品，可以称之为“奇文”。

扬雄成为枢纽论中最重要的典范作家之一。首先，在论述到屈原楚辞的重大影响时，刘勰指出：“枚贾追风以入丽，马扬沿波而得奇：其衣被词人，非一代也。”受屈原影响最深、学楚辞最成功的汉赋四家中，蜀占其二；而且“马扬沿波而得奇”，扬雄辞赋体现了鲜明的巴蜀地域文化特征：奇思纵逸，精妙绝伦。其次，在阐释完文章写作的“枢纽”论之后，刘勰认为只要注意到了雅丽结合、奇正结合的折衷原则，就可以很轻松地写作文章而不会出现差错。

三、论文叙笔：《文心雕龙》文体论的立论榜样

文体论部分从《明诗》到《书记》，共计二十篇，每一篇均按照“原始以表末，释名以章义，选文以定篇，敷理以举统”的结构原则为主要脉络构成。扬雄在这二十篇文体论中占据了非常重要的位置，除了在《诠赋》篇中为刘勰的辞赋评论提供创作支持与理论支撑，在其他十几个篇目的文体创造和文学理论中也有精彩的表现。

（一）《诠赋》高峰与“丽淫丽则”

巴蜀三杰在《诠赋》篇中联袂出场，影响至今，其中，分量最重的是集作家与理论家、批评家为一身的扬雄。

刘勰以为辞赋“受命于《诗》人，而拓宇于《楚辞》”，是中和诗骚之后形成的文学新体裁，学者荀子是赋体文学的创造者。发展到西汉一朝时，赋体已有八大名家。

> 陆贾扣其端，贾谊振其绪，枚马播其风，王扬骋其势；皋朔已下，品物毕图。繁积于宣时，校阅于成世，进御之赋，千有馀首。讨其源流，信兴楚而盛汉矣。[①]

具体而言，这八大名家是陆贾、贾谊、枚乘、司马相如、王褒、扬雄、枚皋、东方朔。而从“讨其源流，兴楚而盛汉矣”的结论来看，辞赋与《诗经》显然并无源流关系，楚辞才是汉赋真正的源头，因此，辞赋之丽与楚辞之丽具有前后相承的因果关系。在具体讨论了京苑大赋与抒情小赋两类辞赋作品及其特征之后，刘勰又对先秦两汉赋体文学史进行了一次大阅兵。

> 观夫荀结隐语，事数自环；宋发夸谈，实始淫丽。枚乘《菟园》，举要以会新；相如《上林》，繁类以成艳；贾谊《鹏鸟》，致辨于情理；子渊《洞箫》，穷变于声貌；孟坚《两都》，明绚以雅赡；张衡《二京》，迅发以宏富；子云《甘泉》，构深玮之风；延寿《灵光》，含飞动之势：凡此十家，并辞赋之英杰也。[②]

引文中一共列出了十位最著名的辞赋作家：荀况、宋玉、枚乘、司马相如、贾谊、王褒、班固、张衡、扬雄、王延寿，刘勰称之为“辞赋之英杰也”。如此，不论是前文断代为西汉的八家，还是通观赋体文学史的十家，扬雄均名列其间。其中，蜀地作家司马相如与扬雄开启了京苑大赋的创作，王褒则开创了抒情小赋的先河。

难能可贵的是，扬雄不仅在辞赋创作上引领诸家，而且有辞赋理论，并对汉

① 黄叔琳注，李详补注，杨明照校注拾遗：《增订文心雕龙校注》，第96页。
② 黄叔琳注，李详补注，杨明照校注拾遗：《增订文心雕龙校注》，第96页。

赋创作与《文心雕龙》的文学理论产生了直接影响。

扬雄有丰富的辞赋创作经验和辞赋理论，是刘勰辞赋理论的直接导源者。扬雄的辞赋理论与司马相如密切相关。相如赋宏大巨丽，描写精彩生动，声色动人耳目，但弊在华丽过度，因此往往收不到想要的进谏结果。

比如，扬雄对相如的《大人赋》进行了猛烈地批评，认为此文华而不实，文丽用寡。笔者认为，这有两方面深刻的原因。

第一，是杨雄自身性格原因与进京之后政治遭遇的影响。根据班固《汉书》的记载：扬雄自青少年时期就非常崇拜司马相如，模仿相如大赋，创作了不少名篇，写于成都的《蜀都赋》就是早期的著名代表。四十岁以后，扬雄进京，经他人推荐，作为汉成帝的文学待诏，这与王褒当年初入京师的待遇是一样的。后来，扬雄写作了著名的《甘泉宫赋》等大赋作品，与《河东赋》《长杨赋》《羽猎赋》合称四大赋，是扬雄辞赋作品中最著名的代表作，奠定了扬雄汉赋大家的文学史地位，也使他成为司马相如之后汉赋最著名的作家。在这一阶段，不能说扬雄不爱辞赋，辞赋创作给他带来了身份、待遇、地位、影响力的巨大改变，后来还与王莽、刘歆一起担任了黄门侍郎。但是，扬雄同样是有政治抱负的人，乡贤司马相如、王褒进京之后，都是以文干政、名显一代的大人物，扬雄的起点和进京之路，与他们何其相似！但是，因为自身的生理（口吃不能剧谈）、经济（家贫）、性格（孤傲而不善交际）、写作重点（扬雄好深思，深入哲学与史学之中）及时代风气变化（汉成帝早已不是汉武帝与汉宣帝那种开拓精神十足的帝王）、政治环境恶化（王莽等外戚掌权，汉家江山即将被替代）等因素的综合作用，扬雄在进京生活的三十多年时间里，居然经历三朝皇帝不得升官，直到王莽已经取代西汉政权、刘歆已经当上国师，他还是一个小小的黄门侍郎。这是多么大的讽刺！所以，尽管他著作等身，是当时最伟大的思想家与文学家，生存处境却如此之差。扬雄深感辞赋虽美，但是根本不能给他带来像先贤一样的待遇和处境的改变，他很无奈，以至辞赋暗藏的一部分讽谏之功能，都在看不到希望、不能发挥作用的情况下，被他彻底否定掉了。所以，他写了著名的骚体赋《逐贫赋》，以寓言和戏谑的方式，自我解嘲，应对贫寒，同时表明自己远离政治，专心治学的生存状态，避乱避祸而已。

其实，王褒的遭遇已经说明：辞赋大者与古诗同义，小者辨丽可喜，《洞箫赋》等作品与奇文，甚至可以医治好太子的疾病，深得汉宣帝和太子的喜爱，命令宫人左右朝夕诵读，娱乐作用不可代替。扬雄在处事上、营销作品上存在很大的差距，最主要的是他的性格和口吃不能多言的问题，他不善于人际交往。学者虽贫而洁身自好。所以鲍照说："古来圣贤皆贫贱，何况我辈孤且直。"这差不多是自古以来有才学、性格强硬人才的共同遭遇，几乎带有规律性；再加上政治环境的恶化与明哲保身的思想，他不再写作辞赋。

第二，是扬雄学术修养和思想变化的影响。众所周知，扬雄是一个思想深邃的思想大家，他模仿《论语》写成《法言》，模仿《周易》写成《太玄》，这两部著作，都很深奥，特别是《太玄》，一般人根本读不懂，因为这是扬雄在三才思想指导下独创的新的哲学思想体系的结晶。面对他人的责难，扬雄写作了《太玄赋》《解难》《解嘲》等一系列辞赋作品，以主客问答的形式，一一分析了《太玄》的学术思想体系、怎样解读的问题与怎样接受该书的问题。扬雄思想与众不同，不仅带有明显不合群、不从众的特点，而且深奥艰涩，其古怪的言行旁人很难理解，比如，青年扬雄曾在岷江边上吊唁屈原，模仿《离骚》写作了《反离骚》，认为屈原投江是完全可以避免的行为，根本不值得为昏君、乱臣而死。这与屈原绝对信奉的忠君思想是不同的，从另一方面来说，也是有新意的。其后，随着对儒家思想的深入研究，扬雄认为文采最美的正是历史上传下来的这些经典文献，它们华实相副，功能巨大，具有雅丽之美，而不是辞赋那样片面的巨丽之美，于是开始逐渐扬弃之前对辞赋的热情创作与借辞赋讽谏帝王的行为，他认为：辞赋除了颂扬赞美，基本上起不到讽谏作用，写辞赋简直是浪费时间，这在他的哲学著作《法言》之中有非常鲜明的体现。本节对此有解读和分析。

在《法言》一书中，伴随儒家经典华美思想的是扬雄的辞赋评论，我们可以从中看到晚年扬雄与青壮年时代扬雄的截然不同。扬雄早年追慕相如赋并写了许多模拟之作，还对屈原《楚辞》进行了若干仿作；晚年则因为政治失意，对辞赋功能产生了怀疑，对辞赋作家的低下地位心怀不满，因而对辞赋创作产生了不满，这种不满，集中地表现在《吾子》篇"童子雕虫篆刻"，故而"壮夫不为"的论述中。然后，扬雄以纺织为喻，回答提问者对辞赋华美的赞誉。

> 或曰："雾縠之组丽。"曰："女工之蠹矣。"[①]

提问者说，丝织品像薄雾般的轻纱那样透明美丽，意在赞美辞赋文采华丽的特性。"雾縠"一词，主要指"薄雾般的轻纱"，宋玉《神女赋》、司马相如《子虚赋》

---

① 王以宪、张广保注释：《法言·潜夫论》（注释本），第17页。

均有使用，指向华丽之美。[①]但是扬雄回答说这是纺织品中的蛀虫。扬雄“女工之蠹”一说，显然是指辞赋并不华丽，这就指出了相如赋（按：实则包含他自己的赋作）“文丽用寡”的问题。扬雄论辞赋之丽，与司马相如立场不同：扬雄是站在辞赋讽谏功能之“用”的立场上来说的；司马相如是站在创作方法之“质”的角度来说的。一个讲究要致用，一个论述纯文学，两人的意见其实都是对的。扬雄这个意见，并非他的独创，他用的是刘向《说苑·反质》中的原话。

> 1. 宫墙文画，雕琢刻镂。[②]
> 2. 雕文刻镂，害农事者也。锦绣纂组，伤女工者也。[③]

刘向以“雕文刻镂”对言“锦绣纂组”，批评这些做法是饥寒之本原，扬雄则以“雕虫篆刻”对言“雾縠之组丽”。只不过刘向用的是本义，指建筑上的雕饰，而扬雄用的是引申义，特指对文章的雕饰。辞赋雕饰过多，文采过度，伤害了文义内质。扬雄的这个意见，集中体现在“丽淫丽则”说的提出，《吾子》：

> 或问：“景差、唐勒、宋玉、枚乘之赋也，益乎？”曰：“必也淫。”“淫则奈何？”曰：“诗人之赋丽以则，辞人之赋丽以淫。如孔氏之门用赋也，则贾谊升堂，相如入室矣。如其不用何？”[④]

对扬雄的话，我们可以作这样的理解：“诗人之赋丽以则”是指这一类的赋不失讽喻精神，虽“丽”而有法度；“辞人之赋丽以淫”则指这一类赋作在辞章手法上过分注重修饰，而失去了讽谏的意义。这里的“诗人之赋”，所指当是屈原的骚赋，刘安、王逸、汉宣帝及后来的刘勰等均认为屈原的赋符合《诗经》的精神，所以称为“诗人之赋”；辞人之赋指的唐勒、景差、宋玉、枚乘之赋，其实就是指的汉代大赋。“淫”是过分的意思，辞赋“巨丽”，过分了。所以，这是扬雄滋

---

① 该词含义有二：一是指“薄雾般的轻纱”。《文选·神女赋》：“动雾縠以徐步兮，拂墀声之珊珊。” 李善注：“縠，今之轻纱，薄如雾也。”《文选·子虚赋》：“於是郑女曼姬，被阿緆，揄紵缟，杂纖罗，垂雾縠。”刘良注：“雾縠，其细如雾，垂之为裳也。”前蜀魏承班《渔歌子》词：“柳如眉，云似发，鲛绡雾縠笼香雪。”清郑燮《大中丞尹年伯赠帛》诗：“忽惊雾縠来相赠，便剪春衫好出游。”朱自清 《温州的踪迹》三：“这也是个瀑布；但是太薄了，又太细了。有时闪着些须的白光；等你定睛看去，却又没有——只剩一片飞烟而已。从前有所谓‘雾縠’，大概就是这样了。”二是指“像轻纱一样的烟云薄雾”。五代和凝《临江仙》词：“海棠香老春江晚，小楼雾縠涳濛。”宋苏轼《龙尾石月砚铭》：“萋萋兮雾縠，宛宛兮黑白。”这两种含义均指华美飘逸之美物美景，辞赋用此，以称其辞藻之华美。

② 刘向撰，向宗鲁校证：《说苑校证》，北京：中华书局，1987年，第515页。

③ 刘向撰，向宗鲁校证：《说苑校证》，第519页。

④ 王以宪、张广保注释：《法言·潜夫论》（注释本），第17页。

生“文丽用寡，长卿”一说的理论依据，也是他认为辞赋“劝而不止”的“无用”论的根本原因。从本段来看，扬雄对贾谊、相如的作品是很推崇的，可谓是孔氏之门登堂入室的好作品，但是，“如其不用何”，也就没有办法了。

依据对辞赋“丽淫丽则”的意见，扬雄顺带论述了他的正声雅乐观，提出“明视”以辨别“苍蝇红紫”“聪听”以区分“郑卫之似”的主张；同时提出“中正”之说，论述了“中正则雅”“中正以平”的“和乐”美；并对“女有色，书亦有色”的外在纹饰美再一次作了强调，指出“女恶华丹之乱窈窕，书恶淫辞之淈法度”的“正色正采”观，继续巩固他“丽则”一说的重要性。我们从这里既可以看到扬雄受孔子雅乐正色观的影响痕迹，也可以看到扬雄对刘勰《文心雕龙》的巨大影响。

在《情采》篇中，刘勰指出：“昔诗人什篇，为情而造文；辞人赋颂，为文而造情。……故为情者要约而写真，为文者淫丽而烦滥。而后之作者，采滥忽真，远弃《风》、《雅》，近师辞赋：故体情之制日疏，逐文之篇愈盛。”辞赋淫丽，文采繁缛，后代作者应该向“要约写真”之途回归，否则就会越滑越远，讹滥丛生。《比兴》篇以为：“炎汉虽盛，而辞人夸毗；诗刺道丧，故‘兴’义销亡。于是赋颂先鸣，故‘比’体云构，纷纭杂遝，倍旧章矣。”从比兴修辞手法兴废的角度讨论到汉代辞赋兴盛的原因和弊端，指出《雅》《颂》胜于辞赋，汉赋不如周《诗》，原因就在于夸饰过度。《夸饰》篇集中批评了辞赋创作华美伤质的弊端：“自宋玉、景差，夸饰始盛；相如凭风，诡滥愈甚。……验理则理无可验，穷饰则饰犹未穷矣。……虚用滥形，不其疏乎？此欲夸其威而饰其事，义睽刺也。”简言之，辞赋夸张虚诞，言过其实，必须回归雅正之途：“若能酌《诗》、《书》之旷旨，翦扬、马之甚泰，使夸而有节，饰而不诬，亦可谓之懿也。”《物色》篇比较了《诗经》与楚辞汉赋在景物描写方面的异同，一针见血地指出“诗人丽则而约言，辞人丽淫而繁句”这一精约风格之利与繁缛风格之弊。

从《诠赋》《情采》《比兴》《夸饰》《物色》等专门论述辞赋利弊、提倡丽词雅义的篇章中，我们可以非常清晰地看到扬雄“丽淫丽则”的辞赋评论所产生的贯通作用。《文心雕龙》对待楚辞汉赋的基本态度就是“丽以淫”，基本的解救方法就是“丽以则”，主张折衷诗骚，“风归丽则”，形成“丽词雅义”，与经典雅丽之美趋向一致。

所以，《诠赋》篇明确指出：“然逐末之俦，蔑弃其本，虽读千赋，愈惑体要。遂使繁华损枝，膏腴害骨，无贵风轨，莫益劝戒。此扬子所以追悔于雕虫，贻诮于雾縠者也。”将扬雄认为作赋属于“童子雕虫篆刻”系列的观点抬出来，认为这是“壮夫不为”的小事。因为华丽过度会走向反面，就会令人生厌。而赞语提出“风归丽则”的辞赋创作风格标准，直接语出扬雄，实际上正是《征圣》篇“圣文雅丽”说的直接表述。因为圣文雅而不丽，辞赋丽而不雅，诗骚结合，方可真正做到“衔华佩实”之彬彬“正采”[①]，实现符采相胜的审美目的。雅丽结合的原则适用于一切文章的创作、审美与鉴赏批评，成为贯通全书的基本文学美学思想。

可以说，扬雄“五经含文”的文艺思想与“丽淫丽则”的辞赋评论，是《文心雕龙》雅丽文学思想的基本渊源。

（二）“论文叙笔”与经典创作

除了人所熟知的辞赋创作与理论贡献，扬雄在各类文体的创作及理论上同样有突出的贡献。

在《颂赞》篇中，刘勰开篇指出：“颂者，容也，所以美盛德而述形容也。……夫化偃一国谓之风，风正四方谓之雅，雅容告神谓之颂。风雅序人，故事兼变正；颂主告神，故义必纯美。”扬雄作为汉代颂体文学的代表人物出场：“若夫子云之表充国，……其褒德显容，典章一也。”[②]《赵充国颂》是扬雄的著名散文之一[③]，在这篇颂体文章中，扬雄以精炼的语言概述了赵充国将军的行伍军功和生平事迹，高度赞美了赵将军保家卫国、开疆拓土、巩固边防、为国立功的英雄壮举和个人美德，其文受皇命而为，“义必纯美”，也是赵将军身为“在汉中兴”名臣赢得的身后令名。《左庵文论》曰：“扬雄《赵充国颂》将充国一生战功皆括于内，最为切题。”

在《铭箴》篇中，扬雄模仿儒家经典《尚书》之体例所创作的《百官箴》，则是历代箴体文学中最精彩的作品。

> 箴者，所以攻疾防患，喻针石也。斯文之兴，盛于三代。《夏》、《商》二箴，馀句颇存。及周之辛甲，百官箴一篇，体义备焉。
>
> 迄至春秋，微而未绝。故魏绛讽君于后羿，楚子训民于在勤。战代以来，弃德务功，铭辞代兴，箴文委绝。至扬雄稽古，始范《虞箴》，作《卿尹》、《州牧》二十五篇。及崔、胡补缀，总称《百官》。指事配

---

① 《情采》。
② 黄叔琳注，李详补注，杨明照校注拾遗：《增订文心雕龙校注》，第108页。
③ 文见《汉书·赵充国传》、《文选》卷四十七。

位，鞶鉴有征，信所谓追清风于前古，攀辛甲于后代者也。[①]

扬雄继承古人，重兴箴文，《百官箴》继往开来，可称楷模。因其箴文篇目甚众，文字过多，在此不一一引征出来。

扬雄有才，这是毫无疑问的事实，但在诔体文学的创作中，却脱离了拟古的范式，因而出现弊病，《诔碑》云："诔者，累也，累其德行，旌之不朽也。""诔"是一种表彰死者功业德行，表达哀悼之情的文章，而且主要用于皇族、贵族、名臣、名将等高级别人物身后纪念之用，与颂体、铭文相似。《汉书》卷九十八《元后传》记述了王莽姑姑王政君一生的主要经历和事迹，元后去世后，王莽召集扬雄，让他写了《元后诔》[②]，刘勰评论道："暨乎汉世，承流而作。扬雄之诔元后，文实繁秽。沙麓撮其要，而挚疑成篇；安有累德述尊，而阔略四句乎？"[③]"元后"指西汉元帝之皇后王政君。扬雄的《元后诔》在《艺文类聚》卷十五、《全汉文》卷五十四均有辑录，但在《汉书》卷九十八《元后传》中只引用了"太阴之精，沙麓之灵，作合于汉，配元生成"这四句，晋代文论家挚虞没有见到扬雄本文的全貌，所以在《文章流别论》中怀疑全文只有这四句。沙麓，山名，在河北省大名县东。《元后传》："昔《春秋》沙麓崩。"指的是《春秋》僖公十四年"沙麓崩"一事。《公羊传》曰："沙鹿者何？河上之邑也。"刘勰"沙麓撮其要"一说，指的就是《汉书》中记载的这四句，已撮举全文的要领。因沙麓，指元后生长的地方。刘勰认为"文实繁秽"，实际上撮其要领，也不过是这四句话。

按刘勰之论，诔体文学需要"辞哀而韵长"，扬雄之文哀辞过度，太过繁杂，因而损伤了整体的效果。文体各有特点，创作时需要遵循该体的特殊要求，否则就会出现偏差，这种观点与《定势》篇"因情立体，即体成势"之说完全符合，可见《文心雕龙》上下篇之间衔接紧密，体系严谨。

但细读全文，《元后诔》绝不是上述四句即可概括要领的；再细读刘勰原话，他是针对挚虞的怀疑来说的：这篇文章"累德述尊"，怎么会只有这四句呢？

在《哀吊》篇中，扬雄作为吊体文学的主要代表出场："扬雄吊屈，思积功寡，意深反《骚》，故辞韵沈膇。"[④]扬雄追悼屈原，仿屈原《离骚》体式作《反离骚》，《汉书·扬雄传》载有此事及此文。

---

① 黄叔琳注，李详补注，杨明照校注拾遗：《增订文心雕龙校注》，第140页。
② 文见唐欧阳询辑《艺文类聚》卷十五。
③ 黄叔琳注，李详补注，杨明照校注拾遗：《增订文心雕龙校注》，第154-155页。
④ 黄叔琳注，李详补注，杨明照校注拾遗：《增订文心雕龙校注》，第168页。

先是时，蜀有司马相如，作赋甚弘丽温雅，雄心壮之，每作赋，常拟之以为式。又怪屈原文过相如，至不容，作《离骚》，自投江而死，悲其文，读之未尝不流涕也。以为君子得时则大行，不得时则龙蛇，遇不遇命也，何必湛（沈）身哉！乃作书，往往摭《离骚》文而反之，自岷山投诸江流以吊屈原，名曰《反离骚》；又旁（傍）《离骚》作重一篇，名曰《广骚》，又旁（傍）《惜诵》以下至《怀沙》一卷，名曰《畔牢愁》。《畔牢愁》、《广骚》文多不载，独载《反离骚》。[①]

扬雄之所以要写《反离骚》，是想借此表明自己对屈原沉江而死行为的不支持态度，命运在天，不必强求。这种委曲求全、明哲保身的态度从扬雄一生的命运遭际中可以找到范例，新莽政权建立之后，扬雄为存身保命，写了《剧秦美新》一文，为天下笑。

刘勰也主要是从音韵声律等形式方面入手来评价本文的，他认为扬雄为哀吊屈原而写《反离骚》时思考虽多，但成就不大；其立意重在反诘《离骚》，所以文辞音韵很不流畅，有伤声韵之美。在《原道》篇中，刘勰认为：“傍及万品，动植皆文：……至于林籁结响，调如竽瑟；泉石激韵，和若球锽：故形立则章成矣，声发则文生矣。夫以无识之物，郁然有采，有心之器，其无文欤？”[②]自然界的动植物天然地具有外在形式美与声律音乐美，文章源于自然之道，故而必然兼备形式文采之美与音韵声律之美。这一思想在《情采》篇中也有所体现：“圣贤书辞，总称文章，非采而何？……故立文之道，其理有三：……二曰声文，五音是也；……五音比而成《韶》《夏》，……神理之数也。”[③]将文章本源归结到自然“神理之数”，要达到文采华丽、音韵和谐的审美之境。专论音韵修辞的《声律》篇提出“声转于吻，玲玲如振玉；辞靡于耳，累累如贯珠”的“和韵”之说，作为衡量文章音韵美的标准。刘勰以为，屈原楚辞本就声韵不谐，“《楚辞》辞楚，故讹韵实繁”，扬雄反之，故韵律更为艰涩。可见刘勰论文既要文采雅丽，又要声律和谐，要求很高。

在论述精巧丽文的《杂文》篇中，扬雄独创了“连珠”这一文体。

宋玉含才，颇亦负俗，始造《对问》，以申其志，放怀寥廓，气实

① 班固：《汉书》（影印本），第3515-3516页。
② 黄叔琳注，李详补注，杨明照校注拾遗：《增订文心雕龙校注》，第1页。
③ 黄叔琳注，李详补注，杨明照校注拾遗：《增订文心雕龙校注》，第415页。

> 使文。及枚乘摛艳，首制《七发》，腴辞云构，夸丽风骇。盖七窍所发，发乎嗜欲，始邪末正，所以戒膏粱之子也。扬雄覃思文阁，业深综述，碎文琐语，肇为《连珠》；珠连其辞，虽小而明润矣。凡此三者，文章之枝派，暇豫之末造也。①

"连珠"之体"小而明润"，与"对问""七体"一道，是"文章之枝派，暇豫之末造"，属于把玩尚可而偏离正道的休闲文学，扬雄作为"连珠"体裁的创造者，显示了他过人的文体写作能力和独创精神。

连珠体的起源，傅玄《连珠序》认为："兴于汉章之世，班固、贾逵、傅毅三子受诏作之。"刘勰《文心雕龙·杂文》指出："扬雄覃思文阁，业深综述，碎文琐语，肇为《连珠》。"大概是平时写好的片断，没有派上用场的，集在一起，成了"连珠"。则连珠之作，始于扬雄。沈约《注制旨连珠表》也认为："连珠之作，始自子云。"从现存文献看，也以扬雄《连珠》为最早。

傅玄《连珠序》又曰："其文体辞丽而言约，不指说事情，必假喻以达其旨，而贤者微悟，合于古诗劝兴之义。欲使历历如贯珠，易睹而可悦，故谓之连珠也。班固喻美辞壮，文章弘丽，最得其体。蔡邕似论，言质而辞碎，然旨笃矣。贾逵儒而不艳。傅毅有文而不典。"对连珠的体裁风格作了准确的阐述，并论述了各家作品风格之得失。

扬雄创造的连珠体裁，产生了深远的创作影响，刘勰综述说："自《连珠》以下，拟者间出。杜笃、贾逵之曹，刘珍、潘勖之辈，欲穿明珠，多贯鱼目。可谓寿陵匍匐，非复邯郸之步；里丑捧心，不关西施之嚬矣。唯士衡运思，理新文敏，而裁章置句，广于旧篇，岂慕朱仲四寸之珰乎！夫文小易周，思闲可赡，足使义明而词净，事圆而音泽，磊磊自转，可称珠耳。"②东汉、三国、魏晋时期，模拟写作和以此闻名者层出不穷。在文学史上连珠体创作最有名的莫过于陆机《演连珠》五十首，见《文选》收录。此后谢灵运、梁武帝等纷纷参与创作，和者数十人。

同时，扬雄在"对问"体裁的创作中也有佳作："自《对问》以后，东方朔效而广之，名为《客难》，托古慰志，疏而有辨。扬雄《解嘲》，杂以谐谑，回环自释，颇亦为工。……虽迭相祖述，然属篇之高者也。"③扬雄《解嘲》采用主客互答的形式，内容上半是幽默诙谐，半是讽刺申辩，"回环自释，颇亦为工"，位

① 黄叔琳注，李详补注，杨明照校注拾遗：《增订文心雕龙校注》，第180页。
② 黄叔琳注，李详补注，杨明照校注拾遗：《增订文心雕龙校注》，第181-182页。
③ 黄叔琳注，李详补注，杨明照校注拾遗：《增订文心雕龙校注》，第181页。

居历代九家“对问”文学代表之一，成就引人瞩目。据班固《汉书》等文献记载，扬雄《解嘲》[①]作于西汉末年（约公元5年），立足汉代，对历史上的人物和事件进行审视，展开纵横捭阖的评说，从中抒发了作者的愤懑之情与落拓之志。文章通过抒情言志描写了汉代封建制度的部分弊端和当时社会的某些实情，表达了作者反对压抑人才、主张重用贤能的进步思想。

扬雄本身出身低微，家产“不过十金”，年四十余岁，才到京城游学，慢慢开始做一些小官，经历三代皇帝，而官位始终不高。直到王莽称帝，才做了大夫。扬雄主要的工作，是做学术研究，如编纂小学辞典，校对古书，写作文章、辞赋、思想著作，是他日常生活的主要内容。这就决定了扬雄的生活是比较困顿的。这篇文章，就是为自己的处境解嘲的辩护词。

作为通才，扬雄不仅创作出色，在文学评论方面也有独到的见解，汉魏六朝的“七体”文学的创作成果丰硕，而扬雄对“七体”的评价至关重要。刘勰论述说：“自桓麟《七说》以下，左思《七讽》以上，枝附影从，十有馀家。或文丽而义暌，或理粹而辞驳。观其大抵所归，莫不高谈宫馆，壮语畋猎。穷瑰奇之服馔，极蛊媚之声色：甘意摇骨髓，艳词洞魂识。虽始之以淫侈，而终之以居正，然讽一劝百，势不自反。子云所谓‘犹骋郑卫之声，曲终而奏雅’者也。”[②]扬雄“犹骋郑卫之声，曲终而奏雅”的评价本非针对“七体”文学而言，而是对司马相如赋作的评价[③]，但“七体”特征与赋体极为近似，“始之以淫侈，终之以居正”，言辞华丽，思想中正，可惜艳丽文辞遮掩了雅正的思想，使之功用受限，类似辞赋之“劝百讽一”，讽谏效果不好，所以刘勰从史书中移用扬雄的话来作为对“七体”特征的评价。

在精通各体文学的基础上，扬雄还有独创的思想著作，是汉代子书的代表人物之一，《诸子》篇说：

> 若夫陆贾《新语》，贾谊《新书》，扬雄《法言》，刘向《说苑》，王符《潜夫》，崔寔《政论》，仲长《昌言》，杜夷《幽求》：或叙经典，或

---

① 班固：《汉书》（影印本），第3566-3573。

② 黄叔琳注，李详补注，杨明照校注拾遗：《增订文心雕龙校注》，第181页。

③ 班固《汉书·司马相如传》赞曰：“司马迁称《春秋》推见（现）至隐，《易》本隐以之显，《大雅》言王公大人，而德逮黎庶，《小雅》讥小己之得失，其流及上。所言虽殊，其合德一也。相如虽多虚辞滥说，然要其归引之于节俭，此亦《诗》之风（讽）谏何异？扬雄以为靡丽之赋，劝百而风（讽）一，犹骋郑卫之声，曲终而奏雅，不已戏乎！”扬雄这段评论又见于司马迁《史记·司马相如列传》，从逻辑上说，班固在后，司马迁在前，这显然是不可能的。之所以出现这样颠倒时间的错误，估计与古书的传抄失误或后人增补有关。古代印刷术尚未兴起，史书等文献均由手工抄写传播，错漏在所难免。已故楚辞学家汤炳正先生曾考证《史记·屈原列传》中论述《离骚》的两段话位置不对，是后人传抄羼入的东西，并非史记原文。此例似可与汤先生之说互证。

明政术，虽标论名，归乎诸子。何者？博明万事为子，适辨一理为论；彼皆蔓延杂说，故入诸子之流。[①]

本段罗列了两汉最著名的子书作家及其著作八书，扬雄《法言》是对儒家经典《论语》的模仿，采用语录体的形式，以儒家思想为主导，直接取法《荀子》融合诸家、为我所用的路子，对哲学、政治、经济、伦理、文学、艺术、科学、军事乃至历史上的人物、事件、学派、文献等都有所论述，因而出入百家，内容广泛。刘勰准确地把握住了《法言》“博、辨、蔓、杂”的特点，将其归入子书系列，扬雄也是巴蜀三杰中唯一著有子书的作家。实际上，《法言》一书对《文心雕龙》全书文学理论之影响，在儒家诸子中仅次于孔子，是汉代诸家中影响最大的，本章开头部分后半部分，对《法言》所论，多有征引，作出了一些力所能及的论述。

最使司马相如在“以文干政”之路名扬天下的是他为汉武帝封禅之事创作的《封禅文》；相如之外，扬雄也有相同题材的创作。刘勰对此有公允的评价，《封禅》曰：

铺观两汉隆盛：孝武禅号于肃然，光武巡封于梁父；诵德铭勋，乃鸿笔耳。观相如《封禅》，蔚为唱首。尔其表权舆，序皇王，炳玄符，镜鸿业；驱前古于当今之下，腾休明于列圣之上；歌之以祯瑞，赞之以介丘：绝笔兹文，固维新之作也。……及扬雄《剧秦》，班固《典引》，事非镌石，而体因纪禅。观《剧秦》为文，影写长卿，诡言遁辞，故兼包神怪；然骨制靡密，辞贯圆通，自称“极思”，无遗力矣。《典引》所叙，雅有懿采，历鉴前作，能执厥中；其致义会文，斐然馀巧。故称“《封禅》靡而不典，《剧秦》典而不实”，岂非追观易为明，循势易为力欤？[②]

“相如《封禅》，蔚为唱首”，司马相如是历代封禅文的首创者，此文“表权舆，序皇王，炳玄符，镜鸿业”，颂扬明君政教之功德，堪称“绝笔”；不仅如此，还是启发后代、垂范后世的“维新之作”，这是司马相如辞赋创作“劝而不止”、干政失效所无法起到的巨大政治作用。反观扬雄《剧秦美新》一文，尽管“影写长卿”，“骨制靡密，辞贯圆通”，但是名不正且言不顺，因此“典而不实”，架势拉开了，但内容被诟病。这是扬雄被迫之作，为存身保命计。其文略。[③]王莽篡

① 黄叔琳注，李详补注，杨明照校注拾遗：《增订文心雕龙校注》，第230页。
② 黄叔琳注，李详补注，杨明照校注拾遗：《增订文心雕龙校注》，第295-296页。
③ 转引自萧统《文选》卷四十八“符命·二”。严可均辑《全后汉文》中不载本文。

汉自立，国号新。扬雄仿司马相如《封禅文》，上封事给王莽，指斥秦朝，美化新朝，故名《剧秦美新》。文中抨击秦始皇焚书、统一度量衡等措施，对王莽则歌功颂德。李充《翰林论》曰：“杨子论秦之剧，称新之美，此乃计其胜负，比其优劣之义。”此文曾被看作扬雄的“白圭之玷”。不过，王莽的新朝政权仅仅一代就亡了国，继而代之者又是刘氏。假若新莽政权能够传宗接代，百年不绝，那么，其文臣不知道会写出多少阿谀奉承、歌功颂德的文章来，扬雄这篇《剧秦美新》所歌颂的内容怕是远远比不上的。

政治和帝王的成败已有定论。仅从封禅文体发展历史的角度看，汉代封禅文有相如、扬雄、班固三家，巴蜀作家首创其例，独占两席，成就不可谓不高。

在《书记》篇中，刘勰征引扬雄“心声心画”的著名论断，作为二十五类书体与记体文学的权威名称解释。

> 大舜云：“书用识哉！”所以记时事也。盖圣贤言辞，总为之书；书之为体，主言者也。扬雄曰：“言，心声也；书，心画也。声画形，君子小人见矣。”故书者，舒也。舒布其言，陈之简牍，取象于夬，贵在明决而已。①

“舒布其言，陈之简牍”，这是历代“文如其人”的情性风格论在《文心雕龙》中的首次运用，刘勰直接将扬雄提出的“人—言—书”的评价模式运用于二十多类文体之中，顺势开启了《体性》《才略》诸篇对作家作品风格理论的精深阐释。在理论支持之外，扬雄的书体创作也被刘勰视为代表之作，加以褒赞：“及七国献书，诡丽辐辏；汉来笔札，辞气纷纭。观史迁之《报任安》，东方之《谒公孙》，杨恽之《酬会宗》，子云之《答刘歆》：志气槃桓，各含殊采；并杼轴乎尺素，抑扬乎寸心。”②扬雄《答刘歆书》自言醉心学术，无意仕途，最爱“沉博绝丽之文”，也介绍了自己精深的小学造诣，可以视为扬雄生平与学术成就的自我简介。刘勰认为这封书信足以与司马迁《报任安书》等著名书信并称，“杼轴尺素，抑扬寸心”，是“汉来笔札”的经典。③

综上，扬雄以其独领风骚的辞赋成就和博通众体的创作实绩，为《文心雕龙》二十篇文体论提供了多达十余类文体的经典作品支持，更因为独创性的辞赋理论及

---

① 黄叔琳注，李详补注，杨明照校注拾遗：《增订文心雕龙校注》，第345-346页。
② 黄叔琳注，李详补注，杨明照校注拾遗：《增订文心雕龙校注》，第346页。
③ 文见唐欧阳询辑《艺文类聚》卷八十五。

其他文学理论，对《文心雕龙》的文体论、创作论、批评论的形成产生了重要影响。

四、剖情析采：在创作论中的突出贡献

《文心雕龙》下篇共二十五篇，从《神思》到《总术》的十九篇一般称为创作论，主要探讨文学写作的思维、风格、审美、通变、情采、写作技法、主体修养等问题，这些专题又可以划分为写作思维论、写作风格论、写作技法论等专题版块，涉及了从前写作到后写作的方方面面。扬雄在创作论中做出了突出的贡献，并成为刘勰论述创作得失的首选作家。

（一）写作思维论

《文心雕龙·神思》是古代文论史上最系统的写作思维专论①，刘勰认为“人之禀才，迟速异分；文之制体，大小殊功”，写文章不能只看快慢，因为人的思维速度本身就有快慢之分，所写文体不同，写作速度也会有差异。如前文所述，扬雄尽管创作上各体皆能，而且成就非凡，但“扬雄辍翰而惊梦”，属于典型的慢节奏，所以“虽有巨文，亦思之缓也”，但最后的成就与思维速度无关。据桓谭《新论·祛蔽》所载，扬雄写完了《甘泉赋》，因用心过度，困倦而卧，“梦其五脏出在地，以手收而内之”。《全后汉文》卷十四说此：“余少时见扬子云之丽文高论，不自量年少新进，而猥欲逮及。尝激一事而作小赋，用精思太剧，而立感动发病，弥日瘳。子云亦言，成帝时，赵昭仪方大幸，每上甘泉，诏令作赋，为之卒暴。思精苦，赋成，遂困倦小卧，梦其五藏出在地，以手收而内之。及觉，病喘悸大少气，病一岁。②由此言之，尽思务精神也。”扬雄思维迟缓的论述，讲到了构思的重要性和写作劳心费神、“为文伤命”的真实状态，所以《文心雕龙》第四十二篇列为《养气》，专门讨论写作状态的养成与平时蓄养精神的问题。刘勰列举扬雄之例，是注意到了临案写作的真实思维状态，不是说有才就快，无才就慢，这种直面真实写作状态的讨论，才是最好的写作研究。

（二）写作风格论

自《体性》到《情采》的五篇，一般称为写作风格论专题，是《文心雕龙》

①《庄子》书中有零散的思维理论，重自由、虚静与逍遥；陆机《文赋》是第一篇写作思维专论，但因其赋体形式与骈偶句法，许多人读不懂。刘勰在继承庄子、陆机等前人思维理论的基础上，系统地论述了文章写作思维的各个问题。是古代文论中最系统的思维论著。

②《北堂书钞》作“病发一年而死”；《甘泉赋》注作“明日遂卒”；《御览》三百九十三作“一年卒”，三百九十九、七百三十九作“病一岁卒”，皆误。扬雄只是精力消耗太大，累病了，并非逝世。

“剖情析采”的重要原理与范畴，司马相如与扬雄在风格类型、“风骨”范畴、文学“通变”三部分中出现，对刘勰上述理论范畴的产生有重要影响。

《体性》篇中共论及汉魏十二位文章名家。“子云沈寂”则指扬雄性格沉静，《汉书·扬雄传》：“雄少而好学，不为章句，训诂通而已。……口吃。不能剧谈，默而好深湛之思，清静亡为，少耆欲。”扬雄作品之“志隐而味深”，《才略》篇“子云属意，辞人最深。观其涯度幽远，搜选诡丽；而竭才以钻思，故能理赡而辞坚矣”解释之。

在《通变》篇中，扬雄被刘勰视为完美体现了文学发展继承规律与文学新变规律的典型。扬雄首先出场，占据了理论阐释的中心位置。

> 今才颖之士，刻意学文；多略汉篇，师范宋集：虽古今备阅，然近附而远疏矣。……桓君山云：“予见新进丽文，美而无采；及见刘、扬言辞，常辄有得。”此其验也。故练青濯绛，必归蓝茜；矫讹翻浅，还宗经诰。斯斟酌乎质文之间，而隐括乎雅俗之际，可与言通变矣。[①]

齐梁时期的写作者学今而不学古，故而文章讹滥百出，刘勰认为他们不辨文质，不分雅俗，“竞今疏古”，走了弯路，故而举桓谭论扬雄的话来反对片面追求新奇靡丽的当下不正风气。学习写作宜复古，这是《文心雕龙》贯穿始终的一个基本观念，因为古文不仅尚丽——尚丽是天然特点，而且内容与语言都比当代文章雅正。扬雄的作品是刘勰极力赞美的经典。

在“斟酌质文、隐括雅俗”之后，刘勰认为汉赋的创作不仅体现了文学新变的规律，还具有继承前代、一脉相承的特点，他写道：

> 夫夸张声貌，则汉初已极。自兹厥后，循环相因，虽轩翥出辙，而终入笼内。……扬雄《校猎》云：“出入日月，天与地沓”。……诸如此类，莫不相循。[②]

汉赋五家描写海天日月的壮丽景象，尽管言辞有差异，但同时体现了“夸张声貌”的时代风气，“汉赋巨丽”的夸饰特点。如此，文学需要继承前代因子，需要合理得法地创新变化——文学通变的共时规律就被揭示出来。扬雄在这一重

① 黄叔琳注，李详补注，杨明照校注拾遗：《增订文心雕龙校注》，第397-398页。
② 黄叔琳注，李详补注，杨明照校注拾遗：《增订文心雕龙校注》，第398页。

要的篇章中再次出场，成为刘勰笔下的成功范例。

在写作思维论与写作风格论的几个宏观专题中，刘勰不仅将扬雄视为最著名的作家之一，还将他作为论述写作基本问题的典型案例。没有天下知名的扬雄提供理论来源，刘勰总结的这些写作理论将难以服众，因为很少再有扬雄这样在创作、理论方面都有很高水平的文人。

（三）写作技法论

从《镕裁》到《附会》的十二个专题，主要论述的是写作中的写作技法问题，属于微观层面的写作研究。扬雄在这些篇章中继续扮演着经典作家角色，其创作得失与文字小学水平，成为刘勰在这些篇章中立论或驳论的基本标准。

《丽辞》篇论述对偶修辞，诗赋皆用。"丽辞"技法是文学原道之"形文"的基本特点，刘勰从哲学原理的高度说："造化赋形，支体必双；神理为用，事不孤立。夫心生文辞，运裁百虑；高下相须，自然成对。"①自然万物具有"支体必双""事不孤立"的特点，因此，"心生文辞"一定具有"自然成对"的基本属性。在诗歌、辞赋成就已经很高且骈文大兴的汉魏六朝时代，刘勰此话可谓是准确地把握住了时代文学的发展脉搏，《文心雕龙》主张"新变""趋时"的文学发展观，"丽辞"理论就是一个显著成就。在刘勰看来，开启"丽辞"技法运用的是这样几个人："自扬、马、张、蔡，崇盛丽辞：如宋画吴冶，刻形镂法，丽句与深采并流，偶意共逸韵俱发。"②扬雄在对偶修辞技法上引领了新变潮流。

《比兴》篇论述比喻和起兴两种修辞手法，主要体现了微观层面的句子写作技巧。在详细列举了比喻手法"或喻于声，或方于貌，或拟于心，或譬于事"的四种类型之后，刘勰举出宋玉、枚乘、王褒、马融等的辞赋创作，虽然继承了《诗经》的比喻手法，但是辞赋的创作"日用乎比，月忘乎兴：习小而弃大，所以文谢于周人也"。汉赋比不上《诗经》。在这些人之后，刘勰继续举证说道：

> 至于扬、班之伦，曹、刘以下，图状山川，影写云物，莫不织综"比"义，以敷其华：惊听回视，资此效绩。又安仁《萤赋》云"流金在沙"，季鹰《杂诗》云"青条若总翠"，皆其义者也。故"比"类虽繁，以切至为贵；若刻鹄类鹜，则无所取焉。③

---

① 黄叔琳注，李详补注，杨明照校注拾遗：《增订文心雕龙校注》，第447页。
② 黄叔琳注，李详补注，杨明照校注拾遗：《增订文心雕龙校注》，第447页。
③ 黄叔琳注，李详补注，杨明照校注拾遗：《增订文心雕龙校注》，第457页。

扬雄、班固等著名辞赋家的作品，主要采用的都是比喻为主的写法，与上述人一样，轻视、忽略了起兴手法的运用，所以，使用比喻一定要注意：切至、准确、简约，否则就会比喻不当，文辞繁缛，刻鹄类鹜。简单说，比喻形象生动，以直接描写为主；起兴含蓄委婉，具有多重义项的解读。所以，这实际上是汉赋与诗经写作手法上的一次大转变。

发展到《夸饰》篇中，刘勰继承扬雄“丽淫丽则”观念，主张“丽则”而赞诗，反对“丽淫”而贬骚的观点特别明显。整体上看，《夸饰》篇的基本观点与《辨骚》《诠赋》《情采》《物色》等篇一脉相承，而且更为具体，从夸张修辞的角度论述文体优劣与写作规范，同时深含贯通《文心雕龙》全书的雅丽文学思想。在这一重要的篇章中，扬雄成为最主要的评论对象。

《宗经》《通变》等篇都谈到了“楚艳汉侈”的华丽之美与“夸张声貌”的夸饰技法；《丽辞》《比兴》篇也都先后对辞赋夸饰过度进行了不同角度的分析。因此，《夸饰》一篇就专为解决文学创作如何正确使用夸张手法而列。值得注意的是，刘勰在本篇中指出了儒家经典的夸饰问题，对于宗经观念深入骨髓的刘勰来说，这显得难能可贵。刘勰采用了正视问题、绝对宗经的态度和折衷诗赋、标举雅丽的创作标准。《夸饰》篇从哲学依据、诗骚创作、方法正误几个方面论述了这个意见。文章开篇就说：

> 夫“形而上者谓之道，形而下者谓之器”。神道难摹，精言不能追其极；形器易写，壮辞可得喻其真；才非短长，理自难易耳。故自天地以降，豫入声貌，文辞所被，夸饰恒存。[①]

刘勰认为，“形而上者”的自然之“道”决定了自然万物文采艳丽的特点，作为“形而下者”的文章之“器”也应该是“文辞所被，夸饰恒存”的。夸饰手法，是出自天地自然的。这就为后世所有文章尚丽尚美的美丽精神找到了坚实可信的哲学基础。于是，不论是经典也好，辞赋也好，都是文采绚丽、具有夸饰特点的。而对于经典以外的其他文体中的夸饰现象则是需要批责的。刘勰所述对象主要是辞赋创作。

> 自宋玉景差，夸饰始盛；相如凭风，诡滥愈甚。故上林之馆，奔星与宛虹入轩；从禽之盛，飞廉与鹪鹩俱获。及扬雄《甘泉》，酌其馀波：

① 黄叔琳注，李详补注，杨明照校注拾遗：《增订文心雕龙校注》，第465页。

> 语瑰奇则假珍于玉树；言峻极则颠坠于鬼神。至《西都》之比目，《西京》之海若，验理则理无可验，穷饰则饰犹未穷矣。又子云《羽猎》，鞭宓妃以饷屈原；张衡《羽猎》，困玄冥于朔野。娈彼洛神，既非魍魉；惟此水师，亦非魑魅：而虚用滥形，不其疏乎？此欲夸其威，而其事义睽刺也。至如气貌山海，体势宫殿，嵯峨揭业，熠耀焜煌之状，光采炜炜而欲然，声貌岌岌其将动矣：莫不因夸以成状，沿饰而得奇也。于是后进之才，奖气挟声；轩翥而欲奋飞，腾踯而羞跼步。辞入炜烨，春藻不能程其艳；言在萎绝，寒谷未足成其凋。谈欢则字与笑并，论戚则声共泣偕：信可以发蕴而飞滞，披瞽而骇聋矣。[①]

辞赋崇尚夸饰，从战国到两汉，循流而作，“诡滥愈甚”。以司马相如和扬雄为代表的两汉辞赋的创作，呈现出越来越严重的夸饰过度的问题。不仅如此，赋“劝而不止”的讽谏功能越来越弱，“事义睽刺”，言说迂回虚诞的弊端则越来越明显。以致后世的模仿者与学习者误入歧途，“辞入炜烨”而“言在萎绝”。刘勰对辞赋的整体评价并不高，往往以“楚艳汉侈，流弊不还”“楚汉侈而艳”指责之，又以为学习辞赋，并非习染雅制，故称“效《骚》命篇者，必归艳逸之华”，认为辞赋的影响也是不好的。《定势》篇引用桓谭“文家各有所慕，或好浮华而不知实核，或美众多而不见要约”的话，暗指与辞赋类似的夸饰艳丽的创作。

对辞赋夸饰巨丽的批评贯通《文心雕龙》全书，《通变》篇就认为辞赋之艳丽与“夸张声貌”的写法，在两汉时代登峰造极，表现得尤为明显。因此，刘勰尽管积极主张文学创作尚丽尚美，但更主张丽而有度，夸而有则，应该是追求“风归丽则”的雅丽之美。刘勰据此开出药方，认为拯救汉赋夸饰巨丽之弊端，应该这样来做：

> 酌《诗》《书》之旷旨，翦扬马之甚泰，使夸而有节，饰而不诬，亦可谓之懿也。[②]

“《诗》《书》之旷旨”是要求雅正，“扬马之甚泰”是辞赋的巨丽，要做到二者的结合，“使夸而有节，饰而不诬”，创作既雅且丽的作品，才是对夸饰手法的正确运用。这个思想，早在《辨骚》篇就提出来过。

---

① 黄叔琳注，李详补注，杨明照校注拾遗：《增订文心雕龙校注》，第466页。
② 黄叔琳注，李详补注，杨明照校注拾遗：《增订文心雕龙校注》，第466页。

> 若能凭轼以倚《雅》、《颂》，悬辔以驭楚篇，酌奇而不失其贞，玩华而不坠其实，则顾盼可以驱辞力，欬唾可以穷文致，亦不复乞灵于长卿，假宠于子渊矣。①

“《雅》、《颂》”指代“《诗》《书》雅言”，儒家经典；“楚篇”指代“奇文”楚辞，汉赋诸作。二者结合，“酌奇而不失其贞，玩华而不坠其实”，取“执正驭奇”“衔华佩实”的雅丽文风为最高极则，那么就可以轻易地写出好文章来了。

刘勰解蔽夸饰、正确对待夸饰手法的论述，明显地运用了折衷诗骚的方法论，是在极力主张其“雅丽”文学思想。雅丽文风不仅既雅且丽，符合“正采”文质彬彬的特点，而且占据了中和诗骚的审美特点，体现了“折衷”的思维方法理论，还是文学创作的典范原则，与尚丽尚美的自然之美和尚雅尚正的儒家思想相吻合，具有最大的包容性和可操作性。

在《事类》篇中，刘勰讨论了引事用典的修辞方法，扬、马之作，在用典修辞上是最好的范例。本篇首先提出儒家经典有用典之举，继而将历代文学家对用典的态度和程度罗列出来。

> 观夫屈、宋属篇，号依《诗》人；虽引古事，而莫取旧辞。唯贾谊《鹏赋》，始用鹖冠之说；相如《上林》，撮引李斯之书：此万分之一会也。及扬雄《百官箴》，颇酌于《诗》、《书》；刘歆《遂初赋》，历叙于纪传：渐渐综采矣。②

司马相如《上林赋》开启了辞赋文学用典的先河，难能可贵；扬雄《百官箴》多次援引儒家经典《诗经》与《尚书》的故事，慢慢地将用典手法纯熟化、习惯化。由此可见扬雄之前的作家主要凭借的是自身的才华来创作，引用极少；而扬雄与刘歆则将先天才气与后天学习积累运用到写作中去，使得文章内涵丰富，深度加强。这种观念与《体性》篇“才、气、学、习”四者结合、《才略》篇“卿、渊已前，多役才而不课学；向、雄以后，颇引书以助文”的观念一脉贯通。于此可见《文心雕龙》各个篇章或理论观念之间是前后呼应，论述谨严的。

刘勰认为，扬雄是古今作家中将先天才华与后天学习结合得最为成功的范例。

① 黄叔琳注，李详补注，杨明照校注拾遗：《增订文心雕龙校注》，第 51 页。
② 黄叔琳注，李详补注，杨明照校注拾遗：《增订文心雕龙校注》，第 473 页。

是以属意立文，心与笔谋：才为盟主，学为辅佐。主佐合德，文采必霸；才学褊狭，虽美少功。夫以子云之才，而自奏不学；及观书石室，乃成鸿采：表里相资，古今一也。[①]

扬雄早先的“自奏不学”，是追慕司马相如纵横驰骋的大赋写作，以绝妙之才思，为天下之丽文；其后观书课学，“乃成鸿采”——不仅包括辞赋作品，更指其文艺思想著作与学术理论著作，如《法言》《太玄》等，这类著作是司马相如所没有的。扬雄之所以在辞赋之外能够超越司马相如，主要原因就在于课学读书，出入经史百家，最后自成一家，著作子书传世。

《练字》篇论述作家的文字小学功夫与写作中词语运用的问题，是一篇别开生面的专论。蜀中名家扬雄之所以能在辞赋创作中引领风尚，成为一代俊杰，有一个重要的原因，他是汉代最著名的文字小学专家，在其辞赋创作中运用了大量的古文字或方言文字，具有第一流的学术水平，这种修养是东汉与魏晋作家所不具备的。刘勰说：

汉初草律，明著厥法：太史学童，教试“六体”；又吏民上书，字谬辄劾。……至孝武之世，则相如譔《篇》。及宣、成二帝，征集小学：张敞以正读传业，扬雄以奇字纂《训》，并贯练《雅》、《颂》，总阅音义。鸿笔之徒，莫不洞晓；且多赋京苑，假借形声。是以前汉小学，率多玮字；非独制异，乃共晓难也。暨乎后汉，小学转疏；复文隐训，臧否太半。及魏代缀藻，则字有常检；追观汉作，翻成阻奥。故陈思称：“扬、马之作，趣幽旨深，读者非师传不能析其辞，非博学不能综其理。”岂直才悬，抑亦字隐。[②]

在汉武帝时期，司马相如编写了《凡将篇》，到宣帝和平帝时期，扬雄编辑了解释奇字的《训纂篇》。《汉书·艺文志》说，西汉平帝“元始中，征天下通小学者以百数，各令记字于庭中。扬雄取其有用者，以作《训纂篇》”。这段话透露了一个惊人的信息：扬雄是当时天下小学成就最高的学者。天下通小学者以百数，汇集京都，最后作整理编辑工作的是扬雄。正是因为有这样的学术修养，扬雄的辞赋创作才能独领风骚。[③]

---

① 黄叔琳注，李详补注，杨明照校注拾遗：《增订文心雕龙校注》，第473页。
② 黄叔琳注，李详补注，杨明照校注拾遗：《增订文心雕龙校注》，第484页。
③ 关于扬雄、司马相如文字学修为的论述，请参看本书第二章相关内容。

五、笼圈条贯：批评论

扬雄在《时序》到《程器》的五篇批评专论中均有出现，他为这一部分文学史、文学鉴赏、作家批评等专论的建构做出了很大的实证贡献和理论贡献。

《时序》篇是古代文论史上的第一篇文学史论。在汉代，扬雄是引领时代风尚的著名文学家。

> 自元暨成，降意图籍，美玉屑之谈，清金马之路。子云锐思于千首，子政雠校于六艺，亦已美矣。[①]

在经历了汉武帝和汉宣帝两朝的辉煌之后，西汉国力呈现明显下降趋势，一个主要的原因，就是执政的皇帝和前代帝王相比，退步明显。但在前代积累的雄厚国力与崇尚经学、盛行辞赋的文化大环境下，辞赋的发展还是得到了一定程度的推进。扬雄身处西汉末期与王莽代汉的历史转折期，醉心学术，独创大赋，是这一时期最著名的大赋作家。

不仅在创作上有精彩的作品，在理论上，《法言》“诗人之赋丽以则，辞人之赋丽以淫”的论断再次出现在《物色》篇中。该篇深刻比较了《诗经》作者咏物图貌、描写精彩的特点，“写气图貌，既随物以宛转；属采附声，亦与心而徘徊”，具有“以少总多，情貌无遗”的精约之美，“复思经千载，将何易夺”，而从屈原到汉赋，则是渐渐华丽，“及《离骚》代兴，触类而长，物貌难尽，故重沓舒状，于是嵯峨之类聚，葳蕤之群积矣。及长卿之徒，诡势瑰声，模山范水，字必鱼贯”，批判以司马相如为代表的汉赋作家群体“所谓诗人丽则而约言，辞人丽淫而繁句也”。这些论断，已多次在《宗经》《诠赋》《杂文》《情采》《夸饰》等篇中以不同的形式出现过，在本篇论述写作对象、物色材料的选取与写作华美的程度时，再次引用之，作为结论。

《才略》篇论述从上古到成书时代的著名作家，扬雄在刘勰点评的七十多位九代作家中地位极为显赫。

> 子云属意，辞人最深：观其涯度幽远，搜选诡丽，而竭才以钻思，故能理赡而辞坚矣。[②]

---

① 黄叔琳注，李详补注，杨明照校注拾遗：《增订文心雕龙校注》，第540页。
② 黄叔琳注，李详补注，杨明照校注拾遗：《增订文心雕龙校注》，第574页。

扬雄深厚博大，才思学识皆备，故而幽深瑰丽，莫与并能，是汉赋最优秀的代表。

在点评完两汉数十位著名作家之后，刘勰进一步将扬雄上升为两汉文学的断代标志。

> 然自卿、渊已前，多役才而不课学；向、雄以后，颇引书以助文：此取与之大际，其分不可乱者也。①

司马相如与王褒“多役才而不课学”，才华横溢，独步当世；自刘向与扬雄“引书以助文”开始，汉代作家改变了仗气使才而欠缺学习的不足。这既是巴蜀文学在汉代的前后变化，也是整个汉代文学在创作上的分水岭。

在本篇之中，扬雄不仅是擅长各种文体的大作家，是汉代文学前后分界的屋脊，刘勰还将其作为整个文学史的经典作家。在论述到战国时期的各位名家的时候，刘勰说：

> 战代任武，而文士不绝。诸子以道术取资，屈、宋以《楚辞》发采。乐毅报书辨以义，范雎上书密而至，苏秦历说壮而中，李斯自奏丽而动：若在文世，则扬、班俦矣。②

名将乐毅、名臣范雎、纵横家苏秦、秦国丞相李斯等，是整个战国时期最著名的作家，他们流传下来的经典文章至今可以看得到。刘勰以为：上述作家如果出生在昌明的文世，就会是扬雄、班固这样的伟大作家。由此可见，扬雄在整个文学史上的地位之高，在刘勰心目中的分量之足。扬雄早已经超越了汉代这个断代文学的分界，是整个文学史上最著名的作家。

在作家评论之外，刘勰又以扬雄的理论见解来评价“辞宗”司马相如的创作，说道：

> 相如好书，师范屈、宋，洞入夸艳，致名“辞宗”；然核取精意，理不胜辞，故扬子以为“文丽用寡者长卿”，诚哉是言也！③

① 黄叔琳注，李详补注，杨明照校注拾遗：《增订文心雕龙校注》，第 575 页。
② 黄叔琳注，李详补注，杨明照校注拾遗：《增订文心雕龙校注》，第 574 页。
③ 黄叔琳注，李详补注，杨明照校注拾遗：《增订文心雕龙校注》，第 574 页。

关于扬雄评价司马相如辞赋创作及其审美特点的论述，本书已多次提及，并展开过详细评论，这里就不再多说了。

《知音》篇是古代文论史上最出名的一篇文学鉴赏专文。扬雄以创作与理论成就位列其中。刘勰深以为赏鉴之难，发出“见异，唯知音耳”的感叹，他认为鉴赏者必须要有主观的公正态度和具体可操作的方法，因为“文如其人”之故，好的文章是一定会被赏识到的，如扬雄诸作就是如此。刘勰赞美扬雄说：

> 扬雄自称：“心好沉博绝丽之文。”其不事浮浅，亦可知矣。[①]

扬雄《答刘歆书》自言不善言辞，少年时代追慕司马相如大赋诸作，“心好沉博绝丽之文”，遂拟而作四赋。创作取法甚高，故而成就非凡。刘勰的用意是在告诫后代的作家，鉴赏虽难，但创作也不容易，自己就要有意识地主动取法乎上，写出好作品，一味诘责鉴赏者是不公正的。

《程器》篇论述历代作家的道德瑕疵，这些作家中有文士与武将之分，著名文人十六人，打头阵的还是扬雄。

> 略观文士之疵：扬雄嗜酒而少算；……诸有此类，并文士之瑕累。[②]

扬雄不善营生，不会计算过日子，好喝酒，家贫，没有余粮，非常狼狈。像他们这样的著名文学家在德操方面都是有严重问题的，文人无行，瑕累甚多。在刘勰看来，著名的文学家应该过怎样的理想生活呢？一是拿得出独特的作品，二是能过上富贵的生活，三是具有高尚的品德，四是为文要致用于军国大业方面。作为贫寒底层青年的刘勰，孤独地在定林寺中写成本书，带有他深刻的人生体验与理想追求，他要求完美的文章，完美的作家，完美的生活，完美的功用。实际上，这种梦想只能在书斋里面自我陶醉，一旦接触社会，具体到政治文化背景中去，就显得苍白无力。社会现实阻碍了他从寒门向高层的进步，这其中尽管有他本人个性、学术重心的原因，更主要的，还是王莽干政，外戚掌权，是时代政治原因。

---

① 黄叔琳注，李详补注，杨明照校注拾遗：《增订文心雕龙校注》，第 592 页。按：杨先生《校注》本句中没有“不”字。根据上下文推断，以及其他注本对本句的理解，在此确定加上“不”字。特作说明。

② 黄叔琳注，李详补注，杨明照校注拾遗：《增订文心雕龙校注》，第 598-599 页。

参考文献

一、《文心雕龙》专著

户田浩晓：《文心雕龙研究》，曹旭译，上海：上海古籍出版社，1992年。

黄霖编著：《文心雕龙汇评》，上海：上海古籍出版社，2005年。

黄叔琳注，李详补注，杨明照校注拾遗：《增订文心雕龙校注》，北京：中华书局，2000年。

李建中：《文心雕龙讲演录》（附光盘），桂林：广西师范大学出版社，2008年.

李天道：《文心雕龙审美心理学》，成都：电子科技大学出版社，1996年。

林杉：《文心雕龙批评论新诠》，呼和浩特：内蒙古教育出版社，2002年。

林杉：《文心雕龙文体论今疏》，呼和浩特：内蒙古教育出版社，2000年。

刘勰著，范文澜注：《文心雕龙注》，北京：人民文学出版社，1958年。

刘勰著，刘永济校释：《文心雕龙校释》，北京：中华书局，1962年。

刘勰著，陆侃如、牟世金译注：《文心雕龙译注》，济南：齐鲁书社，1995年。

刘勰著，詹锳义证：《文心雕龙义证》，上海：上海古籍出版社，1989年。

刘勰著，祖保泉解说：《文心雕龙解说》，合肥：安徽教育出版社，1993年。

刘勰撰，黄叔琳注，纪昀评：《文心雕龙辑注》，北京：中华书局，1957年。

戚良德：《文心雕龙校注通译》，上海：上海古籍出版社，2008年。

王利器校笺：《文心雕龙校证》，上海：上海古籍出版社，1980年。

王运熙：《〈文心雕龙〉探索》（增补本），上海：上海古籍出版社，2005年。

吴林伯：《〈文心雕龙〉义疏》，武汉：武汉大学出版社，2002年。

二、其他著作

M.H.艾布拉姆斯：《镜与灯——浪漫主义文论及批评传统》，郦稚牛、张照进、童庆生译，王宁校，北京：北京大学出版社，1989年。

班固：《汉书》（影印本），北京：中华书局，1997年。

北川县志编纂委员会编纂：《北川县志》，北京：方志出版社，1996年。

曹学佺著，刘知渐点校：《蜀中名胜记》，重庆：重庆出版社，1984年。

柴剑虹、李肇翔主编：《说文解字》（上下），北京：九州出版社，2001年。

常璩撰，刘琳校注：《华阳国志校注》，成都：巴蜀书社，1984年。

常璩撰，刘琳校注：《华阳国志新校注》，成都：四川大学出版社，2015年。

陈寿祺撰，曹建墩点校：《五经异义疏证》，上海：上海古籍出版社，2012 年。
陈寿撰，裴松之注：《三国志》（影印本），北京：中华书局，1997 年。
杜佑撰，王文锦、王永兴、刘俊文等点校：《通典》，北京：中华书局，1988 年。
杜预注，孔颖达等正义：《春秋左传正义》，上海：上海古籍出版社，1992 年。
范晔：《后汉书》（影印本），北京：中华书局，1997 年。
房玄龄等：《晋书》（影印本），北京：中华书局，1997 年。
冯任修、张世雍等纂：《天启新修成都府志》，成都：巴蜀书社，1992 年。
葛洪辑，成林、程章灿译注：《西京杂记全译》，贵阳：贵州人民出版社，1993 年。
郭绍虞：《中国文学批评史》，天津：百花文艺出版社，1999 年。
韩非著，陈奇猷校注：《韩非子新校注》，上海：上海古籍出版社，2000 年。
韩非著，刘乾先、韩建立、张国昉、刘坤译注：《韩非子译注》，哈尔滨：黑龙江人民出版社，2003 年。
何建章注释：《战国策注释》，北京：中华书局，1990 年。
何晏等注，邢昺疏：《论语注疏》，上海：上海古籍出版社，1990 年。
黄晖：《论衡校释》（附刘盼遂集解），北京：中华书局，1990 年。
姜炳璋纂修：《石泉县志》四卷，乾隆三十三年（1768 年）刻本。
金春峰：《汉代思想史》，北京：中国社会科学出版社，1997 年。
孔安国传，孔颖达等正义：《尚书正义》，上海：上海古籍出版社，1990 年。
李百药：《北齐书》（影印本），北京：中华书局，1997 年。
李昉等：《太平御览》，北京：中华书局，1960 年。
李民、杨择令、孙顺林、孙道祥：《古本竹书纪年译注》，郑州：中州古籍出版社，1996 年。
李延寿：《北史》（影印本），北京：中华书局，1997 年。
李延寿：《南史》（影印本），北京：中华书局，1997 年。
李泽厚、刘纲纪主编：《中国美学史》（第一卷），北京：中国社会科学出版社，1984 年。
郦道元：《水经注》，长春：时代文艺出版社，2001 年。
令狐德棻等：《周书》（影印本），北京：中华书局，1971 年。
刘文典撰，冯逸、乔华点校：《淮南鸿烈集解》，北京：中华书局，1989 年。
刘熙：《释名》，北京：中华书局，1985 年。
刘向撰，向宗鲁校证：《说苑校证》，北京：中华书局，1987 年。
逯钦立辑校：《先秦汉魏晋南北朝诗》，北京：中华书局，1983 年。
吕不韦著，陈奇猷校释：《吕氏春秋新校释》，上海：上海古籍出版社，2002 年。
罗泌：《路史》（缩微制品），北京：全国图书馆文献缩微中心，1986 年。

马正平：《写作行为论》(《写的智慧》第二卷)，重庆：西南师范大学出版社，1995年。
毛公传，郑玄笺，孔颖达等正义：《毛诗正义》，上海：上海古籍出版社，1990年。
梅新林：《中国古代文学地理形态与演变》(上下)，上海：复旦大学出版社，2006年。
墨翟著，辛志凤、蒋玉斌等译注：《墨子译注》，哈尔滨：黑龙江人民出版社，2003年。
潘运告编注：《中国历代书论选》，长沙：湖南美术出版社，2007年。
沈约：《宋书》(影印本)，北京：中华书局，1997年。
司马迁：《史记》(影印本)，北京：中华书局，1998年。
四川大学古籍整理研究所、四川大学宋代文化研究中心编：《四川大学古籍整理研究所建所三十年纪念文集》，成都：四川大学出版社，2013年。
四川省苍溪县志编纂委员会编：《苍溪县志》，成都：四川人民出版社，1993年。
四川省大禹研究会编：《大禹及夏文化研究》，成都：巴蜀书社，1993年。
四川省大禹研究会编：《海峡两岸大禹文化研究会论文集》，成都：四川省大禹研究会，2000年。
四川省阆中市地方志编纂委员会编：《阆中县志》，成都：四川人民出版社，1993年。
宋衷注，秦嘉谟等辑：《世本八种》，北京：国家图书馆出版社，2008年。
汤炳正：《屈赋新探》，济南：齐鲁书社，1984年。
童恩正：《古代的巴蜀》，重庆：重庆出版社，1998年。
童庆炳主编：《文学理论教程》(修订二版)，北京：高等教育出版社，2004年。
汪荣宝撰，陈仲夫点校：《法言义疏》，北京：中华书局，1987年。
王弼、魏康伯注，孔颖达等正义：《周易正义》，上海：上海古籍出版社，1990年。
王聘珍撰，王文锦点校：《大戴礼记解诂》，北京：中华书局，1983，
王以宪、张广保注释：《法言·潜夫论》(注释本)，北京：华夏出版社，2002年。
王应麟：《玉海》(附辞学指南外五种)，上海：上海古籍出版社，1992年。
魏收：《魏书》(影印本)，北京：中华书局，1997年。
魏徵等：《隋书》(影印本)，北京：中华书局，1997年。
闻一多：《伏羲考》，上海：上海古籍出版社，2009年。
吴纳、徐师曾：《文章辨体序说·文体明辨序说》，北京：人民文学出版社，1962年。
萧涤非：《汉魏六朝乐府文学史》，北京：人民文学出版社，1984年。
萧统编，李善注：《文选》，北京：中华书局，2016年。
萧子显：《南齐书》(影印本)，北京：中华书局，1997年。
徐复观：《中国文学精神》，上海：上海书店出版社，2004年。
徐元诰撰，王树民、沈长云点校：《国语集解》，北京：中华书局，2002年。
许慎：《说文解字》，北京：九州出版社，2001年。

许月卿：《百官箴六卷》，民国十一年（1922）无锡许氏简素堂刊。

严可均：《全上古三代秦汉三国六朝文》，北京：商务印书馆，1999 年。

扬雄撰，张震泽校注：《扬雄集校注》，上海：上海古籍出版社，1993 年。

杨慎：《升庵经说》，北京：中华书局，1985 年。

杨义：《文学地理学会通》，北京：中国社会科学出版社，2013 年。

姚思廉：《陈书》（影印本），北京：中华书局，1997 年。

姚思廉：《梁书》（影印本），北京：中华书局，1997 年。

余嘉锡撰，周祖谟、余淑宜整理：《世说新语笺疏》，北京：中华书局，1983 年。

虞世南编纂：《北堂书钞》，北京：学苑出版社，2002 年。

袁珂校注：《山海经校注》，上海：上海古籍出版社，1980 年。

曾大兴：《文学地理学研究》，北京：商务印书馆，2012 年。

张法：《中国美学史》，成都：四川人民出版社，2006 年。

张溥著，殷孟伦注：《汉魏六朝百三家集题辞注》，北京：中华书局，2007 年。

章学诚著，叶瑛校注：《文史通义（附校雠通义）》，北京：中华书局，1994 年。

赵岐注，孙奭疏：《孟子注疏》，上海：上海古籍出版社，1990 年。

郑玄注，贾公彦疏，吕友仁整理：《礼记正义》，上海：上海古籍出版社，2008 年。

郑玄注，贾公彦疏，彭林整理：《周礼注疏》，上海：上海古籍出版社，2010 年。

郑玄注，贾公彦疏，王辉整理：《仪礼注疏》，上海：上海世纪出版股份有限公司、上海古籍出版社，2008 年。

中国《文心雕龙》学会编：《〈文心雕龙〉研究》（第一辑），北京：北京大学出版社，1995 年。

钟利戡、王清贵辑编：《大禹史料汇集》，成都：巴蜀书社，1991 年。

钟肇鹏：《鬻子校理》，北京：中华书局，2010 年。

周积寅编著：《中国历代画论》（上下册），南京：江苏美术出版社，2007 年。

周晓琳、刘玉平：《空间与审美——文化地理视域中的中国古代文学》，北京：人民出版社，2009 年。

朱汉民主编：《湖湘文化与巴蜀文化》，长沙：湖南大学出版社，2013 年。

三、研究论文

鲍义志：《再说大禹故里》，《中国土族》2007 年夏季号。

常金仓：《伏羲女娲神话的历史考察》，《陕西师范大学学报（哲学社会科学版）》2002 年第 6 期。

陈耀南：《〈文心〉“风骨”群说辨疑》，《求索》1988 年第 3 期。

邓经武：《巴蜀文化的肇始——神话和上古传说》，《西华大学学报（哲学社会科学版）》2004

年第 5 期。

邓经武:《中国文化源头中的巴蜀神话》,《文史杂志》2016 年第 2 期。

杜平原:《试论水文化与民族精神和时代精神》,《首届中国水文化论坛优秀论文集》,济南,2009 年。

段渝:《三星堆与巴蜀文化研究七十年》,《中华文化论坛》2003 年第 3 期。

冯淑然:《江山之助——〈文心雕龙〉的地理环境论》,《贵州师范大学(社会科学版)》2009 年第 4 期。

伏俊琏:《伏羲氏的历史贡献及伏羲文化研究的启示》,《甘肃社会科学》2014 年第 1 期。

高林广:《〈文心雕龙〉的司马相如辞赋批评》,《内蒙古师范大学学报(哲学社会科学版)》2012 年第 3 期.

耿俪洳:《川西羌族大禹文化研究——以北川大禹故里的文化建构为例》,上海:华东师范大学,2009 年。

桂珍明:《〈史记·五帝本纪〉五帝世系与先秦时期民族融合的关系》,《剑南文学(经典教苑)》2012 年第 10 期。

过文英:《论汉墓绘画中的伏羲女娲神话》,杭州:浙江大学,2007 年。

何炳武、王晓琴:《黄帝的妃嫔及子孙》,《西安航空技术高等专科学校学报》2000 年第 4 期。

何志国:《三星堆文化与巴蜀文化的关系》,《四川文物》1997 年第 4 期。

李炳海:《〈山海经〉江汉沿岸的冢陵传说及楚族的自川入鄂——兼论楚文化与巴蜀文化的关联》,《江汉论坛》2011 年第 7 期。

李诚:《古蜀神话传说与中华文明建构》,《中国俗文化研究》2003 年第 1 期。

李诚:《论班固评屈》,《四川师范大学学报(社会科学版)》1992 年第 2 期。

李丹阳:《伏羲女娲形象流变考》,《故宫博物院院刊》2011 年第 2 期。

李殿元:《司马相如——西汉边疆开拓的杰出战略家与实践者》,《文史杂志》2017 年第 6 期。

李凯:《司马相如文艺思想与儒家文艺思想大相径庭吗?》,《重庆师范大学学报(哲学社会科学版)》2012 年第 1 期。

李凯:《司马相如与巴蜀文学范式》,《四川师范大学学报(社会科学版)》2005 年第 2 期。

李凯:《司马相如与儒学》,《四川师范大学学报(社会科学版)》2008 年第 3 期。

李天道:《"中和"原则与"和雅"精神》,《西南民族大学学报(人文社会科学版)》2004 年第 1 期。

李岩:《大禹治水与中国国家起源》,《学术论坛》2011 年第 10 期。

李志艳:《文学地理——论中国古代文论资源对文学地理学的建构》,《华中学术》2012 年第 2 期。

林有盛、加毛太:《大禹故里新说》,《青海民族学院学报(社会科学版)》2008 年第 1 期。

刘跃进：《时空视野下的秦汉文学研究——〈秦汉文学地理与文人分布〉》，《光明日报》2013年1月9日。

戚良德：《〈周易〉——〈文心雕龙〉的思想之本》，《周易研究》2004年第4期。

祁和晖：《华夏儿女的人文故乡——"江源"胜地历史回顾——并说大禹开启古代中国人的"小康梦"》，《地方文化研究辑刊》2014年第8辑。

乔守春：《刘勰二梦析论》，《北京青年政治学院学报》2008年第2期。

孙凌昱：《〈文心雕龙〉中的司马相如评论》，《作家》2015年第14期。

孙锡芳：《〈史记·五帝本纪〉五帝谱系合理性探究》，《云南民族大学学报（哲学社会科学版）》2006年第2期。

谭继和：《巴蜀文化对中华核心价值观的贡献》，《四川党的建设（城市版）》2014年第6期。

谭继和：《巴蜀文化共同体的形成与发展》，《西华大学学报（哲学社会科学版）》2009年第3期。

唐世贵：《大禹神话与巴蜀文化之渊源新探》，《攀枝花学院学报》2006年第2期。

陶礼天：《文化传统与〈文心雕龙〉之性质略论》，《学术前沿》2008年第1期。

王文光、翟国强：《"五帝"世系与秦汉时期"华夷共祖"思想》，《中国边疆史地研究》2005年第3期。

谢增虎、胡政平：《伏羲画八卦——中国根文化的产生到文化形态的定型》，《甘肃社会科学》2009年第3期。

徐中舒：《巴蜀文化初论》，《四川大学学报（社会科学版）》1959年第2期。

徐中舒：《巴蜀文化续论》，《四川大学学报（社会科学版）》1960年第1期。

余粮才、芦兰花：《二十世纪以来伏羲研究概述》，《西北民族研究》2012年第1期。

袁有根：《云台山与〈画云台山记〉》，《文艺研究》1997年第3期。

张伦敦：《试论禹与蜀地之渊源关系——边缘视野下"禹兴西羌"考辨》，徐希平主编：《长江流域区域文化的交融与发展：第二届巴蜀·湖湘文化论坛论文集》，成都：四川大学出版社，2010年。

张天恩：《巴蜀文化与中原文化的关系试探》，《考古与文物》1998年第5期。

张泽洪：《岷江上游羌族的大禹崇拜——以禹生石纽说为中心》，《黑龙江民族丛刊（双月刊）》2003年第4期。

甄英军：《关于"降居""辨秩"与"五帝"——〈史记·五帝本纪〉的研究》，桂林：广西师范大学，2013年。

曾大兴：《建设与文学史学科双峰并峙的文学地理学科——文学地理学的昨天、今天和明天》，《江西社会科学》2012年第1期。

邹建军：《我们应当如何展开对文学地理学的研究》，《江汉论坛》2013年第3期。

钟仕伦:《论中国诗学的文学地理学特征》,《中外文化与文论》2014 年第 2 期。

周群华:《从考古和文献资料看巴蜀文化的内聚和外衍》,《四川文物》1993 年第 1 期。

周群华:《从考古和文献资料看巴蜀文化与周边区域文化的交流》,《社会科学研究》1992 年第 6 期。

孙旭辉:《山水赋生成史研究》,杭州:浙江大学,2008 年。

杨为刚:《唐代"长安—洛阳"文学地理与文学空间研究》,上海:复旦大学,2009 年。

尧荣芝:《两汉文学地域性研究》,成都:四川师范大学,2012 年。

潘德宝:《现代中国文学观念的形成与日本中介》,上海:复旦大学,2013 年。

郝红霞:《中晚唐文学的南方化》,上海:复旦大学,2012 年。

李伟煌:《中国文学地理学论著的数理统计与分析》,广州:广州大学,2012 年。

刘海涛:《北朝地域文学略论》,杭州:浙江师范大学,2013 年。

赵小玲:《迈克·克朗"文学空间"理论研究》,重庆:重庆师范大学,2016 年。

何佩东:《伏羲文化与巴蜀文明》,《中国商报》2006 年 8 月 18 日。

胡金星:《从大禹治水精神浅谈水文化与民族精神和时代精神》,《首届中国水文化论坛优秀论文集》,济南,2009 年 11 月。

曹顺庆、李泉:《为什么中国人读不懂中国文论?——从黄侃先生的"风即文意,骨即文辞"谈起》,《山东社会科学》2013 年 11 期。

陶礼天:《文心雕龙文学地理批评思想研究(上篇)》,《中国〈文心雕龙〉学会第十四次年会论文集》,呼和浩特,2017 年 8 月。

后 记

2017 年初夏，孙太、许劲松师兄和赵娟茹师姐告诉我：希望能在以前合作学习、研讨《文心雕龙》文学理论的基础上，写一部具有新意的研究著作，他们已有好的构思，建议从《文心雕龙》中广泛征引、借鉴、评论的巴蜀著名部落首领大禹、著名文学家司马相如、著名思想家扬雄等入手，因为这是特殊而有意义的：先秦两汉时期，巴蜀名家辈出，是当今文化复兴、文化自信大背景下本土巴蜀儿女引以为豪的杰出先祖与研究对象，更是影响整个中华文明史和中国文学史的大家。研究一定会有新意，因为这是从《文心雕龙》的角度出发，而不是从纯思想史、文学史、汉楚辞学史、汉代辞赋史论出发展开的研究。

我认为三位学长的建议是极好的：首先我手上正好有《巴蜀全书》编纂组和四川思想家研究中心资助的同类型课题；其次，四川有着辉煌的“龙学”研究史，涌现出了杨慎、刘咸炘、庞石帚、王利器、杨明照等名家，特别是四川大学的杨明照先生，他的研究成果享有世界声誉，被誉为“龙学泰斗”，并培养了大批分散在海内外的“龙学”研究力量，如武汉大学李建中教授等优秀代表；再次，四川大学文学与新闻学院在杨先生杰出弟子曹顺庆院长的主持下，博士生必读、必学、必背《文心雕龙》，三位学长产生这样的创新研究的思想火花，既是对所学的检视，也是顺理成章的事情。所以，在得到他们提供的坚实支持后，我们一起开始了本书的研究工作，历时一年，完成了这本小书，其中：

孙太、许劲松合作写作本书大禹、司马相如章，各自完成 45 千字左右；

赵娟茹负责全书文献工作，写作扬雄章部分内容，完成约 42 千字；

王万洪完成其余内容。

因为《文心雕龙》博大精深，体大虑周，难以研究，更难创新研究，这一点我们是知道的。但是，四川大学自杨明照先生仙逝之后，已经逐渐退出了全国“龙学”研究的重镇位置，我们四位作者作为四川大学培养出来的学生，愿意继往开来，做一点事情，将四川大学的“龙学”研究继续下去。

但是，我们的学术实力实在不够，所以本书难免存在许多错漏之处。在此，我们请求各位读者朋友：请严格要求我们，如有错漏，请一定不吝指出！您的批评，将促使我们成长！谢谢！

感谢师兄许劲松博士为本书赐序！感谢科学出版社郭勇斌、周爽、马晓敏、王贝、李影老师！她们为本书选题申报、编辑校对、最终出版付出了很多心血，是这本小书能够问世的助产士。

王万洪

2018 年 3 月 31 日